KB019674

새로 쓴
스포츠의학

이윤관, 김알찬, 김영주, 박정화, 이중열 저

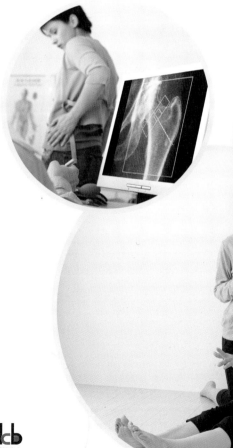

dcb
대경북스

저자소개

이 윤 관

동아대학교 체육학과 졸업
동아대학교 대학원 체육학석사
동아대학교 대학원 이학박사
대구한의대학교 한방스포츠의학과 교수

김 알 찬

한국체육대학교 사회체육과 학사
한국체육대학교 일반대학원 스포츠의학석사
한국체육대학교 일반대학원 스포츠의학박사
백석대학교 스포츠건강관리학과 조교수

김 영 주

용인대학교 학사
한국체육대학교 건강운동관리학 전공 체육학석사
한국체육대학교 스포츠의학 전공 체육학박사
현) 성신여자대학교 스포츠과학부 운동재활전공 교수

박 정 화

한양대학교 체육학석사
성신여자대학교 체육학박사
서울기독대학교 운동건강관리학과 겸임교수

이 중 열

가천대 대학원 태권도경영학석사
가천대 대학원 체육학박사
가천대학교 평생교육원 학위교육부장

새로 쓴 스포츠의학

1판 1쇄 인쇄 2022년 9월 15일
1판 1쇄 발행 2022년 9월 20일

발행인 김영대
편집디자인 임나영
펴낸 곳 대경북스
등록번호 제 1-1003호
주소 서울시 강동구 천중로42길 45(길동 379-15) 2F
전화 (02)485-1988, 485-2586~87
팩스 (02)485-1488
홈페이지 http://www.dkbooks.co.kr
e-mail dkbooks@chol.com

ISBN 978-89-5676-924-0

머리말

과학기술 및 네트워크의 발달로 생활환경이 고도로 편리화되고 의학 기술의 발달로 수많은 질병이 극복되고 있는 이 시점에도 오히려 운동 부족과 영양 불균형에 따른 각종 생활습관병으로 고통받고 있는 사람들의 숫자는 점점 늘어나고 있으며, 환경오염으로 인한 공해, 생활 및 업무 스트레스로 인해 건강 생태계는 점점 위협을 받고 있다. 생활습관병을 예방하고 건강을 유지하려면 다양한 운동을 통해 체력을 증진하는 것만이 유일한 길이라는 것은 잘 알려진 사실이다.

현대인들은 시간과 비용을 투자해가며 자신의 건강을 위해 또 여가시간의 활용을 위해 퍼스널 트레이닝을 받거나, 다양한 운동에 참가하여 운동지도자들로부터 코칭을 받아가며 스포츠 활동에 열을 올리고 있다.

2000년대 초 불어닥친 웰빙 열풍에 따라 수많은 사람들이 무작정 운동에 뛰어들었으나, 이제는 자신의 건강 건강상태와 체력을 파악하고 운동을 제대로 배우려는 사람들이 크게 늘어났고, 노년층이나 질환을 가진 사람들이 스포츠에 참가할 기회도 더욱 늘어났다. 이 때문에 임상에서, 또한 스포츠현장에서 스포츠의학의 지식과 경험이 더욱 절실히 필요하게 된 것이다.

최근 많은 스포츠가 전문화·고급화되고 있다. 처음에는 호기심 때문에 모임에만 나오는 사람도 많았으나, 최근에는 참여하는 인원이 대폭 늘어난 것은 물론 참가자 중 많은 수가 전문적인 장비를 갖추고, 제대로 코칭을 받아 아마추어의 수준을 훌쩍 넘어서는 사람도 많아졌다.

한편 생활스포츠의 양적·질적 성장과 더불어 스포츠상해의 발생빈도도 점점 잦아지고 그 발생유형도 점점 다양화되고 있어, 스포츠의학을 전공한 전문가의 수요가 크게 늘고 있다. 그러므로 의사뿐만 아니라 엘리트 스포츠지도자, 생활체육지도자, 체육교사, 퍼스널 트레이너 등과 스포츠 관련 분야의 직업을 갖고자 희망하는 학생들에게도 스포츠의학은 필수과목이라고 할 수 있다.

본 서는 크게 4편으로 구성되었으며, 그 내용은 다음과 같다.

제1편 '스포츠의학과 건강증진 시스템의 기초'에서는 스포츠의학 개론, 건강증진 시스템의 과학적 기초에 대해 설명하였다.

제2편 '운동처방과 건강증진'에서는 운동처방의 개념과 절차, 대상별 운동처방의 실제, 운동과 생활습관병의 예방 및 개선 방법에 대해 설명하였다.

제3편 '신체부위별 상해와 질환'에서는 머리 및 목부위의 상해와 질환, 몸통의 상해와 질환, 어깨관절 및 팔의 상해와 질환, 다리의 상해와 질환에 대해 설명하였다.

제4편 '신체계통별 질환과 운동'에서는 심장혈관계통질환, 근육·골격계통질환, 호흡계통질환, 대사성질환, 기타 질환의 증상과 생리, 치료법 등에 대해 설명하였다.

스포츠의학의 영역은 기초과학부터 임상의학까지 매우 광범위하다. 본서는 이런 광범위한 내용을 망라하면서도 스포츠의학을 처음 접하는 학생들도 이해하기 쉽게 설명하는데 중점을 두었다.

아무쪼록 본 서가 스포츠의학을 공부하는 학생들에게 좋은 길잡이가 되기를 바라며, 관련 분야에 정진하고 계신 많은 전문가들의 아낌없는 조언을 바라마지 않는다.

2022년 8월

저 자 씀

차 례

제2편 운동처방과 건강증진

제1장 운동처방

제2장 신체운동과 건강증진

제3편 신체부위별 상해와 질환

제1장 머리 및 목부위의 상해와 질환

제2장 몸통의 상해와 질환

제4편 신체계통별 질환과 운동

제1장 심장혈관계통질환과 운동

제3장 호흡계통질환과 운동

제4장 대사성질환과 운동

제 **1** 편

스포츠의학과
건강증진 시스템의 기초

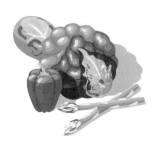

스포츠의학 개론

제**1**장

건강의 유지와 증진

의학의 진보에 따라 질병의 진단과 치료기술이 향상되어 선진국은 평균수명이 매우 연장되었다. 고령화시대를 맞이하여 국민의 체력을 어떻게 장기간(고령기까지) 유지하고, 또 건강저해요인을 어떻게 없애는가가 큰 과제가 되었다. 단순히 생명의 연장뿐만 아니라 어떻게 활기찬 노후를 살아갈 것인지가 중요해진 것이다.

WHO 헌장에서는 "건강이란 단순히 신체에 병이 없다거나 몸이 약하지 않다는 것뿐만 아닌 신체적·정신적·사회적으로 완전히 양호한 상태"라고 정의하고 있다.

건강은 의학적(심신을 포함하여)인 평가가 기본이 되지만, 건강에 영향을 미치는 요인은 개인의 생활습관(운동, 영양, 휴식) 등에 좌우된다. 더욱이 개인의 생활습관은 사회적 조건의 영향을 받는다.

현대인은 건강한 상태로 왕성하게 활동할 시기에는 사회활동을 하고, 고령기에는 가능한 한 건강한 상태로 생활하는 것이 큰 목표라고 할 수 있다. 최근 건강의 유지·증진에 대한 자신의 책임이 강조되고 있다. 즉 일상생활에서 건강을 방해하는 조건이 있다면 그것을 제거하고, 건강 유지·증진에 관한 효과적인 방법이 있다면 그것을 생활습관에 받아들여 실천해야 한다는 생각이 일반화되어가고 있다.

사회적 건강관은 병을 예방하고, 병에 걸리기 쉬운 조건을 개선하고, 병이 있다면 조기에 치료한다는 수동적 건강(passive health)에서 적극적으로 건강한 상태를 만들어 증진하는 능동적 건강(active health) 시대로 크게 변화해가고 있다.

건강과 스포츠

몸 움직이기(운동), 움직임과 생명유지를 위한 영양, 피로회복을 위한 휴식(수면)은 사람의 건강유지를 위한 기본적인 세 가지 조건이다.

문화의 진보에 따라 라이프스타일이 근대화되었으며, 교통기관이나 자동화기기의 보급에 따라 일상생활에서 몸을 움직이는 기회가 감소하고 있다. 게다가 과잉스트레스를 받는 생활이 습관화되고, 각종 성인병도 증가하고 있다.

이러한 시대적 배경 아래 건강과 스포츠에 관련된 의학적 연구가 진행되어 건강을 유지 내지 향상시킬 수 있는 스포츠의 역할이 명백해지고 있다. 건강 · 체력만들기를 목표로 하는 스포츠가 일상화되고, 스포츠 인구도 계속해서 늘어가고 있다.

그런데 의학적인 관점에서 보면 건강상태 · 체력에 적합한 스포츠가 반드시 실시되고 있다고 단정할 수 없고, 상해나 사고의 발생도 드물지 않다.

일반적으로 스포츠라 하면 규칙에 따라 특정 경기장(ground)이나 코트에서 승패를 겨루는 경기를 생각한다. 그러나 현재는 스포츠가 넓게 해석되어 몸을 움직이는 것은 모두 스포츠로 본다.

스포츠 활동(신체활동)으로 몸을 자극하면 몸은 그 자극에 대응하여 적절하게 운동하기 위해 운동기관뿐만 아니라 전신의 기능을 동원한다. 운동에 의해 몸에 일어나는 변화나 반응은 운동의 종류 · 강도 · 시간 등에 따라 달라지고, 연령 · 성별 · 스포츠경험 유무 등에 따른 개인차도 있다. 게다가 동일한 사람이라 해도 운동 전이나 그당시의 몸상태,

외부환경(기상조건, 날씨, 스포츠시설의 상태 등) 등의 영향을 받아 항상 일정하지 않다.

스포츠 활동은 대상에 따라 목적과 내용이 본질적으로 다르다. 스포츠를 목적에 따라 분류하면 다음의 3종류이다.

경기 스포츠

가장 높은 기량을 가진 선수들이 하는 스포츠이다. 승패나 스코어를 겨루는 것이 목적이며, 일반인이나 중장년에게는 적합하지 않다.

스포츠 선수는 일상생활에서 많은 시간을 스포츠 활동에 사용한다. 보다 뛰어난 기록·성적을 얻기 위해 체력과 스포츠 수행능력 향상을 목표로 매일 격렬한 트레이닝을 실시한다. 운동강도도 높고, 운동량도 많다.

일반 스포츠

건강유지·증진, 운동부족이나 스트레스 해소를 목적으로 하는 스포츠이다. 연령·체력 등을 고려해서 종목을 선택한다.

학교 스포츠는 이 범주에 포함된다. 유아·청소년의 발육, 건강유지·증진을 촉진하기 위해 학교의 정규교과로 교육받는다. 운동이나 스포츠의 내용은 나이와 발달단계에 맞춰 실시된다.

사회인이나 일반인이 실시하는 생활스포츠는 레크리에이션이나 레저적인 요소가 강하다. 운동의 종목·강도는 개인의 건강상태나 생리기능에 맞춰 실시한다.

리헤빌리테이션(재활)

병의 치료, 일상생활 복귀를 위해 실시하는 스포츠이다. 생리기능 향상, 전반적인 체력 유지·향상을 목표로 한다. 건강상태와 생리적 기능에 맞추고, 안전성을 충분히 배려하여 운동내용을 정한다. 운동치료적 성격을 가지고 있다.

스포츠의학과 그 역할

건강·체력 만들기에서 스포츠의 역할은 크다. 건강을 위해 적극적으로 스포츠를 실시하는 사람도 늘고 있다.

한편 유아부터 고령자까지, 건강한 사람부터 여러 가지 질환을 가진 사람들도 스포츠에 참가하고 있다. 그 결과 스포츠 중에 돌연사와 같은 사고도 발생하여 사회문제가 되기도 한다.

스포츠는 본래 '양날의 검'과 같은 성격을 가지고 있다. 따라서 그 방법이 적절하지 못하면 건강에 문제가 있는 사람, 체력이 약한 사람, 고령자 등에게 마이너스의 효과를 준다. 스포츠의 건강 측면을 과신한 나머지 재미나 화려한 겉모습에만 눈을 돌리고 그 본질을 무시한 채 진행하면 스포츠 상해·사고에 직결된다.

스포츠의 보급으로 스포츠에 관련된 사람들도 매우 많아지고 있다. 그들은 경기 스포츠의 감독·코치·트레이너, 학교체육의 지도자, 생활스포츠의 지도자, 스포츠동호회의 지도자 등이다.

또한 스포츠 현장에 직접 관련된 사람들도 건강 지도자나 상담 상대로서 스포츠의학 지식을 갖출 필요성이 대두되고 있다. 최근 활발하게 개최되고 있는 각종 스포츠지도자 양성강습회의 커리큘럼에는 스포츠의학이 포함되어 있다.

스포츠의학은 체육과학·기초의학·임상의학 등의 분야가 종합된 학제적 뉘앙스가 풍부한 응용과학이다. 스포츠와 건강에 관한 지식도 풍부해져 스포츠 상해·사고의 발생 메커니즘, 예방법 등도 발전되어 치료의학의 한 영역의 되고 있다.

건강증진시스템의 과학적 기초 제2장

건강증진시스템과 운동치료

➡▷ 건강증진시스템의 구축

현대인의 건강상태를 악화시키는 주원인은 운동부족, 과식, 흡연 등 건강을 생각하지 않는 도덕적 해이라고 해도 지나치지 않다. 건강을 개인적 과제라고 단정지으면 건강 문제는 개인이 살아가는 방법 및 사고방식의 문제가 되어버려 사회 전체에 관련된 건강의 개선은 현실적으로는 어렵게 된다. 왜냐하면 사람은 원래 편한 쪽을 선호하는 특성을 가지고 있기 때문이다. 이대로 건강에 대한 도덕적 위험을 가지고 있는 상황이 지속되면, 앞으로 10년 이내로 우리나라의 건강보험제도나 노동력에 상당한 마이너스 영향을 주게 될 것이다.

이러한 건강에 대한 도덕적 해이가 사회풍조가 되는 것을 타파하는 한 가지 대책은 '건강에 대한 노력을 지원하는 사회시스템'의 구축이다. 특히 일상생활에서 운동은 일반적으로 그 필요성은 이해하더라도 행동에 옮기기는 어렵다. 자신이 변화할 것으로 기대하고 자신에게 필요한 건강교육만 할 것이 아니라 바람직한 건강행동을 일으키기 쉽게 사회제도를 확립시켜야 한다. 따라서 많은 국민이 보다 바람직한 건강행동을 시작하려면 사회(지방자치단체나 기업 등)와 개인 쌍방에 인센티브가 성립하는 사회제도나 민간의 지원시스템이 필요하다.

건강증진시스템 구축을 위한 사고방식

▸ 고령화사회에서는 건강이 고귀한 자원이다.
▸ 건강에 관련된 도덕적 해이(moral hazard) : 고귀한 자원인 건강의 낭비
  건강은 개인의 것인가? 사회적인 책임을 포함하여 고려해야 한다.
▸ 건강을 지키는 데 쓰이는 지출을 억제하도록 하는 것이 건강증진시스템이다.
▸ 건강증진시스템으로 고귀한 자원인 건강을 국민 각자가 매일 생산하게 한다.
▸ 생활습관병(life style disease)에 다른 질병과 건강보험부담률이 똑같이 부과되는 것은 과
  연 공평한가?
▸ 건강교육·계발활동만으로 사람들이 생활을 바꾸기 쉽지 않다. 노력을 지원하는 사회시스
  템(인센티브)이 필요하다.
  건강증진시스템은 의료비·간호비의 절약이라는 의미에서 모든 국민이 생산할 수 있는 자원이지만,
  그것을 위한 동기부여에는 많은 연구가 필요하다.

➠ 운동요법

운동치료(therapeutic exercise)란 한마디로 운동으로 치료효과를 거두게 하는 방법
으로 비만, 당뇨병, 고혈압 등일 때 응용된다. 운동치료의 기본형태는 다음과 같다.

▸ 근육의 수의적인 수축이 상실되었을 때 관절가동범위를 유지 내지 향상시키기 위
  한 수동운동
▸ 근육의 수의적인 수축이 불충분할 때 하는 보조 자동운동
▸ 수의적인 동작이 가능한 경우에 하는 자동운동
▸ 저항에 대항해서 움직여 근력증강을 도모하는 저항운동
▸ 단축된 근육이나 연부조직을 늘리는 펴기운동
▸ 매트, 평행봉, 지팡이, 보장구 등을 이용한 보행훈련

운동치료는 원래 맨손체조나 스포츠와는 다른 것이라는 생각에도 불구하고 그 기초과

학적인 기반은 어느 정도 공통성을 가지고 있다. 따라서 광의의 체조나 스포츠가 인간의 수명에 어떤 영향을 미치는지에 대해 겉모습만이라도 살펴보는 것도 무의미한 일은 아니다. 수명은 굉장히 많은 인자에 좌우되지만, 다음과 같은 재미있는 데이터가 보고되고 있다.

1964년 해먼드(Hammond, E. C.)는 뇌졸중, 심장질환, 고혈압, 암 등의 병력이 없는 387,427명의 미국 남자들에게 생활습관과 여러 가지 신체적인 장애에 관한 질문지를 발송했다. 이어진 2년 동안 첫 해에 4,468명이 사망하고, 다음 해에 5,614명이 사망하여 합계 10,082명이 사망했다. 이 조사에서는 노동에 종사하거나 스포츠와 체조를 하던 사람의 사망률이 낮았다.

또한 해먼드는 40세부터 80세에 이르는 442,094명을 대상으로 34개월에 걸쳐 사망률을 조사하여 가족병력, 식사, 직업, 동료, 거주지, 신장, 체조와 스포츠 등으로 소분류하여 85구분으로 나눴다. 가장 사망률이 낮은 그룹은 담배를 피우지 않고 중간강도 혹은 격렬한 스포츠를 한 그룹이었다.

카르보넨(Karvonen, M.)이 1959년에 핀란드에서 조사한 결과도 이와 거의 비슷하였다. 388명의 스키 경기자들과 일반인을 비교한 결과 스키 경기자들이 평균 6년 더 오래 살았다는 사실이 증명되었다.

그러나 이에 대한 반론이 없다고는 할 수 없으며, 결정적인 결론은 나지 않았지만 다음과 같은 것들은 틀림없는 사실로 볼 수 있다.

▶ 신체활동이 둔해지면 만성질환에 걸리기 쉽다.
▶ 심장혈관계통질환의 발생은 중간강도의 체조를 규칙적으로 하면 어느 정도 방지할 수 있다.
▶ 폐쇄동맥질환, 허파기종, 천식 등도 규칙적인 운동이 효과가 있다.
▶ 당뇨병환자의 컨디션 유지에는 치료체조가 효과가 있다.

운동의 효과

우리는 일상생활에서 항상 신체의 일부 혹은 전신을 움직인다. 운동을 하지 않으면 신경·근육뿐만 아니라 전신의 모든 장기에 기능저하현상이 나타난다. 즉 인간은 운동에 의해 전신기능을 유지하고, 건전한 전신기능이 있어야 비로소 운동이 가능해진다.

현대사회는 자동화·기계화로 인하여 전신을 움직일 기회가 감소되어 불사용증후군(disuse syndrome) 문제가 생겼다. 비만, 심장병, 동맥경화, 체력저하, 허리옆굽음증, 뼈발생이상(dysostosis, 이골증), 관절가동범위제한 등이 그 예다. 노인은 심장·허파, 운동, 정신 등 신체의 모든 기능이 현저하게 저하된다. 운동에 의해 전신상태 및 치매가 개선되는 경우도 종종 있다. 이러한 장애의 예방 및 치료를 위하여 최근에는 운동의 중요성이 제기되고 있으나, 반면 과로(overwork)에 의한 폐해도 증가하고 있다.

운동이 근혈류에 미치는 영향

운동 시 근혈류 조절

근육의 혈관은 2개의 다른 교감신경계통에 의해 지배받고 있다. 하나는 아드레날린 작용(adrenergic)으로 혈관수축 시에 작용하고, 다른 것은 콜린 작용(cholinergic)으로 혈관확장 시에 작용한다. 이것을 운동과 관계시켜 보면 혈관확장신경은 운동 개시 전부터 긴장이 높아져 심박수가 증가하고, 동시에 혈관도 팽창한다. 이것이 운동 초기의 근혈류 증가에 작용하는 것으로 볼 수 있다.

국소적인 근혈류 조절에는 다음의 인자들이 관여한다.

▶ PO_2 감소(조직 안의 산소분압 감소)

▶ PCO_2 상승(조직 안의 탄산가스분압 상승)

▶ K^+ 축적

▶ 다른 혈관팽창물질 생성

▶ 근육온도 상승

근육운동이 시작되면 근수축 결과 생긴 이러한 인자들이 국소혈관에 직접 작용하여 모세혈관을 확장시켜 혈류를 증가시킨다. 국소적 자극은 운동개시 후 5~20초가 되면 최고가 되는데, 이것은 운동 시의 혈류를 유지하는 최대인자이다.

근육모세혈관이 확장되면 근수축에 필요한 다량의 산소나 영양물질의 공급을 촉진시킴과 동시에 근육섬유와 모세혈관 사이의 거리를 단축시키고, 영양물질의 공급 및 근수축에 의해 생성된 대사산물의 확산을 방지한다.

◑ 율동수축과 근육 펌프작용

활동 중인 근혈류는 수축 시에는 감소하고, 이완 시에는 증가한다. 근수축이 최대수축의 1/5 이상이 되면 근혈류는 감소한다. 근육이 수축과 이완을 반복하면 근육의 펌프작용이 효과가 생겨 정맥혈의 심장복귀를 촉진한다. 걷기는 율동수축(rhythmical contraction)의 한 예이다. 마비된 사람이나 오랫동안 누워 지낸 환자는 이 근육펌프작용이 없기 때문에 혈액이 울체(stagnation)되어 다리부종(trophedema)이나 혈전정맥염(thrombophlebitis)이 쉽게 발생한다.

➡️ 운동이 순환계통에 미치는 영향

◑ 심박출량

단위시간에 오른심실 혹은 왼심실로부터 박출되는 혈액량이 심박출량(cardiac output)인데, 건강한 사람의 1분간 박출량(분당박출량, minute volume)은 5~6ℓ이다. 1회 수축에 의해 박출되는 혈류량이 1회박출량(stroke volume)이며, 정상인은 60~80ml다. 심박출량은 몸의 크기에 따라 다르며 체표면적에 비례한다. 체표면적 $1m^2$ 당 심박출량을 심박출계수(cardiac index)라 하며, 건강한 사람은 2~3ℓ/분이다.

▣ 연령과 심박출량

심박출량은 연령에 따라 변화하여 10세에 최고가 되고, 그 후는 연령과 함께 낮아진다.

▣ 심박출량에 관계된 인자

심박출량은 여러 가지 원인에 의해 변화하는데, 이것은 심박수의 변화, 1회박출량의 변화 혹은 두 가지 모두의 변화에 의해 야기된다.

심박수는 자율신경계통에 의해 조절되며, 교감신경의 자극에 의해 증가하고, 부교감신경의 자극에 의해 감소한다. 1회박출량은 자율신경계통, 말초순환저항 및 심장확장기에 있는 심실충만도에 의해 결정된다.

프랭크-스탈링(Frank-Staring)의 법칙에 따르면 심장의 수축력은 수축 전 심장근육의 길이에 비례한다. 확장기에 다량의 혈액이 유입되어 심장근육이 늘어나서 장력이 커지면 커질수록 수축력이 커진다. 심장에 유입되는 혈액량, 즉 복귀정맥혈(venous return, 정맥환류)은 말초순환혈액량에 비례하여 증가한다.

복귀정맥혈을 증대시키는 인자는 다음과 같다.

- ▶ 근수축
- ▶ 호흡에 따른 가슴우리의 흡인작용
- ▶ 심실수축 시 심방압력의 저하
- ▶ 복부내장, 그밖의 혈액저장고로부터의 이동
- ▶ 세동맥(arteriole) 확장에 의해 일어나는 정맥압(venous pressure)의 상승
- ▶ 아드레날린작용 신경을 거쳐 일어나는 혈관수축

▣ 자세와 심박출량

누워 있다가 앉은 자세 혹은 선 자세로 바꾸면 심박출량은 감소한다. 이 변화는 앉은 자세 혹은 선 자세에서 혈액이 중력의 작용에 의해 신체의 아래쪽에 울체하여 일어난다. 장기간 선 자세를 지속하면 복귀혈액량이 감소되어 1회박출량이 불충분해져 현기증을 느끼기도 하며, 또 누운 자세에서 갑자기 일어설 때 현기증을 호소하는 사람도 있다.

오랫동안 누워 있는 환자나 하지마비환자를 틸트테이블(tilt table, 기울임판)을 이용하여 서기훈련을 할 때에도 마찬가지 현상이 일어나 실신할 수도 있다. 이러한 증상은 심박수 감소에 의한 허혈뇌병(ischemic encephalopathy)에 기반을 둔 것으로 볼 수 있다. 서기훈련에서 나타나는 허혈뇌병은 발가락부터 넙다리까지 탄성붕대로 감싸면 상당부분을 예방할 수 있다. 배를 코르셋이나 붕대로 압박하는 것은 다리를 압박붕대로 감싸는 만큼의 효과는 없다.

자세변화에 따른 것이 아니라 단순히 누운 자세, 앉은 자세 및 선 자세에서의 심박출량은 누운 자세보다 앉은 자세 혹은 선 자세 쪽이 적다. 이것은 환자를 치료할 때, 특히 심장병환자의 치료에서 주목해야 할 일이다. 심장에 대한 부담은 심박출량 외에 말초순환저항, 자율신경계통 등도 관여한다는 것을 잊어서는 안 된다.

▣ 운동과 심박출량

심박출량은 전신의 산소소비에 거의 비례하고, 운동 시에는 증가한다. 심박출량의 증가는 심박수의 증가와 1회박출량의 증가에 따라 정해지지만, 1회박출량에는 이완말기의 심실용적(end-diastolic ventricular volume)의 증가와 수축말기의 심실용적(end-systolic ventri-cular volume)의 감소가 관여한다. 전자는 심실로 들어오는 혈액량으로, 프랭크-스탈링(Frank-Staring)의 법칙에 기반하여 일어난다. 교감신경계통을 자극하면 심박수의 증가 말고도 심장근육의 수축력은 근육섬유의 길이에 관계없이 강해진다. 이때 정상 이상의 혈액을 박출하고, 수축말기의 심실용적은 감소한다.

1회박출량의 증가에는 한계가 있어서 최대산소섭취량의 40%의 산소를 섭취하여도 최고에 달한다. 이때 심박수는 1분간 110인데, 이 이상의 심박출량 증가는 심박수의 증가에 따라 이루어진다. 운동선수의 심박출량이 매분 35ℓ까지 저하될 때도 있다.

운동 시 심박출량은 다음과 같은 인자에 의해 증가한다.

▶ 교감신경계통에 의한 수축력의 증대와 혈압의 상승
▶ 근수축에 의한 혈관압박으로 혈압의 상승
▶ 근혈관의 확장에 의한 저항의 감소와 복귀정맥혈의 증가

근육의 등척수축 시에는 이미 그 시작 때부터 정신적인 자극에 의해 심박수가 증가하지만, 근육의 혈류는 감소하고 1회박출량의 변화는 비교적 적다. 등장수축 시에도 심박수는 곧 증가하지만, 1회박출량은 등척수축과 달리 현저히 증가한다. 심박출량은 산소소비에 비례하여 증가하며, 35ℓ/분을 넘어서는 경우도 있다.

▣ 심박출량과 운동의 효과

안정시에 운동선수는 일반인보다도 1회박출량이 크고 심박수는 적어도 수축말기의 심실용적은 크다. 운동 시에는 1회박출량과 심박수 모두 증가하지만 운동선수의 심박수 증가는 비운동선수보다 적다. 훈련된 사람은 이처럼 최대심박출량이 클 뿐만 아니라 운동 중의 동·정맥산소분압차도 커서 조직이 피를 흘릴 때 산소를 섭취하는 능력이 우수하다.

◑ 심박수

정상인의 심박수(heart rate)는 개인차가 있고, 나이에 따라서도 다르다. 성인의 안정시심박수는 60~70회/분이지만, 50회/분부터 100회/분 사이는 정상으로 본다. 심박수가 50/분 이하를 서맥(bradycardia), 100회/분 이상을 빈맥(tachycardia)이라고 한다. 안정시의 평균심박수는 신생아는 130회/분, 5세는 105회/분, 10세는 90회/분이다.

심박수가 빨라지면 심장은 수축기나 확장기 모두 단축하는데, 후자가 전자에 비해 단축의 폭이 굉장히 크다. 주로 확장기에 심실로 혈액이 많이 유입되는데, 심박수가 약 180/분 이하라면 심실은 혈액에 의해 넘칠 듯하게 된다. 심박수가 좀더 증가하면 혈액이 심실을 가득 채우기 전에 수축이 시작되어 심박출량이 감소한다. 앞에서 언급했듯이 운동시심박출량이 증가하려면 심박수의 증가가 필수적이다.

최대심박수는 안정시심박수와 마찬가지로 나이차 및 개인차가 있다. 오스트랜드(Åstrand, P. O.)에 의하면 평균최대심박수는 15세는 210, 25세는 200, 40세는 180, 55세는 150회/분이다. 실제로 50세 이상의 건강한 사람은 운동시심박수가 150~160회/분을 넘는 경우는 매우 드물다. 심장병환자는 심장근육의 수축력이 저하되어 있어 이와는 다르다.

심박수는 자세에 따라서도 변화하여 통상 누운 자세보다는 앉은 자세, 또 앉은 자세보다도 선 자세일 때 많이 변한다. 자세에 따른 변화가 적을수록 운동에 적합하다.

운동 시에는 심박수가 증가하지만, 이미 운동시작 전의 심리적인 준비단계에서 교감신경계통의 흥분이 일어나 맥박은 증가한다. 운동이 격렬할수록 심박수는 많아진다. 운동종료 후에는 맥박수가 점점 감소하고, 과도한 운동이 아닌 한 2~3분 이내에 정상치로 되돌아오는 것이 보통이다.

심박수가 반드시 산소소비량에 비례한다고는 단정할 수 없으나, 치료 중에 간단히 판정할 수 있으므로 임상에서 종종 운동량을 평가하기 위해 이용된다. 일정운동량에 대한 맥박수는 나이와 함께 증가한다. 오래 동안 운동을 하려면 최대산소소비량의 1/3~1/2의 부하에 머물러야 한다.

이것을 바탕으로 앤더슨(Anderson, A. D.)은 고령자나 심장병환자의 보행훈련에 대한 기준을 다음과 같이 제시하였다.

▶ 안정시맥박이 100/분 이하일 것
▶ 운동 중 심박수가 135~140회/분을 넘지 않을 것
▶ 운동종료 후 2분이 지나면 안정시맥박수가 플러스 10 이하일 것

◑ 혈압

심장의 수축-이완사이클에 따라 동맥내압은 변동한다. 큰동맥에서 내압의 최고치를 최고혈압 혹은 수축기혈압(systolic pressure)이라 하고, 최저치를 최저혈압 혹은 이완기혈압(diastolic pressure)이라고 한다. 최고혈압과 최저혈압의 차가 맥압(pulse pressure)이고, 그 평균치를 평균혈압이라고 한다. 청년기에는 정상최고혈압은 120mmHg, 최저혈압은 80mmHg, 맥압은 40mmHg로 그 비율은 3:2:1이다. 평균혈압의 임상적인 측정은 어렵지만, 최저혈압에 맥압의 1/3을 더하면 대략적인 값을 얻을 수 있다.

2-2   성인의 혈압분류

혈압분류	수축기혈압(mmHg)		확장기혈압(mmHg)
정상(narmal)	<120	그리고	<80
고혈압 전단계(prehypertension)	120~139	또는	80~89
제1기 고혈압(stage 1 hypertension)	140~159	또는	90~99
제2기 고혈압(stage 2 hypertension)	≥160	또는	≥100

▣ 혈압의 변화

혈압은 다양한 원인에 의해 변화하는데, 일반적으로 심박출량이 증가하면 최고혈압은 상승하고, 말초저항이 증가하면 최저혈압이 상승한다. 대동맥벽은 나이를 먹어감에 따라 탄성섬유를 잃어 동맥경화를 일으키면 유연성이 저하되고, 안정시에는 내압이 증가한다. 정상혈압의 한계를 어디에 두어야 하는지는 논의가 한창인데, 노년기에는 최고혈압도 최저혈압도 상승하는 것은 명확하다.

국제고혈압학회나 유럽고혈압학회에서는 적정, 정상, 높은 정상, 제1단계 고혈압, 제2단계 고혈압, 제3단계 고혈압, 그리고 수축기고혈압으로 분류하고 있다. 여기에서의 적정혈압은 대한고혈압학회가 정의한 정상과 같고, 정상과 높은 정상은 대한고혈압학회가 정한 고혈압전단계와 같다. 고혈압의 3단계는 수축기혈압이 160mmHg 이상이거나 확장기혈압이 110mmHg 이상인 경우로 정의하고 있다.

▣ 자세와 혈압

중력의 작용에 의해 신체 각 부위의 혈압은 다르다. 선 자세에서는 심장에서부터의 거리 때문에 0.77mmHg/cm의 차이를 만들어내며, 머리에서는 혈압이 낮고, 다리에서는 높다. 위팔에서 측정한 통상 혈압은 건강한 사람은 자세에 따라 일정한 유형으로 변화하지 않으며, 상승·하강 혹은 불변인 경우도 있다.

▣ 운동과 혈압

운동 시의 혈압은 근육의 등척수축과 등장수축에 따라 다르다. 등척수축에서는 운동 시작 후 수초 이내에 최고혈압과 최저혈압 모두 급격히 상승한다. 이에 따라 등장수축에서는 최고혈압은 중간정도 상승하지만, 최저혈압은 변화하지 않거나 저하한다. 그 이유의 하나는 등척수축에서는 근육이 지속적으로 수축함에 따라 말초순환저항이 증대하고, 등장수축에서는 1회박출량이 현저히 증가함에도 불구하고 운동하고 있는 근육의 혈관확장 때문에 전체로서의 말초순환저항은 약해지기 때문이다. 한편 교감신경계통의 작용에 대해서는 잘 알려져 있지 않다.

운동 후에는 근수축에 의해 말초저항은 소실하지만 혈관확장은 잔존하여 말초순환저항은 저하되고, 혈압은 서서히 하강하여 안정시보다 낮아진다. 이것의 지속시간은 짧아서 심박수보다도 빨리 정상으로 돌아온다.

고혈압에 대해 운동이 어느 정도 유효한지는 아직 충분히 해명되어 있지 않다. 그러나 유산소운동 프로그램에 의해 최고혈압과 최저혈압 모두 어느 정도 저하된다는 사실이 밝혀졌다. 운동에 의해 혈압이 저하하는 이유는 잘 알려져 있지 않으나 카테콜아민의 감소, 콩팥의 Na배설 촉진 등이 관계되어 있을 가능성이 있다.

◑ 혈류

▣ 뇌의 혈류

뇌의 혈류는 정상인은 평균 54ml/100g/분으로 뇌 전체로서는 약 750ml/분인데, 이것은 안정시심박출량의 약 15%에 해당한다.

뇌혈류량은 뇌 속의 동맥압과 정맥압의 영향을 받는다. 국소적으로는 동맥혈의 CO_2 및 O_2 분압에 좌우되며, PCO_2의 상승과 PO_2의 하강이 혈류량의 증가에 작용하는 것은 신체의 다른 조직에서와 마찬가지이다. 뇌의 산소소비량은 여러 가지 조건하에서 거의 변동이 없고, 운동 시에도 혈류량은 거의 일정하다.

▣ 복부내장의 혈류

창자, 이자 및 지라에서 나오는 혈류는 문맥계통(portal system)을 통해 간으로 들어가는데, 그 양은 1분간 약 1,000ml이다. 간에는 그밖에 간동맥을 통해 1분간 약 500ml의 혈액이 보내진다. 따라서 간의 혈류량은 거의 1,500ml/분에 달하여 심박출량의 28%를 차지한다. 이러한 장기의 혈관은 아드레날린작용 교감신경의 지배를 받아 허파 및 피부의 혈관과 함께 운동 시에는 수축되어 많은 혈액을 방출하여 근혈류 증가에 기여한다.

▣ 피부의 혈류

피부 혈류의 중요한 역할은 체온조절인데, 이는 외부온도에 따라 크게 변동한다. 운동 시에도 고온에서는 혈류가 증가하고, 저온에서는 감소하거나 거의 변화하지 않는다.

▣ 심장근육의 혈류

심장근육의 혈류는 골격근의 경우와 마찬가지로 수축 시에 감소하고, 이완 시에 증가한다. 운동 시에는 심박수의 증가에 따라 확장기의 단축이 두드러지므로 심장근육의 혈류에는 불리하다. 심장근육 혈류량은 대동맥압, 산소결핍 및 교감신경계통에 따라 조절되어 운동 시에 증대한다. 심장동맥·정맥의 산소분압차는 안정시에도 크고, 골격근과 달리 운동 시에는 혈액으로부터 산소이용도를 증대시키기 어려워 산소수요를 채우기 위해 혈류량이 증가된다.

한편 운동 중에는 아드레날린작용 교감신경의 긴장에 의해 내장혈관과는 반대로 심장근육의 혈관은 확장되고, 혈류량은 많아진다.

▣ 콩팥의 혈류

안정시 성인의 콩팥혈류량은 1.1ℓ/분으로 심박출량의 22%에 해당하는데, 이는 간혈류 다음으로 많다. 운동 시에는 콩팥혈류도 간혈류와 마찬가지로 감소하지만, 대사산물의 배설을 방해할 정도는 아니다. 격렬한 운동을 하면 혈류와 함께 소변량이 감소한다.

이것은 다음과 같은 이유 때문에 일어난다.

▶ 세포바깥액(extracellular fluid, 세포외액량)의 증가

▶ 콩팥혈류의 감소로 인한 근혈류량의 증가

동시에 소변에 단백질 및 적혈구가 포함되는 경우도 있다. 이때 소변의 pH는 저하한다. 이러한 사실은 운동 중에 콩팥장애가 일어났음을 의미하는 것은 아니지만, 적어도 콩팥장애를 가진 환자에게는 운동을 제한해야만 한다는 사실을 시사한다.

◑ 체온

운동 시에는 열생산이 증대하고, 깊은부위의 온도는 상승한다. 이 경우 열의 방산 역시 증가하고, 체온은 그다지 상승하지 않는다. 안정시의 열방산은 복사에 의한 것이 66%를 차지하지만, 운동 시에는 땀배출에 의해 기화열로 전체의 75%가 사라짐으로써 체온의 이상상승을 막아준다. 체온상승은 근기능에 대해 유리하게 작용한다.

➪ 운동이 호흡계통에 미치는 영향

호흡(respiration)은 외호흡과 내호흡의 2가지 과정을 포함한다. 전자는 체내에 O_2를 넣고 CO_2를 배출하는 과정이며, 후자는 조직과 혈액 사이의 가스교환을 의미한다. 운동 시에는 조직의 대사항진에 따라 O_2소비량과 CO_2생산량이 함께 증가하고, 호흡기능이 이에 따라 촉진되어 산소수요를 채워 CO_2배출을 촉진한다. 나아가 젖산 등에 의한 혈액의 산성화를 막아주며, 또한 과잉생산된 열을 방산하는 역할도 담당한다.

◐ 허파용량

허파에서의 가스교환을 알려면 허파용량은 빠뜨릴 수 없다. 모든 종류의 허파용량 값은 개인차, 연령, 성에 따라 다르다.

▶ 1회환기량(TV : tidal volume) : 안정시 1회 호흡에서 기도로 들어가는 공기량 혹은 기도에서 나오는 공기량으로, 평균 500ml이다.

▶ 들숨예비량(IRV : inspiratory reserve volume) : 1회환기량 외에 추가로 들이마실 수 있는 최대공기량으로, 평균 3,000ml이다.

▶ 날숨예비량(ERV : expiratory reserve volume) : 안정시 숨을 내쉰 다음에 추가로 내쉴 수 있는 최대공기량으로, 평균 1,100ml(남자)이다.

▶ 잔기량(RV : residual volume) : 최대로 숨을 들이마신 후에 허파에 남는 공기량으로, 평균 1,200ml(남자)이다.

▶ 기능적 잔기량(FRC : functional residual capacity) : 날숨예비량과 잔기량을 합친 값으로, 안정시 숨을 내쉰 후에 허파에 남은 공기량이다.

▶ 허파활량(VC : vital capacity) : 숨을 최대로 들이쉰 후에 뱉어낼 수 있는 최대공기량이다. 허파활량은 호흡근육의 강도나 허파 및 가슴우리의 탄성력이 큰 영향을 미친다. 따라서 호흡근육이 마비되거나 여러 가지 허파질환(결핵, 허파기종, 기관지천식 등)이 있으면 현저히 감소한다.

허파활량 = 날숨예비량 + 1회환기량 + 들숨예비량

▶ 전허파용량(TLC : total lung capacity) : 허파활량에 잔기량을 더한 값으로, 최대 숨을 들이쉰 후의 허파공기량이다.

▶ 분당호흡량(RMV : respiratory minute volume) : 1회호흡량에 호흡수를 곱한 값으로, 평균 6ℓ/분이다.

▶ 최대분당호흡량(MBC : maximum breathing capacity) : 1분간에 최대한 빠르고 깊게 호흡했을 때의 호흡량으로, 실제로는 12초간 측정해서 5배한 값이다. 분당호흡량의 20~25배에 달하기도 하지만, 여러 가지 허파질환에 의해 감소한다.

◉ 무용공간

호흡 시에 코안, 입안, 기관, 기관지 등 가스교환에 관계하지 않는 장소를 무용공간(dead space, 사강)이라 하며, 이 부분을 채우는 공기를 무용공간공기(dead space air)

라고 한다. 1회의 호흡에서 허파꽈리에 들어가는 공기량은 1회환기량에서 무용공간공기량을 뺀 값이다.

◑ 운동 시의 호흡

안정시 성인의 호흡수는 15~20회/분이지만, 운동을 시작하면 금세 호흡수가 증가하여 1분간 60회/분에 달하는 경우도 있다. 호흡수는 호흡량에 거의 비례하여 증가한다. 호흡의 수와 동시에 호흡의 깊이도 증대하여 1회호흡량이 2,000ml이 되기도 한다. 이 경우에는 분당호흡량도 증가한다. 호흡량은 누워서 천장을 바라보는 자세에서 많다.

◑ 호흡조절

숨뇌 아래쪽의 그물체(reticular formation, 망상체)에 있는 호흡중추는 화학성과 신경성 모두에 의해 조절된다. 그중에서 운동에 관계되는 것은 다음의 4가지이다.

◾ 대뇌겉질

안정시호흡은 의식적인 조절을 받지 않지만, 좀더 고위의 중추가 대뇌겉질(cerebral cortex)에 있어 촉진 및 억제 시에 작용한다. 운동의 준비단계 혹은 운동초기의 호흡촉진에는 이 중추가 관계하고 있다.

◾ 화학적 조절

호흡중추는 혈중 PCO_2, PO_2 및 pH의 영향을 받는다.

▶ 뇌줄기의 화학수용기 : 숨뇌(bulbar, medulla, 연수)의 호흡중추 근처 및 제 8·9·10 뇌신경이 뇌줄기(brain stem)에 들어가는 부위에 있는 수용기인데, 여기에서 뇌척수액(CSF : cerebrospinal fluid)의 H^+농도의 변동을 감독한다. 수소이온농도가 커져 pH가 하강하면 호흡이 촉진되고, pH가 상승하면 호흡은 억제된다. 그러나 혈중 H^+는 쉽게 뇌척수액 중으로 확산되기 어려우나, CO_2는 급속히 확산되어가므로 이 조절에는 혈중 PCO_2가 중요한 작용을 한다. 즉 혈액으로부터 수

액 중으로 들어간 CO_2가 물과 반응하여 H_2CO_2가 되는데, 이것이 해리되어 H^+농도를 상승시켜 호흡을 촉진시킨다.

▶ 대동맥토리(aortic body, 대동맥소체)와 목동맥토리(carotid body, 경동맥소체) : 화학수용기는 중추신경계통이 아닌 목동맥갈림(carotid bifurcation) 및 대동맥활 근처에도 있다. 이들은 각각 목동맥토리 및 대동맥토리라고 하며, 혈중 PO_2의 하강과 PCO_2의 상승에 반응한다. 목동맥토리는 혀인두신경을 거치고, 대동맥토리는 미주신경을 거쳐 호흡중추를 자극하여 호흡을 촉진하는데, PCO_2보다도 PO_2에 대한 감수성이 높다.

▣ 반사

팔다리에 지혈대를 감아 혈류를 차단한 뒤 말초부위의 관절을 자동적 혹은 수동적으로 움직이면 호흡은 촉진된다. 이때에는 근육운동의 대사산물인 CO_2, 젖산 등에 의해 호흡중추가 자극받았다고는 보기 어렵고, 대략 근육·힘줄 및 관절의 고유수용기로부터 숨뇌에 이르는 구심로를 통해 자극이 전달된 것으로 추정한다.

▣ 헤링-브로이엘반사

허파에는 조직이 늘어나는 데 반응하는 수용기가 있어서 허파가 팽창하면 미주신경을 거쳐 숨뇌에 자극을 보내고, 들숨을 억제한다. 반대로 허파가 수축할 때에는 자극이 정지되어 들숨이 일어날 수 있다. 이것을 헤링-브로이엘(Hering-Breuer)반사(reflex)라고 하는데, 사람은 이 반사가 약하여 별로 중요시되지 않는다.

◑ 운동 시의 호흡촉진

운동 시에 일어나는 호흡촉진기전은 충분히 해명되어 있지 않으나, 대략 다음과 같이 볼 수 있다.

혈중 PCO_2, PO_2 및 pH는 경도 혹은 중간강도의 운동에서는 거의 일정하게 유지되며, 운동이 격렬해지면 PCO_2는 저하하므로 화학적 인자가 호흡촉진의 원인이라고는 볼 수 없다. 대뇌겉질에서의 자극은 운동초기의 호흡촉진을 일으킨다. 운동을 시작하면 근육 및 관절의 운동이 고유수용기를 거쳐 반사적으로 호흡을 촉진한다. 이밖에도 혈중 K^+농도, 호흡중추의 CO_2에 대한 감수성 등이 고려되고 있으나, 이는 아직까지 확실하게 밝혀지지 않았다.

◑ 운동 시의 내호흡

운동 시에 근육의 산소소비는 증가하고, 조직의 PO_2는 감소한다. 나아가 국소의 PCO_2는 커지고, pH는 저하하며, 온도는 상승한다. 헤모글로빈의 산소해리곡선을 보면 pH의 저하 및 온도의 상승에 의해 조직의 산소섭취가 쉬워진다는 것을 알 수 있다. PCO_2의 증가도 마찬가지 효과를 초래하지만, 이것은 pH의 저하를 거쳐 간접적으로 작용하는 것으로 알려져 있다.

◑ 호흡을 통한 훈련효과

비훈련자와 훈련자를 비교하면 훈련자의 호흡은 느리고 깊으며, 가로막의 작용이 크다. 허파꽈리 CO_2농도는 비훈련자가 낮다. 나아가 훈련자는 호흡효율이 좋아지고, 호흡량이 감소했으며, 산소섭취율은 높고, 호흡근육의 내구력도 증가한다.

◆▷ 운동이 산소수요에 미치는 영향

인체는 안정시에도 항상 산소를 필요로 하며, 운동 시에는 대사가 항진하여 산소수요는 좀 더 많아진다. 운동이 격렬할수록 글리코겐의 무산소분해에 의한 에너지이용률이 높아져 운동 후에 그 부족분을 보충하기 위해 산소를 과잉으로 섭취하게 된다. 이 운동 후의 과잉산소소비를 산소부채(oxygen debt)라고 한다.

산소부채는 다음을 위해 소비된다.

▶ 아데노신3인산(ATP : adenosine triphosphate) 및 크레아틴인산(creatine

phoshate)의 재합성

▶ 헤모글로빈, 미오글로빈, 조직 등이 상실한 산소보급

▶ 체온상승에 따른 대사항진

▶ 호흡근육 · 심장근육의 지속적인 산소소비 증가와 호르몬, 칼슘, 칼륨, 나트륨이온 등의 재분배

▶ 운동 중에 축적된 젖산을 간에서 글리코겐으로 재합성

산소부채에는 한도가 있어서 격렬한 운동을 장시간 계속하는 것은 불가능하다. 중간 강도의 운동에서는 산소섭취량은 서서히 증가하고, 산소소비량이 최대산소섭취량 이하면 이 양자는 평형상태를 유지하여 운동을 지속할 수 있다. 일정시간 내에 나타나는 근육활동의 한계는 이처럼 최대산소부채량과 최대산소섭취량이 관계되는데, 이는 훈련에 의해 증가시킬 수 있다.

단시간의 격렬한 운동은 최대산소부채량이 많을수록 유리하며, 마라톤경기처럼 장시간 하는 운동에서는 최대산소섭취량이 클수록 유리하다. 이것은 순환계통이나 호흡계통과 밀접한 관계를 갖고 있다.

운동이 칼슘대사에 미치는 영향

장기간 침상요양을 하면 운동기능이 저하되는 한편, 여러 가지 대사에 영향을 준다. 건강한 사람이라도 몇 주 동안 요양하면 순환계통 · 호흡계통의 기능이 저하되며, 동시에 대사에 변화를 나타낸다. 그중에서도 뼈대사이상은 골절 시의 고정이나 마비에 의해 운동기능을 잃어버린 상태에서 현저하게 나타난다.

골절로 인한 깁스고정 시나 마비된 다리에서 나타나는 뼈위축(osteanabrosis)은 운동 제한에 의해 일어나는 칼슘대사이상인데, 이는 임상적으로도 요로결석증(urolithiasis, 요로돌증), 연조직(soft tissue)의 뼈형성(ossification, 골화), 골절 등의 합병증을 동반하므로 중대한 문제가 된다.

 장기간 침상요양을 하거나 무중력공간에서 장기 체재하면 건강한 사람도 뼈에서 칼슘성분이 소실된다. 척수손상으로 마비부위의 뼈위축이 조기에 일어나 혈중칼슘의 상승, 소변 속 칼슘 및 하이드록시프롤린(hydroxyproline)의 배출증가를 동반한다. 건강한 사람은 요양·무중력 등의 원인이 없어지면 쉽게 회복되지만, 마비된 다리는 운동 및 체중부하만으로 뼈위축이 개선되지 않는다. 그 이유에 대해서는 명확하지 않은 점이 많지만, 뼈바탕질(bone matrix, 골기질)의 콜라겐대사의 변화가 관여하고 있을 가능성도 있다.

◆▷ 운동이 피로에 미치는 영향

 피로는 일 혹은 운동능력이 저하된 상태로, 그 원인에 관해서는 명확하지 않은 점이 많다. 신체적으로 피로를 호소하는 경우에 대략 심리적 영향이 더해지고, 정신면의 피로가 신체적 피로를 촉진하는 경우도 있으며, 많은 인자가 관계되어 있다고 볼 수 있다.

 심리적 요인으로는 의욕결여, 흥미상실, 불안감 등이 있으면 피로를 발현하기 쉽고, 또한 주의집중이 요구될 때에는 정신적 피로가 먼저 나타나 신체적 피로를 촉진한다.

 운동 시 피로감은 실제운동량이 아니라 산소소비의 속도와 관계가 깊다. 또한 산증(acidosis)이 뇌에 작용하면 피로감을 초래한다고 한다. 산소공급이 불충분하면 근육의 피로는 쉽게 일어난다. 근육의 고유수용기로부터의 자극이 장시간 지속되면 피로를 느낀다고도 한다. 신경·근육계통에서 피로가 일어나는 부위는 중추신경계통에 있는 시냅스, 신경근육이음부, 근육의 지각종말 등이다.

제 **2** 편

운동처방과 건강증진

운동처방

운동처방이란

운동처방의 개념

　의료현장에서는 환자의 질병·상해를 치료하기 위하여 의사가 '처방'하면 약사가 그에 따라 약을 조제하여 환자에게 전달한다. 각종 신체장애 시에는 그 정도·잔존기능·생활상황 등에 맞게 보장구를 처방하여 환자에게 전달한다. 이러한 일련의 전문적 의료행위가 성립되려면 의사가 '처방전'을 작성하여 관련 전문가에게 전달하면 그들은 처방내용에 따라 약을 조제하게 된다.

　운동처방의 기본개념도 이와 동일하다. 즉 운동처방사는 운동을 실시하는 각 개인의 특성(성, 연령, 체격, 체력수준, 건강도, 병·장애의 유무와 정도, 운동경험도 등)을 고려하여 운동의 질(종류), 양(정도, 시간, 빈도), 운동법 등을 처방하면서 주의사항을 지시한다. 약의 질이나 양이 환자에게 적합하지 않으면 위장장애·피부발진·간기능장애 등의 부작용이 생기고, 의수·보장구가 적합하지 않으면 불쾌감·통증·외상·장애 등의 폐해가 생긴다. 이와 마찬가지로 운동도 개인의 특성에 적합하면 효과를 얻을 수 있으나, 질과 양이 적합하지 않으면 오히려 부작용이나 폐해를 줄 위험(risk)도 있다.

　운동은 '양날의 칼'이다. 처방이 잘못되거나 운동의 실천이 부적절하면 피해를 입을

수 있다. 이 때문에 의학지식, 운동의 특성에 관한 지식, 기술, 경험 등을 갖춘 전문가의
운동처방이 필요하다.

운동처방의 목적

운동처방의 목적은 체력을 향상시키고, 만성질환위험인자를 줄여 건강을 유지함과 동시에 운동실시 중에 발생할 수 있는 사고를 예방하는 데 있다. 그런데 운동처방은 개인적인 흥미, 건강상의 필요성, 질병 등에 기초하기 때문에 모든 운동프로그램이 모든 사람에게 똑같은 효과를 주는 것은 아니다. 기본적으로는 특정 개인에게 특정 효과를 줄수 있도록 만드는 것이 운동처방의 목적이라 할 수 있다.

운동처방의 기본원칙

어린이, 여성, 중·노년인, 장애인, 스포츠선수 등이 실천하는 운동의 종류와 수준은 가지각색이지만, 운동처방의 기본원칙은 다음과 같다.

▶ 안전해야 한다.
▶ 효과적이어야 한다.
▶ 즐거워야 한다.

위의 기본원칙 중에서 안전성이 가장 중요하다. 운동에 동반되는 사고와 부상·장애를 예방하기 위해서는 운동을 실천하는 사람이 신체인식(자신의 몸에 대한 이해)을 높여야 하고, 운동 전후에 스트레칭을 하고, 올바른 자세로 운동을 해야 한다. 나아가 그 운동으로 일어날 수 있는 상해에 대한 올바른 인식과 지식이 있어야 한다.

운동을 지속하지 않으면 효과는 없으므로 일정 기간 무리하지 않고 지속할 수 있는 내용을 처방해야 한다. 어떤 운동이든지 과도하고 경기지향적이면 효과가 없고 오히려 위험하므로 '운동을 즐긴다'는 자세를 심어주는 것도 운동처방에서는 중요하다.

◆▷ 운동처방의 원리

◑ 개별성의 원리

개별성의 원리는 각 개인의 개인적 특수성(성, 연령, 발육단계, 체형, 체력수준, 건강 상태, 운동경력, 심리적 특성 등)을 고려하여 각자의 체력과 가능성에 알맞은 부하로 운동해야 보다 효과적인 운동효과를 얻을 수 있다는 것이다.

◑ 과부하의 원리

트레이닝이란 반복되는 운동에 대한 하나의 자극인데, 자극에 대한 적응이 일어나려면 신체 각 부위의 기관이 보통 상태보다 큰 자극을 받아야 한다. 생리적 자극의 수준을 약간 초과하는 부하를 과부하(overload)라고 하는데, 인체는 주어진 과부하에 적응하면 다시 새로운 과부하로 자극을 주어야 운동효과를 얻을 수 있다.

◑ 점증부하의 원리

점증부하(progressive load)는 운동기간 중 운동의 질(운동형태, 운동강도)과 양(운동시간, 운동빈도, 운동기간)을 점진적으로 증가시켜가는 것을 의미한다. 운동부하의 점진적 증가는 주기를 가지고 단계적으로 이루어져야 한다.

◑ 특이성의 원리

운동의 효과는 과부하의 원칙에 의해 운동부하를 적용한 신체의 계통 또는 일부기관이나 조직에 한정적으로 나타난다. 예를 들어 조깅과 같은 유산소운동은 호흡순환계통의 기능개선을 가져오고, 웨이트 트레이닝과 같은 중량운동은 근육계통 혹은 일부근육과 근육신경계통에 주요효과를 나타낸다. 이러한 것을 특이성(specificity)의 원리라고 한다.

운동처방의 기본조건

운동처방을 할 때에는 어떤 운동을, 어느 정도로, 얼마만큼의 시간 동안, 얼마나 자주 하여야 하는가를 제시하여야 한다. 여기에서 고려되어야 할 중요한 요인은 운동처방의 기본조건이다.

운동처방의 기본조건에는 질적 요소와 양적 요소가 있다.

운동처방의 기본조건

질적 요소	양적 요소
운동형태 운동강도	운동지속시간 운동빈도 운동기간

▶▷ 운동처방의 질적 요소

◑ 운동형태

운동형태는 운동의 목적에 맞도록 선정되어야 한다. 운동의 효과는 실시한 운동형태에 따라 다르게 나타나므로 각 개인이 실시할 운동형태의 결정은 운동처방에서 고려되어야 할 중요한 요소 중의 하나이다.

◑ 운동강도

운동강도는 일정시간 내에 수행된 운동량을 의미하는데, 이것은 운동형태와 개인의 체력수준을 고려하여 설정되어야 한다. 운동강도는 $\dot{V}O_2\,max$에 대한 백분율($\%\dot{V}O_2\,max$), HRmax에 대한 백분율(%HRmax)로 표현한다. 또한 대사당량(MET :

1-2   운동형태

운동목적	운동형태	운동효과
심장허파지구력 향상	걷기, 달리기, 자전거타기, 수영 등의 유산소운동	최대산소섭취량 증가, 심박수 감소, 심장혈관계통 발달
근기능 발달	웨이트 트레이닝, 서키트 트레이닝, 등척성운동 등	근력·근지구력 증대, 근비대, 근글리코겐농도 증가
유연성 향상	정적 스트레칭, 동적 스트레칭	무릎·넙다리·어깨관절 등의 가동범위 확대
체성분 변화	걷기·달리기 등의 유산소운동, 저항운동	체지방 감소 및 체지방량 증가, 지질단백질대사의 개선(LDL콜레스테롤 감소, HDL콜레스테롤 증가), 혈압 저하

metabolic equvialent), 목표심박수(THR : target heart rate), 자각적 운동강도(RPE : rating of perceived exertion) 등을 이용하여 표현하기도 한다.

　운동처방프로그램 작성에서 중요시되는 운동강도는 심장허파의 적응을 위해 순환계통이 감당할 수 있는 한도 내에서 충분한 부하를 줄 수 있어야 한다. 따라서 운동강도는 최대운동능력의 50~85%, 즉 $\dot{V}O_2 max$의 50~85% 범위 내로 하는 것이 가장 이상적이다. 최대운동강도 50% 이하의 운동은 심장허파기능에 별효과가 없고, 또 최대운동강도 85% 이상의 운동은 너무 무리하기 때문에 권장되지 않는다.

운동처방의 양적 요소

운동지속시간

　운동지속시간(duration of exercise)은 운동강도를 고려하여 결정하는데, 이 둘은 서로 반비례 관계가 있다. 즉 운동강도가 높으면 운동시간이 짧아지고, 운동강도가 낮으면 운동시간이 길어진다. 적당한 운동강도와 운동시간의 설정기준은 운동이 끝난 후 1시간

이내에 안정상태로 회복되고, 피로를 느끼지 않을 정도가 가장 이상적이다.

운동지속시간은 일련의 운동을 실시하는 데 소요되는 시간으로 표시하는 것이 원칙이지만, 운동형태에 따라서 set 또는 session으로 나타낼 수 있다. 운동지속시간은 다음과 같다.

- ▶ 일반적으로 15~60분
- ▶ 운동을 처음 시작하는 초보자는 10~20분
- ▶ 운동을 어느 정도 한 중급자는 15~45분
- ▶ 체력이 단련된 상급자는 30~60분

◐ 운동빈도

운동빈도(frequency of exercise)란 처방된 운동형태 · 운동강도 · 운동지속시간으로 구성된 운동프로그램을 1주일 중 실시할 날짜를 의미한다. 일반적으로 주당 3~5회로 하되 운동프로그램의 진전단계와 유산소운동의 수행수준에 따라 조정한다. 일주일에 3회 운동할 경우에는 격일식(월, 수, 금)과 3일 연속식(월, 화, 수)으로 할 수 있다. 어떤 방법이든 훈련효과는 별차이가 없으나 운동초기에는 관절 등의 상해를 예방하기 위해서 격일식이 바람직하다.

운동량은 같은데 운동빈도를 줄이면 일회운동량이 너무 커지기 때문에 상해를 입는 등 신체에 무리가 따른다. 폴락(Pollock, M. L.) 등(1969)은 주당 3회 이하 운동에서는 심장허파기능은 다소 향상되었으나 체지방은 감소하지 않는다고 보고하였다. 따라서 운동은 주당 5회를 원칙으로 하되, 운동초기에는 주당 3~4회가 바람직하다.

◑ 운동기간

운동기간(exercise period)이란 운동효과가 나타날 수 있도록 계획된 운동프로그램의 실시기간을 말한다. 한편 운동효과를 향상시키기 위해서 운동프로그램은 언제 조정할 것인가를 검토하여 계획된 운동프로그램을 수행하는 기간, 즉 운동프로그램을 변경

1-3 운동강도 표현방법

표현방법	정의	비고
%$\dot{V}O_2$ max	최대산소섭취량의 비율로서 운동강도를 표시	%$\dot{V}O_2$ max와 HRmax의 백분율 비교
%HRmax	최대심박수(220−나이)의 비율로서 운동강도 표시	
MET (metabolic equivalent)	1MET는 안정시산소섭취량인 분당 3.5ml/kg/min 정도에 해당되는 운동이다.	

%$\dot{V}O_2$ max	HRmax
28	50
42	60
56	70
70	80
83	90
100	100

표현방법	정의	비고
RPE (rating of perceived exertion)	자각적 판단에 기준을 둔 운동강도 표시(Borg's scale : 6~20) 자각적인 피로도를 6~20의 숫자로 나타낸다. 그값에 10배를 하면 거의 심박수와 일치한다.	자각적 운동강도 (보르그지수)

자각적 운동강도 (보르그지수)

정도	자각적 느낌
6	
7	매우편하다(very very light)
8	
9	약간 편하다(very light)
10	
11	편하다(light)
12	
13	약간 힘들다(fairly hard)
14	
15	힘들다(hard)
16	
17	매우 힘들다(very hard)
18	
19	최대로 힘들다(very very hard)
20	

표현방법	정의	비고
RMR (relative metabolic rate)	운동소비에너지와 기초대사를 비교한 운동강도 표시인 RMR(에너지대사율)은 운동대사가 기초대사의 몇배에 해당되는가를 나타낸 지수이다.	$$RMR = \frac{운동시소비에너지-안정시소비에너지}{기초대사}$$ $$= \frac{운동대사}{기초대사}$$
THR (target heart rate)	목표심박수는 심박수범위 즉 최대심박수−안정시심박수(HRmax−HRrest)에 운동강도의 백분율을 HRrest에 합하여 산출한다.	Karvonen공식(1957) THR = [(HRmax−HRrest)×계수] +HRrest ※ 계수는 0.5~0.7

시키기 전까지의 기간, 또는 특정 운동프로그램으로는 더 이상 체력향상이 되지 않는 정체기를 운동기간이라고도 한다.

운동기간은 통상 초기훈련기(intial condition stage), 향상훈련기(improvement conditioning stage), 유지훈련기(maintenance con-ditioning stage)로 나누어진다.

통상 근기능강화는 10~12주, 심장허파기능강화는 12~14주, 유연성향상은 8~10주 정도로 보고되고 있다. 이러한 향상도는 연령에 따라 다른데, 30세 이후에는 나이가 10세씩 증가할 때마다 신체적응이 1주일씩 더 걸리는 것으로 알려져 있다.

운동을 지속시키기 위한 조건

큰 결심을 하고 운동을 시작했더라도 중간에 포기하는 사람이 많다. 통계에 의하면 40%는 1개월 이내에 운동을 중단하고, 1년 동안 지속하는 사람은 10~20%밖에 되지 않는다고 한다.

운동을 중단하는 이유는 다음과 같다.

- ▶ 시간이 없어서
- ▶ 운동을 할 장소가 마땅치 않아서
- ▶ 운동동료가 그만두어서
- ▶ 지도자가 없어서
- ▶ 건강상의 이유
- ▶ 직업상의 이유

이러한 어려움을 극복하고 운동을 지속하기 위해서는 다음과 같은 조건이 필요하다.

◑ 즐거움

스포츠의 최대매력은 하고 있을 때의 즐거움과 끝났을 때의 상쾌함이다. 건강을 위한 운동도 그것을 지속하기 위해서는 즐겁고 상쾌해야 한다. 아무리 건강에 좋다고 하더라도 무미건조한 운동은 즐겁기 않고 때로는 고통마저 느끼기 때문에 결국에는 여러 가지 이유를 들어 운동을 중단하게 된다.

스포츠는 인간이 즐기기 위해 오랜 시간 연구해 온 문화유산이고, 하면 할수록 즐거움의 맛이 깊어지는 것이다. 이에 비해 건강을 위해 고안된 운동은 대개 무미건조하다. 건강을 위해 하는 운동도 좋지만, 즐기기 위해 하는 운동이 더욱 좋다. 즐기면서 결과적으로 건강을 얻을 수 있다면 그것보다 좋은 것은 없다.

◑ 운동동료

운동동료가 있으면 운동을 지속하는 데 큰 힘이 된다. 인간은 게으른 면이 있기 때문에 상당히 강한 동기와 의지가 없는 한 혼자서 묵묵히 운동하기는 어렵다. 하지만 동료와 체험을 함께하거나 서로의 발전을 이야기하는 것은 운동을 지속하는 데 무엇보다 힘이 된다. 때로는 그 인연을 번거롭다고 생각할 수도 있지만, 동료는 그 이상의 것을 제공하여준다.

건강을 위한 운동은 안전면에서 보면 자기 페이스를 유지할 것이 요구된다. 왜냐하면 경쟁하거나 상대의 페이스에 말려들면 자기도 모르게 무리하게 되어 피로가 쌓여 불의의 사고를 일으키게 되기 때문이다. 동료와 함께 운동하면 자기 페이스를 지키기 어렵다는 점은 확실히 있다. 동료가 있어도 그러한 일이 일어나지 않도록 자제하고, 상대를 배려하는 태도가 필요하다.

조깅처럼 혼자서 행할 수 있는 운동도 마찬가지이다. 혼자서 조깅을 지속할 수 있는 사람은 매우 드물다. 동료와 함께 즐길 수 있는 운동이 더 오래 지속된다.

◑ 장소 · 시설

운동에는 그에 맞는 장소와 시설이 필요하다. 우리나라의 스포츠시설이나 공원은 유럽이나 미국과 비교하면 매우 빈약하고, 언제 누구나 이용할 수 있는 시설은 손가락을 꼽을 정도이다. 장소나 시설이 필요없는 운동도 있기 때문에 자기가 연구하기 나름이겠지만, 자유로운 광장이나 안전하게 달릴 수 있는 장소조차 얻을 수 없는 우리의 현실은 역시 많은 사람이 운동을 즐기기 위하여 개선되어야할 점이다.

◑ 지도자

초보자가 그룹을 만들어 배구나 테니스를 시작하여도, 도중에 자연적으로 그룹이 해체되어버리는 경우가 적지 않다. 그 원인은 지도자가 없기 때문에 기술향상이 이루어지지 않아 하고자 하는 의지가 사라져버리기 때문이다. 유능한 지도자가 주는 필요한 조언과 자극은 그룹활동을 활발하게 하고 운동을 오래 지속할 수 있는 중요한 포인트가 된다.

◑ 목표와 성과

스포츠나 운동을 지속하려면 나름대로의 목표를 갖는 것이 중요하다. '능숙하게 하고 싶다', '체중을 줄이고 싶다', '건강해지고 싶다', '체력이 강해지고 싶다' 등과 같이 일정한 목표가 있어야 한다. 그리고 서서히 그 목표에 자신이 가까워진다는 성과를 느낄 수 있어야 내일의 운동을 향한 의욕의 원동력이 된다. 그 때문에 정기적으로 건강검진과 체력검사를 실시하여 건강면이나 체력면의 향상을 확인하는 것은 큰 의미가 있다.

운동처방의 절차

운동처방을 할 때 운동처방전을 작성하고 운동을 실시하는 절차는 다음과 같다(그림 1-1).

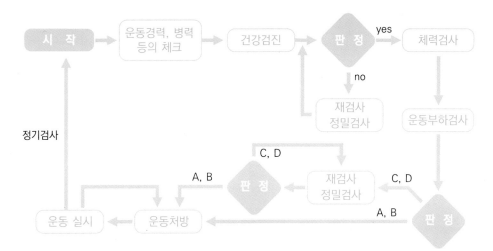

운동처방의 전형적인 흐름을 나타낸다. 검사결과가 A 또는 B라고 판정된 사람에게 운동이 처방된다.
A : 이상 없음. 운동을 해도 좋다 / B : 이상 소견 있음. 조건부로 운동을 해도 좋다.
C : 정밀검사 필요 / D : 운동 불가. 치료를 필요로 한다.

그림 1-1   **운동처방의 절차**

건강검진

건강검진 시에는 먼저 신체의 이상이나 질환의 유무를 검사하여 운동이 그 사람의 건강에 마이너스가 되는 상태가 아닌지를 평가한다. 검사는 문진과 임상검사로 이루어지는데, 그 결과는 운동부하검사나 체력검사의 실시여부, 운동금지, 운동종목 결정이나 강도제한 등에 도움이 된다.

운동부하검사

실제로 운동을 부하하여 순환계통 등에 특별한 이상이 발생하지 않는가를 검사한다. 동시에 그 사람의 체력 또는 운동능력의 한계(운동내성능력)를 평가한다. 이 검사의 결과는 처방해야할 운동강도의 한계(안전한계)를 결정할 때 중요한 자료가 된다. 따라서 운동부하검사는 역동적인 건강검진인 동시에 체력검사 역할도 한다.

원칙적으로 운동부하검사는 의사 또는 의사의 감독하에 있는 전문가가 심전도 등을 모니터링하면서 실시하기 때문에, 그 원칙에 따른 방법을 중심으로 한다. 그런데 그 방법은 많은 경비와 시간을 요하기 때문에 커다란 집단을 대상으로 할 때에는 가끔 어려움이 동반된다. 따라서 건강한 젊은 사람 집단을 대상으로 할 때에는 간편한 운동부하검사방법도 생각해두어야 한다.

체력검사

운동부하검사는 트레드밀이나 자전거에르고미터 등을 이용하여 실시하므로, 운동양식은 일상적인 운동과 반드시 일치하지 않는다. 운동부하검사에서 측정할 수 있는 체력요소에는 한계가 있다. 이 때문에 다른 체력요소검사를 별도로 실시하여, 그 사람의 전반적인 체력의 특징을 파악해야 한다. 그 결과에 의해 그 사람의 체력적인 특징을 클로즈업하고, 체력적으로 문제점이 있으면 그것을 강화시킬 수 있도록 운동처방에 반영한다. 또, 운동처방이 그 사람의 체력에 어떠한 효과를 미쳤는지를 평가할 때에도 도움이 된다.

운동처방전의 작성

건강검진 및 각종 검사결과에 의해 그 사람의 건강상태·체력상태·운동능력의 한계 등을 파악한 다음 운동의 실시여부·운동강도에 관한 안전한계 및 유효한계 등을 결정한다. 또한 1회의 필요운동량(운동시간)이나 1시간의 운동빈도 등에 관한 개략적인 추측도 할 수 있다.

운동처방전의 교부

운동처방전은 원칙적으로 본인과 직접 대면하여 작성·교부해야 한다. 이때 검사결과를 설명해주고, 특히 주의사항이 있으면 그에 대해 부가설명한다. 이어서 일상적인 신체활동상황을 묻고, 그 정도를 파악한다.

이렇게 파악된 자료를 기초로 하여 지금까지 본인의 운동경력과 기호에 맞춰 실행해야할 운동종목을 선택시킨다. 그 종목에 관해서 필요한 운동강도를 구체적으로 설명하고, 1일 운동시간과 1주일의 운동빈도에 관해서도 설명한다.

사후관리와 재검사

일정기간마다 피검자에게 운동실시상황을 질문하여 부작용이나 피로의 유무 등을 판단하고, 필요하면 처방내용을 재조정한다. 많은 사람들이 도중에 운동을 중지하는 경향이 있는데, 이러한 경향을 방지하기 위해서는 피검자와의 정기적인 교류가 필요하다.

적어도 연 1회 이상 검사를 실시하고, 과거 1년 동안 운동실시상황을 파악하여 그사이의 운동효과를 평가한다. 필요하면 그 시점의 상황에 기초하여 운동처방내용을 수정할 수도 있다.

운동처방의 실제

일반적인 운동처방

◑ 건강에 좋은 운동

▣ 유산소운동
유산소운동이 건강을 위한 운동으로 많이 권장되는데, 그 이유는 다음과 같다.

▶ 정상운동이다 : 호흡·순환계통의 기능이 일정수준을 유지하고, 산소의 수요와 공

급이 균형을 이루고, 체내의 여러 조건이 평형상태를 유지한 채 지속되는 운동을 정상운동(steady state exercise)이라 한다. 반대로 체내의 여러 조건이 평형상태를 유지하지 않고 변화가 계속되는 운동을 비정상운동(non-steady state exercise)이라고 한다.

정상운동에 의해 소비되는 에너지는 주로 유산소에너지이므로 정상운동은 유산소운동(aerobic exercise)으로 볼 수 있다. 정상운동에서는 체내의 여러 조건(예를 들면 체온과 pH 등)이 안정된 상태에 있기 때문에 그 운동을 계속하여도 사고를 일으킬 가능성은 적고, 안전성이 높다고 볼 수 있다. 특별한 장애나 피로를 느끼지 않은 채 매일 3~5km 조깅을 하는 사람은 자신의 한계체력을 잘 알고 있고, 스피드를 잘 조절하면서 정상운동을 할 수 있는 비결을 터득한 사람이다.

이에 비해 정상상태가 되기 전에 한계에 이르는 강한 운동(비정상운동)에서는 유산소에너지만으로는 수요를 충당할 수 없기 때문에 무산소에너지도 다량 소비된다. 그 결과 체내에는 젖산이 축적되어 혈액 pH도 시시각각 변화하므로 언제 어떤 사태가 발생할지 예측할 수 없을 뿐만 아니라 안전성도 부족하다. 쉽게 말하면 정상운동이란 5분간 지속하여도 여전히 여유가 있는 운동이고, 비정상운동이란 5분 이내에 탈진되어버리는 운동이라고도 할 수 있다.

▶ 유산소능력을 높인다 : 유산소운동을 몇 주에서 몇 개월 실시하면 최대산소섭취량이나 무산소작업역치가 높아지고, 유산소능력이 개선된다. 유산소능력이 개선되면 행동체력 특히 전신지구력이 향상되고, 유산소능력을 유지하는 호흡·순환·근육계통의 기능을 향상시킨다. 후자는 건강증진이라는 관점에서 특히 중요하다.

▶ 심장혈관계통에 무리없는 자극을 준다 : 심장의 부담도는 이중산물(double product)을 계산하여 나타내기도 한다. 그것은 심박수에 수축기혈압을 곱한 값으로, 심장의 산소소비량과 상관관계가 높다.

$$이중산물 = 심박수 \times 수축기혈압$$

운동을 하면 심박수와 수축기혈압이 함께 높아지므로 이중산물(double product)은 증가한다. 그러나 유산소운동에서는 심박수 증가비율보다 수축기혈압의 상승이 적다. 이때에는 이중산물이 극단적으로 커지지 않아 심장에 대해서만큼은 좋은 부하가 된다. 이에 비해 무산소운동에서는 대부분 심박수도 높아지고 혈압도 올라가 이중산물이 현저히 증가하여 심장에 과부하를 주게 된다. 역도를 할 때 혈압이 최고 480/350mmHg까지 상승했다는 보고도 있다.

한편 유산소운동은 대부분 팔다리근육을 반복하여 수축·이완시키므로 효율적인 근펌프작용이 되어 심장으로 향하는 정맥의 환류가 왕성해진다. 환류정맥량이 많으면 심실의 확장기충만상태가 좋아지기 때문에 심장의 수축력이 높아지는데, 이것을 스탈링(Starling, E. H.)의 심장법칙이라고 한다.

이상의 2가지 현상 때문에 유산소운동에서는 심장에 과도한 부담을 강요하는 경우가 적고, 결과적으로 심장의 펌프기능은 개선되어 심장의 예비력이 높아진다.

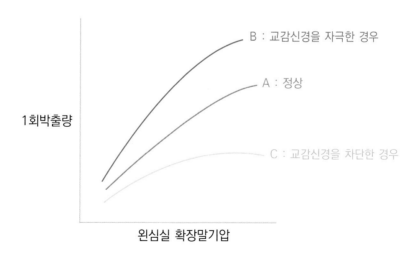

환류정맥량이 많아지면 왼심실의 확장기충만상태가 좋아진다. 따라서 왼심실 확장말기압이 높아진다. 이렇게 되면 심장근육 수축성이 향상되어 1회박출량이 늘어난다. 교감신경을 자극하면, 이 효과는 더욱 현저해진다.

그림 1-2　　　　　　　　　　　　스탈링의 심장법칙

유산소운동의 특징

	장 점	단 점
조깅	▸ 누구나, 언제, 어디서나 할 수 있다. ▸ 자기의 페이스를 유지할 수 있다. ▸ 특별한 시설이나 기구가 필요하지 않다. ▸ 호흡·순환계통 및 다리가 강화된다. ▸ 심장 등에 미치는 부담을 조절하기 쉽다.	▸ 다리의 부담이 많고, 무릎이나 발목을 다칠 수 있다. ▸ 드물게 급성심장마비나 열사병을 일으킨다. ▸ 상반신은 단련되지 않는다. ▸ 재미, 즐거움 면에서 조금 모자란다.
수영	▸ 신체 일부에 강한 힘이 가해지는 경우가 적다. ▸ 상반신이 단련된다. ▸ 심장에 무리없는 자극을 준다. ▸ 비만·요통·천식 등의 환자나 임산부에게도 좋다. ▸ 피부와 유연성이 좋아진다.	▸ 하반신(특히 항중력근) 단련이 안 된다. ▸ 시설과 계절에 따라 운동기회가 제한된다. ▸ 고막 천공의 위험이 있고, 수영을 못하는 사람에게는 적당하지 않다. ▸ 간편하게 할 수 없다.
구기	▸ 게임성이 있고 즐겁다. ▸ 기술적 진보를 즐길 수 있다. ▸ 종목이 많아 기호에 따라 선택할 기회가 많다. ▸ 전신지구력, 유연성, 평형성 등 전반적인 체력이 단련된다.	▸ 자기의 페이스가 붕괴될 수 있다. ▸ 신체의 한 부위에 무리한 힘이 가해져 부상을 입기 쉽다. ▸ 상대, 팀동료, 기구 등을 필요로 한다.

▸ **허혈심장병에 효과적이다** : 격렬한 운동을 계속하면 심장근육은 비대해진다. 역도와 같이 강한 근력을 발휘하는 무산소운동에서는 심장근육은 비대해지지만, 모세혈관은 그다지 확장되지 않는다. 그러므로 심장근육에 대한 산소공급능력은 상대적으로 저하된다.

이에 비해 유산소운동을 하면 심장근육이 비대해지고, 모세혈관의 확장도 활발해진다. 이 때문에 심장근육의 산소공급능력이 높아져 운동을 하여도 심장근육허혈이 일어나기 어렵게 된다. 또한 유산소운동을 하면 HDL-콜레스테롤의 증가작용, 항비만작용, 스트레스해소작용 등도 일어난다. 그러므로 유산소운동은 허혈심장병 (ischemic heart disease)의 예방과 재발방지에 효과가 있다.

▶ 지방이 많이 소비된다 : 유산소운동을 하면 지방이 많이 소비되기 때문에 비만대책으로서 특히 효과적이다.

▶ 안전성이 높다 : 유산소운동은 무산소운동보다 안전성이 높다. 그러나 장시간의 조깅 등은 심장에 부하가 지속되기 때문에 심장이상자, 고령자 등은 기온이 높아지면 치명적 사고가 발생할 가능성도 있다. 또한 조깅인구의 증가와 함께 다리에 통증을 호소하는 사람도 많아졌다. 결국 완전히 안전한 운동이란 있을 수 없다.

■ 무산소운동

앞에서 건강을 위한 운동으로는 유산소운동이 좋다고 설명하였다. 그러면 무산소운동은 유해하고 건강에는 전혀 도움이 되지 않는 것일까? 결코 그렇다고 할 수 없다.

▶ 무산소운동의 장점 : 무산소운동의 장점 중 하나는 무산소능력을 높인다는 것이다. 무산소능력이란 무산소에너지를 산출하는 능력을 말하는데, 이 능력이 높으면 온몸운동을 할 때 파워가 커진다. 즉 단시간 내에 폭발적으로 다량의 에너지를 낼 수 있다. 따라서 단거리경주나 경영 등을 할 때 크게 위력을 발휘하고, 구기나 격투기를 할 때에도 중요한 역할을 수행한다.

한편 무산소능력이 높은 사람은 젖산내성이 높다. 즉 혈중젖산이 비정상적으로 많아져도 견딜 수 있다. 이 때문에 무산소능력이 높은 사람은 전력질주와 같이 젖산이 높은 조건을 잘 견딜 수 있다.

근력강화를 목적으로 하는 경우에는 강한 근력을 발휘할 수 있는 운동(예 : 근력트레이닝)이 좋은데, 그러한 운동은 대부분 무산소운동이다. 현대생활에서는 강한 근력은 필요하지 않겠지만 어느 정도는 있어야 한다.

▶ 무산소운동의 단점 : 무산소운동의 단점 중 하나는 안전성이 부족하다는 것이다. 무산소운동은 대부분 운동강도가 비교적 강하고 비정상운동이다. 젖산은 증가하고, pH는 저하하며, 산성혈증을 일으킨다. 심장에 대해서는 과도한 부담이 된다. 강한 근수축 때문에 국소적으로 무리한 힘이 가해진다. 이러한 모든 것은 안전상의 문제

이며, 따라서 무산소운동에서는 언제 사고가 일어날지 예측할 수 없다는 불안이 있다. 특히 고령자나 운동에 익숙지 않은 사람에게서는 이 점은 큰 문제이다.

또한 호흡순환계통의 예비력강화, 허혈심장병·비만·당뇨병의 예방 내지 치료에서도 유산소운동만큼의 효과는 기대할 수 없다.

▣ 혼합운동

혼합운동에는 유산소운동과 무산소운동이 뒤섞여 있다. 중·고령자에게는 권장할 수 없지만, 적어도 젊은 남성이 이러한 운동으로 몸을 단련하는 것은 유산소운동과 무산소운동 양쪽의 장점을 살린다는 점에서 바람직하다.

◑ 적정운동강도

운동강도는 안전면에서 보아 '이 강도 이하의 운동을 하면 안전하다'는 것과 '이 강도 이상의 운동을 하여야 충분한 효과를 기대할 수 있다'라는 것의 한계를 뜻한다. 이 양쪽 한계 사이에 끼어 있는 부분이 유효하고 안전한 운동강도, 즉 적정운동강도이다.

▣ 건강한 사람의 적정운동강도

건강한 사람에게 실험적으로 운동의 안전한계를 정할 수는 없다. 먼저 이론적인 근거

 1-5 **운동처방의 가이드라인**

A. 운동강도		B. 운동시간	
		운동강도($\dot{V}O_2$ max)	필요시간(분)
젊은 사람	60~80%$\dot{V}O_2$ max		
중년인 사람	50~70%$\dot{V}O_2$ max	40	45~60
고령인 사람	40~60%$\dot{V}O_2$ max	50	30~45
C. 운동빈도		60	20~30
		70	15~20
3~6회/주		80	10~15

이것은 건강을 위해 바람직하다고 생각되는 운동강도, 운동시간, 운동빈도 등이다. 일반적인 가이드라인이므로 개인의 조건에 따라 탄력적으로 이용해야 한다.

에 기초하여 일반공식을 도출하고, 그것을 실제에 적용하여 맞지 않는 점이 있다면 수정하는 방법을 취한다. 대표적인 방법이 무산소역치(AT : anaerobic threshold)를 기준으로 하는 방법이다. 점증부하운동에서 젖산이 갑자기 늘어나기 시작하는 점이 무산소역치인데, 이 경우의 젖산치는 2mmol/ℓ 전후이다.

한편 일정강도의 운동을 지속하면 젖산이 정상상태를 유지하는 운동 중에서 가장 강한 운동이 젖산축적역치(OBLA : onset of blood lactate accumulation)인데, 이때의 젖산치는 거의 4mmol/ℓ이 된다.

무산소역치를 %$\dot{V}O_2$ max로 나타내면 개인차가 매우 크지만, 일반인은 50~60%인 경우가 많다. 운동선수는 일반적으로 무산소역치가 높아서 60~70%인 사람이 많으며, 장거리달리기선수는 70~80%에 달한다. 일반인의 젖산축적역치에 관해서는 자료가 충분하지 않지만 75~85%인 사람이 많다.

이상을 종합한 운동의 안전한계는 젊은 사람은 80%$\dot{V}O_2$ max, 중년인 사람은 70%$\dot{V}O_2$ max, 고령인 사람은 60%$\dot{V}O_2$ max가 평균적인 값으로 적당하다. 이것은 어디까지나 일반적인 기준이며, 실제로는 개인의 건강상태나 운동경험에 따라 수정해야 한다. 예를 들어 평소의 운동경험이 매우 풍부하고, 중요한 위험인자가 전혀 없는 사람의 안전한계는 위의 값을 상회할 것이며, 운동경험도 없고 중요한 위험인자가 있는 사람은 그 정도에 따라 기준치를 더 낮출 필요가 있다.

운동의 안전한계란 매일의 '운동을 거기까지 해야 한다'라고 하는 기준이 아니라, 운동을 강하게 하고 싶은 경우에도 그것을 한계로 삼아 그 이상이 되면 안 된다는 기준이다. 충분한 효과를 얻으려면 구태여 매일의 운동을 이 기준치까지 높일 필요는 없다.

▣ 건강하지 않은 사람의 적정운동강도

건강검진 결과 어떠한 소견이 발견된 사람의 안전한계는 반드시 개인의 건강상태와 운동부하검사의 결과에 기초하여 결정해야 한다. 이때 앞에서 설명한 일반적 기준을 기계적으로 대입해서는 안 된다.

▣ 유산소능력향상을 위한 적정운동강도

유산소능력의 향상이나 호흡순환계통기능의 개선을 목적으로 하는 운동은 그 사람의 조건, 운동종목, 운동기간, 운동빈도 등에 따라 효과는 다양하므로 연구결과가 반드시 일치하지는 않는다. 그러나 보통사람이 일반적인 운동을 하는 경우를 대략적으로 $50\%\dot{V}O_2$ max의 운동이라고 한다면, 몇 주에서 몇 개월 사이에 명확한 효과를 얻을 수 있다. 그 이하의 강도에서는 효과가 없다고 할 수는 없지만, 충분한 효과는 기대할 수 없다.

병 등으로 장기간 안정을 취하고 있던 사람이나 기타 이유로 운동을 거의 하지 않던 사람은 $50\%\dot{V}O_2$ max 이하의 운동에서도 효과는 확실히 얻을 수 있다. 반대로 지금까지 조깅 등으로 장기간 트레이닝을 하고 있던 사람은 $50\sim60\%\dot{V}O_2$ max 강도로는 유산소능력의 향상효과를 바랄 수 없다. 또한 어떤 조건의 운동을 하고 있다면 처음에는 효과가 있지만, 수개월이 지나면 효과가 절정에 달해 더 이상 올라가지 않는 경우가 많다.

운동을 하여도 유산소능력이 개선되지 않는다고 운동효과가 없다고 생각해서는 안 된다. 왜냐하면 그 사람이 그 운동을 중지하면, 유산소능력은 반드시 저하되기 때문이다. 따라서 운동을 계속하는 것이 현재의 능력유지에 도움이 되므로, 이것도 훌륭한 효과라고 할 수 있다.

▣ 비만관리를 위한 적정운동강도

젖산이 발생하는 운동은 지질대사를 억제하므로 비만대책으로서 적당하지 않다. 비만대책에서는 운동강도보다 운동의 양이 중요하다. 따라서 운동량을 늘려 더 많은 칼로리를 소비하는 처방이 필요하다. 이러한 경우에 강도는 오히려 줄이고 시간을 늘리는 방법이 피로나 운동상해를 줄이는 실제적인 방법이 된다.

▣ 근력향상을 위한 적정운동강도

이 목적으로는 최대근력의 80~90% 이상의 강한 힘을 피로해질 때까지 반복하여 발휘하는 것이 효과적이다. 50% 전후 또는 그 이하의 근력발휘로는 근지구력은 향상될 수 있지만, 근력강화효과는 크게 기대할 수 없다.

◑ 적정운동시간

1회에 필요한 운동시간도 운동강도, 운동빈도, 운동목적, 연령, 신체조건 등에 따라 다르므로 일괄적으로 정할 수 없다. 지금까지 실험적·경험적으로 필요한 운동시간에 관해 연구한 보고는 많다. 그러나 결과는 제각각이어서 의견일치를 이루지 못했다. 여기에서는 조건을 한정하고, 호흡·순환계통에 충분한 자극을 주는 운동을 예로 들어 설명한다.

운동을 개시하면 호흡·순환계통기능이 좋아지고, 산소소비량이 증대한다. 이로써 결국엔 평형상태에 도달하여, 소위 정상운동(정상상태)이 된다. 어느 정도 이상의 강한 정상운동은 호흡·순환계통의 기능을 충분히 발휘하게 하고 허파와 심장에 어느 정도 강한 자극을 주므로 호흡·순환계통기능을 개선하는 데 도움이 된다.

운동을 시작한 후 이러한 정상운동에 도달할 때까지의 시간은 가벼운 운동은 3분 전후, 강한 운동은 5분 전후이다. 따라서 5분 이내의 운동으로는 호흡·순환계통에 충분한 자극을 주기는 어렵다. 호흡·순환계통에 효과적인 자극을 주기 위해서는 정상상태에 도달한 후 어느 정도 운동을 지속할 필요가 있다. 그 시간을 5분 이상(강한 운동의 경우)이라고 판정하면, 합계운동시간은 10분 이상이 된다. 또한 준비운동이나 정리운동에 적어도 몇 분이 필요하므로, 실제 필요한 운동시간은 15분 이상이 된다.

한편 운동을 위해 매일 1시간 이상을 소비하는 것은 대부분의 사람에게는 물리적으로 무리할 수 있다. 그러므로 1일의 운동을 15~60분으로 하는 것이 현실적인 기준이라고 생각하면 좋다. 이러한 기준 안에서 필요한 운동시간을 강도별·신체조건별로 결정하는 것이 운동처방의 포인트이다.

◑ 적정운동빈도

운동의 효과와 피로는 운동빈도와 관련이 있다. 운동빈도에 따른 운동의 효과와 피로의 관계를 살펴본다.

▶ 1주일에 1회 운동하는 경우 : 이 경우의 운동효과는 다음 운동을 하기 전에 사라져 버리기 때문에 일시적인 것이며, 축적되지 않는다. 이에 비해 신체 각 부위의 근육

통이나 피로는 매번 발생하여 운동 후 1~3일간은 오히려 신체의 컨디션이 나빠진다. 또한 주 1회의 운동으로는 신체가 운동에 익숙해지지 않기 때문에 오히려 상해가 많이 발생할 수 있다. 따라서 주 1회의 운동으로는 충분하지 않다.

▶ 2~3일 간격을 두고 주 2회 운동하는 경우 : 이때 피로는 회를 거듭할수록 가벼워지고, 근육통도 점차 느껴지지 않게 된다. 효과도 조금씩 축적되고, 체력도 향상되며, 자각적으로도 효과를 느끼게 된다. 그러나 아직 충분한 결과라고는 말할 수 없다.

▶ 주 3회 운동하는 경우 : 처음에 느꼈던 근육의 통증이나 피로는 점차 가벼워지고, 결국엔 완전히 느껴지지 않게 된다. 효과의 축적도 주 2회의 경우보다 더 기대할 수 있다. 그러므로 적어도 주 3회의 운동은 필요하다고 할 수 있다.

▶ 주 4회나 5회 운동하는 경우 : 주 4회, 주 5회로 운동빈도를 높이면 그에 따라 효과도 높아질 것이다.

이렇게 보면 매일 운동을 하면 가장 좋을 것으로 생각할 수 있지만, 반드시 그런 것은 아니다. 다음 날 전혀 피로가 남지 않는 운동이라면 매일 하는 것이 이상적이다. 매일 운동하면 운동 자체의 효과가 높아질 뿐만 아니라, 운동이 생활 속에 녹아들어 습관화·생활화된다는 이점이 있다. 그러나 강도가 약간 강한 운동인 경우에는 다소라도 피로가 남기 때문에 정기적으로 휴식일을 갖는 것이 좋다. 강한 운동을 매일 실시하면 매주 휴식일을 설정하는 경우보다 피로가 더 축적되는데, 이것이 원인이 되어 사고가 많아진다는 보고도 있다.

휴식일을 1주일에 몇 회 둘 것인지는 1회의 운동내용에 따라 다르다. 예를 들어 70%$\dot{V}O_2$ max 정도의 비교적 강한 운동을 1회에 30분씩 하는 경우에는 다음날을 휴식일로 하는 격일운동이 좋다. 중간강도의 운동을 1회에 30~60분 실시하는 경우에는 주 1회 쉬면 충분할 것이다. 1주일에 며칠 휴식을 할 것인지는 그 사람의 체력이나 연령도 고려해야 하며, 그 사람의 생활패턴의 조정도 필요하다.

따라서 가벼운 운동은 매일 하고, 그 외의 운동은 주 3~6회 한다. 휴식일을 며칠 삽

입할지는 1회의 운동내용이나 그 사람의 개인적 조건을 고려하여 조정한다. 이러한 조정은 운동하는 본인이 다소 경험을 쌓으면, 자신의 몸상태를 고려하여 잘 할 수 있게 될 것이다.

◑ 컨디셔닝

지금까지 설명한 방법에 의한 운동의 강도·시간·빈도는 그 사람의 목표일 뿐이지, 그날부터 그대로 운동을 시작해도 좋다는 것은 아니다. 왜냐하면 운동을 갑자기 시작하면, 여러 가지 트러블을 일으킬 수 있기 때문이다. 특히 지금까지 별로 운동을 하지 않던 사람은 이 점에 주의해야 한다.

우선 신체가 운동에 익숙해지게 하기 위해서 목표 이하의 가벼운 운동부터 시작한다. 그리고 잠시 동안은 1회의 운동시간을 짧게 하고, 빈도도 처음에는 격일로 하다가 상태를 보아가면서 점점 강도·시간·빈도를 목표까지 끌어올려가는 것이 필요하다. 이러한 이행적 처치가 컨디셔닝이다.

컨디셔닝의 필요기간과 내용은 주로 그 사람의 연령과 단련도(즉 지금까지 실시해 온 운동의 정도)에 따라 결정된다. 일반적으로 젊은 사람이고 단련도가 높은 사람일수록 컨디셔닝기간은 단축되고, 스타트시점의 운동이 강해도 된다. 반대로 고령자이고 단련이 부족한 사람일수록 가벼운 운동에서 스타트하고, 장기간에 걸쳐 목표운동에 가까워지도록 해야한다.

표 1-6은 컨디셔닝계획의 기준을 예시한 것이다. 연령계층은 3단계로 나누어져 있다. 그리고 단련도는 과거 1년간의 운동실적에 의해 다음의 3가지 클래스로 나눈다.

▶ 클래스 A : 1주일에 1~2회 또는 그 이상 운동을 해 온 사람

▶ 클래스 B : 가끔 운동을 해 온 사람(주 1회 미만)

▶ 클래스 C : 거의 운동을 하지 않은 사람

연령별·단련도별로 이루어지는 컨디셔닝의 계층은 '○'표시를 하였다. 이것을 위에

컨디셔닝계획의 기준

단계	운동의 내용	연령 단련도	20~39 A	B	C	40~59 A	B	C	60~ A	B	C
1	걷기 10분간										○
2	걷기 20분간							○		○	○
3	걷기 40분간				○		○	○	○	○	○
4	걷기 60분간			○	○	○	○	○	○	○	○
5	달리기/걷기 10분간		○	○	○	○	○	○	○	○	○
6	달리기/걷기 20분간		○	○	○	○	○	○			
7	달리기/걷기 30분간		○	○	○						

목표운동을 실시하기 전단계로서, 일정기간 가벼운 운동부터 시작하여 점차 목표운동에 가까워져가는 조작을 컨디셔닝이라고 한다. 연령별·단련도별로 컨디셔닝의 조건은 '○' 표로 나타냈다.

서부터 순서대로 실시한다. 1단계 기간은 최저 1주일로 하고, 필요에 따라서 1주일 단위로 더 연장할 수도 있다.

표에서 말하는 걷기란 보통걸음보다 약간 빠른 걸음이라고 생각하면 된다. 1~4단계는 걷기이고, 단계가 높아지면 시간이 길어진다. 5단계 이후의 달리기/걷기는 우선 천천히 달리다가 약간 힘들어지면 걷기로 바꾸고, 편해지면 다시 달리는 사이클을 반복하는 운동이다. 빠르기는 전혀 의식할 필요없고, 걷기보다 약간 빠른 정도로 천천히 달리면 된다. 1회에 지속하여 달리는 시간은 특별히 지정되어 있지 않고, '약간 힘들어질 때까지' 지속한다. 따라서 익숙해짐에 따라 오래 달릴 수 있게 된다. 그리고 소정의 시간(표에 나타난 시간) 동안 계속하여 달려도 고통스럽지 않게 된다면 그 단계를 종료하였다고 판단하고, 다음 단계로 나아가도록 한다. 최종단계는 연령에 따라 달라서 20~39세에는 7단계까지, 40~59세에는 6단계까지, 60세 이상의 사람은 5단계까지 한 다음 컨디셔닝을 종료한다.

➡▷ 고령자의 운동처방

◑ 고령자의 신체적 특징

고령자의 신체와 생활모습은 젊은 사람과 다른 특징이 몇 가지 있다. 따라서 고령자에게 운동을 처방할 때에는 그 특징을 염두에 두고, 그에 적합한 운동을 처방해야 한다. 연령이 많아짐에 따라 일어나는 주요 생리적 특징은 다음과 같다.

▶ 신체활동의 저하 : 운동에 대한 자발적 욕구는 연령의 증가와 함께 저하되고, 신체활동이 강요되던 근로에서도 벗어나게 됨으로써 신체를 움직이려는 동기, 기회 및 장(場)마저도 매우 제한된다. 따라서 운동부족은 고령자에게 특히 심각하다.

▶ 체력과 예비력의 저하 : 호흡 · 순환계통을 비롯한 여러 가지 생리기능의 예비력이 저하되는 것이 고령자의 특징이다. 다시 말하면 약간만 무리해도 기능적 · 기질적으로 파탄을 불러올 가능성이 높다.

▶ 병이 많다 : 중년이 지나 노년기가 되면 병이 많아진다. 의사에 의해 진단된 병뿐만 아니라 잠재적인 병도 마찬가지다.

▶ 조직이 취약하다 : 인체의 모든 조직은 연령의 증가에 따라 탄력성을 잃는다. 탄력성의 상실은 연령증가의 특징인데, 탄력성을 잃어버리면 조직은 약해져서 부러지거나 파괴되기 쉽다. 예를 들어 넘어지는 것만으로도 넙다리목부위의 골절이 일어나게 되고, 혈관도 약해서 쉽게 파괴된다.

▶ 기능적 유연성이 낮다 : 조직이라는 하드웨어의 탄력성뿐만 아니라 기능이라는 소프트웨어의 탄력성이 낮아지는 것도 연령증가에 따라 일어나는 생리적 특징의 하나이다. 이것은 예비력의 저하, 생체조절기능이나 대사능력의 저하 등 때문인데, 그 결과 피로회복이 늦어지고, 골절 · 외상의 치유에 장기간을 요하며, 환경변화에 대한 적응성이 낮아진다. 체온조절기능이 저하되고, 추위와 더위에 약한 것도 기능적 유연성이 낮다는 것을 의미한다.

▶ 개인차가 크다 : 인체의 기능은 일반적으로 유전적 요인(선천적 인자)과 환경적 요

인(후천적 인자)의 영향을 받는다. 젊은 사람은 과거가 짧기 때문에 태어난 후의 후천적 인자의 영향보다 선천적 인자의 영향이 상대적으로 크다. 이에 비해 고령자일수록 과거의 인생경험인 환경의 영향이 그 사람의 현재에 크게 영향을 미치게 된다. 그리고 개개인의 인생경험은 다양하기 때문에 결국 고령이 될수록 신체기능의 개인차도 커진다.

▶ 트레이너빌리티가 낮다 : 어떤 트레이닝을 실시했을 때 그 효과를 얼마나 쉽게 얻을 있는가 하는 것을 트레이너빌리티(trainability)라고 한다. 트레이너빌리티가 높은 사람은 운동효과를 얻기 쉽고, 그것이 낮은 사람은 운동효과를 얻기 힘들다. 일반적으로 젊은 사람은 트레이너빌리티가 높고, 고령일수록 낮아진다. 같은 트레이닝을 하여도 고령자는 젊은 사람만큼의 효과를 낼 수 없는 것도 이 때문이다.

▶ 혈압이 상승하기 쉽다 : 안정시혈압은 연령증가와 함께 상승한다는 것은 잘 알려진 사실이다. 운동시혈압도 고령자일수록 상승하기 쉬운 경향이 있다. 젊은 사람과 같이 동맥의 탄력성이 풍부하면 운동에 의해 말초혈관이 잘 확장되고, 심박출량이 증대하여도 동맥이 충분히 늘어나기 때문에 혈압은 비교적 적게 상승한다. 동맥이 경화되면 잘 늘어나지 않기 때문에 말초혈관의 확장이 충분히 이루어지지 않아 심박출량이 약간만 증대하여도 혈압이 현저하게 상승한다. 따라서 같은 운동을 하여도 고령자는 일반적으로 젊은 사람보다 혈압이 현저하게 많이 상승한다.

▶ 최대심박수가 낮다 : 운동시최대심박수는 젊은 사람은 200회/분에 가깝지만, 연령이 증가함에 따라 감소하는 경향이 있다. 안정시심박수가 같을 때 최대심박수가 적으면 예비력이 적어져 신체의 부담도가 그만큼 강해진다. 또한 운동시심박수가 같다면 고령자가 젊은 사람보다 부담도가 높다고 할 수 있다.

◑ 고령자의 운동처방에서 유의점

▶ 건강검진은 엄격히 실시한다 : 고령자는 겉보기엔 건강하게 보여도 잠재질환이나 기능저하가 많으므로 건강검진을 엄격하게 실시할 필요가 있다. 특히 호흡계통 · 순

환계통의 스크리닝 테스트는 반드시 실시하고, 의심이 되면 정밀검사를 받게 한다.

▶ 안정성에 유의한다 : 고령자는 체력이나 예비력이 낮고, 체조직이 취약하며, 기능적 유연성이 낮으므로 무리하면 안 되는 몸이다. 따라서 안전성을 특별히 배려해야 한다. 운동이 안전한계를 넘지 않도록 하고, 효과를 기대할 수 있는 범위 내에서 가능한 한 가벼운 운동을 처방한다.

▶ 개인차를 인식해야 한다 : 고령자의 체력은 개인차가 크기 때문에 젊은 사람에게 하는 것과 같은 보편적인 운동처방은 위험하다. 반드시 개인별 검사 데이터에 기초하여 개별적으로 처방해야 한다.

▶ 트레이너빌리티가 낮다 : 컨디셔닝은 장기간 실시한다. 빠르게 목표에 도달하려고 조급해 하지 말고, 느긋하게 컨디션을 만들어 즐긴다는 기분을 갖게 하는 것이 바람직하다.

▶ 자신에게 맞는 페이스를 유지하며 운동한다 : 자신에게 맞는 운동을 빨리 습득하고, 그것을 지키려고 노력하게 한다. 운동습관을 오래 지속시키고 있는 고령자는 자신의 페이스를 습득하고 그것을 지키는 사람이다.

▶ 혈압이 쉽게 상승한다 : 고령이 되면 혈압이 쉽게 상승하기 때문에 운동도 혈압상승이 덜한 종목을 선택한다. 강한 근력을 요하는 운동, 근력 트레이닝, 무산소운동, 바벨운동, 상지만을 강화하는 운동 등은 피한다.

▶ 민첩성을 필요로 하는 운동을 강요해서는 안 된다 : 빠른 템포의 계단오르내리기 운동 등은 발을 헛디뎌 부상을 입을 수 있고, 배구 · 배드민턴 · 탁구 · 테니스 등의 구기도 충분한 컨디셔닝을 하지 않고 갑자기 시작하면 위험하다.

▶ 신체보다 마음 : 젊은 사람은 신체에 자극을 줄 필요가 있지만, 고령이 될수록 신체적 자극보다 마음의 기쁨이나 스트레스 해소 등 정신적 요인이 건강유지에 보다 중요하다. 따라서 고령자는 신체와 체력을 단련시킨다는 발상이 아니라, 실외로 나가 몸을 움직이고 사회와 접촉하면서 친분의 폭을 넓힘으로써 스트레스를 해소하고 기쁨을 느낀다는 레크리에이션 효과를 더 중요시해야 한다.

▶ 추위나 더위는 피한다 : 고령자는 체온조절기능이 낮기 때문에 기온변화에 주의해야 한다. 운동은 겨울에는 이른 아침을 피하고 태양이 높게 떠오른 후가 좋으며, 여름에는 한낮이 아닌 이른 아침이 좋다. 어떠한 계절이든 햇빛이 강할 때에는 모자를 착용한다.

고령자에게 적합한 운동

고령자에게 적합한 운동은 다음과 같다.

▶ 걷기

▶ 게이트볼

▶ 유연체조

▶ 스트레칭

▶ 요가

▶ 골프

▶ 수영(따뜻한 수영장 안을 떠다니듯 헤엄치는 수영)

발육기 어린이의 운동처방

발육기 어린이들은 형태적으로도 기능적으로도 성인과 다르기 때문에 운동의 형식도 성인과는 달라야 한다. 발육기라고 하여도 발육단계에 따라 수유기, 유아기, 아동기, 사춘기, 청년기 등으로 구분되고, 각 발육단계에 있는 어린이들은 각각 다른 신체적 특징을 갖추고 있다. 따라서 운동도 각각의 발육단계에 따라 상세하게 구분할 필요가 있다.

여기에서는 발육기 어린이들에게 운동이 갖는 의미가 성인의 경우와 어떻게 다른지, 신체의 각 기관이나 기능의 발육·발달이 어떠한 패턴으로 일어나는지 등을 고려하면서 발육단계별 운동형식을 살펴본다.

◐ 발육기 운동의 의미

발육기 어린이들의 신체운동은 성인보다 더 중요하다. 어린이는 특별히 운동을 하라고 하거나 운동의 필요성을 가르쳐 주지 않아도 자발적으로 유희·놀이·돌아다니기 등을 하며 왕성하게 신체를 움직인다. 이러한 자발적인 신체활동은 결과적으로 건전한 발육·발달을 촉진하고, 건강한 심신을 형성하는 데 중요한 역할을 한다.

그러나 오늘날 이렇게 움직이고 싶다는 자연스런 어린이들의 욕구는 여러 가지 원인에 의해 억압받고 있다. 예를 들어 자유롭게 놀 수 있는 공간의 감소, 일상생활 속에서 걷기의 필요성 감소, 학원·가정학습의 증가에 의한 자유시간의 감소, 텔레비전·컴퓨터게임과 같은 정적인 실내놀이의 유행 등이 주된 원인이다. 이 때문에 오늘날 어린이들의 운동부족은 성인 이상으로 심각한 문제가 되고 있다. 학교에는 체육시간이 있지만 1주일에 3~4시간뿐이어서 어린이들의 신체가 필요로 하는 운동시간에서 보면 몇 분의 1에 불과하고, 내용적으로도 매우 불충분한 실정이다.

발육기 어린이들의 운동형식을 생각하기에 앞서 그들이 운동하는 다음과 같은 의미에 먼저 주의를 기울일 필요가 있다.

▶ 운동부족병의 예방 : 발육기 어린이들도 운동이 부족하면, 비만·당뇨병·고지질혈증 등과 같은 소위 성인병의 징후가 나타난다고 밝혀졌다. 건강을 지키기 위한 운동의 필요성은 성인뿐만 아니라 어린이들에게도 마찬가지이다.

▶ 체육적 효과 : 발육기 어린이들에게 운동이란 단순히 운동부족병을 예방한다는 소극적인 의미에 그치지 않고, 발육(형태적으로 성인에 가까워지는 것)이나 발달(기능적으로 성인에 가까워지는 것)을 촉진하고, 심신을 단련시키며, 안정된 정서와 사회성을 기르는 등 건전한 사회인으로 성장해나가는 데 커다란 역할을 한다.

▶ 평생스포츠에 대한 동기부여 : 성인이 된 후 어떠한 스포츠를 시작하려고 할 때 발육기에 스포츠 경험이 있느냐 없느냐는 그 정착률에 커다란 차이가 있다. 경험이 없는 사람은 시작하게 되는 계기를 만들기 힘들고, 결국 시작하더라도 도중에 포기하는 경우가 많은 데 비하여, 발육기에 어떠한 스포츠에 친숙했던 사람은 평생 스포

츠와 관련이 깊어진다.

▶ 운동의 기쁨에 대한 실감 : 발육기 어린이들의 운동에서 대증요법적인 체력발달을 도모해서는 안 된다. 근력이 약하기 때문에 근력 트레이닝을, 지구력이 없기 때문에 지구력 트레이닝을 한다는 발상으로 체력발달을 꾀하는 것이 대증요법이다. 그런데 어린이의 체력문제는 더 뿌리가 깊다. 신체를 움직이는 즐거움, 상쾌한 땀을 흘리는 기쁨을 몸으로 알리는 것이 중요하다. 또한 처음부터 기술을 중요시하거나 이기는 것에 집착하면 운동을 싫어하게 된다. 기술이나 이기는 것도 물론 필요한 요소이기는 하다. 하지만 그것은 어린이들의 기술수준과 연령에 따라 서서히 도입해나가면 된다.

◑ 운동능력의 발달

발육기 어린이들의 성인에 비해 내용이 많이 다르다. 인간의 발육·발달패턴은 기관이나 기능의 종류에 따라 달라서 조기에 발달하는 기관·기능도 있는 반면 늦게 발달하는 것도 있다.

스캐몬(Scammon, R. E.)은 인간의 발육패턴을 다음의 4가지 형태로 나누었다(그림 1-3).

▶ 신경형(neural type) : 유아기에 가장 왕성하게 발육하는 형태로서, 대뇌가 대표적이다. 6세 때 이미 성인의 90%에 달하고, 14세 때는 성인과 같아진다.

▶ 림프형(lymphoid type) : 편도샘·림프샘·가슴샘 등이 보여주는 발육형이다. 12세 경까지 현저하게 발육하여 그 이후 급격히 쇠퇴하고, 성인이 되면 흔적으로 남는다.

▶ 일반형(general type) : 20세 전후까지 착실하게 발육하지만, 발육이 가장 잘되는 시기는 유아기와 사춘기이다. 신장, 체중, 근육, 소화기, 호흡기, 순환기 등 많은 기관이 이 형태에 속한다.

▶ 생식형(genital type) : 생식에 관계하는 기관이 보여주는 발육형이다. 사춘기까지는 눈에 띄지 않지만, 그 이후 발육이 급격히 현저해지는 형태이다.

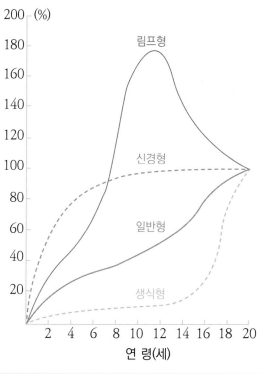

림프형 : 사춘기에 절정에 달하고, 이후 급속도록 쇠퇴해가는 형태로 가슴샘이 대표적이다.

신경형 : 유아기에 급속도로 발육하며, 대뇌가 대표적이다.

일반형 : 20세 경까지 비교적 서서히 발육하는 형태로, 근육이나 내장이 여기에 속한다.

생식형 : 사춘기가 되어 발육이 급속히 현저해진다.

그림 1-3 　스캐몬의 발육곡선

한편 전신지구력이나 유산소능력과 관계 깊은 심장중량, 근력·근파워와 관계 깊은 골격근의 단면적(여기에서는 넙다리의 단면적), 지능의 원천인 대뇌중량 등을 20세의 값을 100으로 하여 그 발육경향을 나타낸 것이 그림 1-4이다. 그림을 보면 넙다리단면적은 14~15세 경에 급격히 발달하고, 20세에는 절정에 달하여 일반성인과 거의 일치한다. 이에 비해 심장중량은 거의 직선적으로 증대하여 20세가 되어도 절정에 달하지 않고 계속하여 증가한다.

이렇게 인생의 초기에 대뇌의 발육은 현저하여 특히 5~6세까지의 발육은 실로 대단하다. 이 경향은 뇌의 혈류량이나 산소섭취량을 보면 더욱 확실하다. 유아의 뇌산소섭취

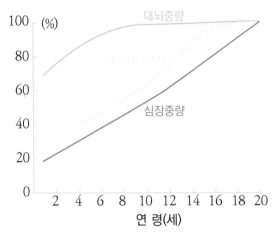

대뇌의 발육은 가장 빨라서 6세 전에 성인의 90%에 달한다. 넙다리 단면적은 사춘기에 가장 급격하게 발육한다. 심장중량은 거의 직선 적으로 증대하고, 20세가 되어도 계속 증대한다.

대뇌중량 · 넙다리단면적 · 심장중량과 연령의 관계

량은 전신 산소섭취량의 40% 정도를 차지하고 있고, 혈류량은 50% 또는 그 이상에 달한다.

◑ 발육단계별 운동처방

▣ 수유기

수유기는 대뇌가 가장 먼저 발육되는 시기이다. 따라서 이 시기에는 운동보다는 영양과 수면을 충분히 제공할 필요가 있고, 적극적으로 운동을 시키려기보다는 오히려 자연스러운 몸의 움직임을 막지 않도록 노력해야 한다.

▣ 유아기

신경계통의 발육이 거의 완성에 가까워지고, 또 그 기능의 발달도 가장 왕성하게 이루어지는 시기이다. 따라서 이 시기에는 조정력이나 민첩성 등과 같은 신경계통의 관여가 높은 체력요소가 효율적으로 발달한다. 이 때문에 조정력이나 민첩성을 필요로 하는 운동을 중점적으로 실시해야 하며, 그것도 단련해야 한다는 발상보다는 자유롭고 충분히 놀 수 있게 해 준다는 것이 기조가 되어야 한다.

■ 아동기

아동기에는 조정력이나 민첩성의 발달을 촉진시키는 것이 중요하다. 그다음 점차 복잡한 움직임이나 높은 기능을 목표로 운동을 지도해야 하는 시기이다. 단순한 놀이가 아니라 규칙성이나 경기성 등도 가미하고, 또한 전력을 발휘할 기회를 주는 것도 좋다.

이 시기가 되면 근력이나 전신지구력 등의 체력요소도 도입하여 종합적인 체력이 단련되도록 배려해야 한다. 따라서 아동기에는 특정한 놀이나 운동에 집중하는 것을 피하고, 각종 놀이와 스포츠를 체험시키는 것이 필요하다. 특히 놀이의 요소를 남기면서 점차 규칙성이나 경기성이 있는 스포츠를 많이 도입해야 한다.

■ 사춘기

이 시기에는 신체적 발육·발달이 현저하고, 특히 전신지구력이나 근력 트레이닝이 효과를 잘 발휘하기 시작하는 시기이므로, 그것을 위한 운동이 중요하다. 이와 함께 각자의 운동적성도 매우 확실해지는 시기이므로, 각자에게 적합한 스포츠를 찾아내어 거기에 어느 정도 열중하게 하여도 좋은 시기이다.

그러나 신체의 각 조직·기관은 발달 도중이어서 충분히 강건하지 않기 때문에 국소적으로 강한 부담이 가해지는 특정 스포츠만을 전문적으로 실시하면 스포츠장애가 발생하기 쉽다. 또한 호르몬이나 자율신경계통의 균형이 급변하는 시기이고, 신체적인 특성도 변하기 쉽다.

이 시기에는 특정 스포츠를 중심으로 실시하는 것은 좋지만, 그것에만 전념시키는 것은 시기상조이다. 따라서 몇 가지 스포츠를 교대로 경험시키고, 미발달될 가능성이 있는 부위를 발달시켜 종합적인 체력단련에 유의하여야 한다.

◆▷ 여성·임산부의 운동처방

여성은 항상 남성과 비교하여 설명하지만, 여성도 하나의 완전한 개체이기 때문에 운동의 기본원칙은 남성과 다르지 않다. 일반인이 건강을 위해 실시하는 운동을 여성이라고 해서 특별 대우해야할 이유는 아무것도 없다. 경기스포츠에서도 종전에는 장거리달리기·럭비·축구 등과 같은 격렬한 스포츠가 여성에게 적합하지 않다는 사고방식이 강했지만, 최근 이러한 사고방식이 수정되어 이러한 종목에서도 여성의 참여가 활발해졌다.

그러나 여성은 체력, 성주기(월경), 임신이라는 3가지 점에서 남성과 다른 것은 사실이기 때문에 다음의 사항은 염두에 둘 필요가 있다.

◑ 여성의 신체와 체력

여성의 신체형태, 생리적 기능 및 체력의 특징은 다음과 같다.

▶ 형태적으로 보면 여성은 남성의 90% 정도이다. 다리길이나 체중의 차이는 크지만, 피부기름두께(피지후)와 로러지수(Rohrer's index)만은 여성이 남성보다 크다는 것이 특징이다.

▶ 체력은 여성이 남성보다 전반적으로 약하지만, 체력요소에 따라 많은 차이가 있다. 근력, 순발력, 근지구력, 유산소능력(최대산소섭취량), 무산소능력(최대산소부채) 등은 여성이 남성의 60~70%이다. 민첩성·평형성 등은 성차가 적다. 그러나 유연성(서서 몸 앞으로 굽히기)은 여성이 남성을 앞서는 유일한 체력요소이다.

▶ 호흡·순환계통기능은 여성이 남성의 70~90% 되는 사람이 많지만, 최대심박수와 백혈구수에는 성차가 거의 없다.

▶ 이러한 신체적인 차이가 있음에도 불구하고, 평균여명은 여성이 남성보다 길다.

이러한 것에서 알 수 있듯이 운동처방 시에는 강한 근력을 요하는 운동을 여성에게 강요해서는 안 되고, 운동강도와 시간은 남성의 60~80% 정도를 기준으로 해야 한다.

● 성기능과 월경

격렬한 경기스포츠에 몰입하면 월경이상이 발생할 수도 있다. 이 때문에 모성기능이 장애를 일으킬 수 있는지에 관한 문제가 논의되어 왔다.

사춘기 이전부터 격렬한 트레이닝을 계속해 온 어린이들 중에 첫 월경이 늦는 여성이 많다는 것이 밝혀지고, 특히 체조선수에게서 그 경향이 강하다고 한다. 또한 청년기 이후의 여성은 격렬한 트레이닝에 의해 월경이 불규칙해지거나 정지하는 사람도 있다.

격렬한 운동을 하면 성호르몬의 활동이 억제될 수도 있는데, 그 상세한 기전은 밝혀져 있지 않다. 체조선수에게 특히 이러한 영향이 강하게 나타나는 것은 격렬한 연습이라는 조건 때문이기도 하지만, 신체가 작은 사람이 체조선수로 선발되는 경향이 많고, 엄격한 체중관리를 위한 식사제한 등도 그 원인이 될 수 있다. 따라서 체조라는 운동의 특수성만은 아니라고 할 수 있다.

월경기에 스포츠나 체육에 참가할 수 있는지는 찬반 양론이 있다. 종전에는 보수적인 의견이 많았지만, 최근에는 적극적인 운동참가가 필요하다는 생각이 많아졌다. 월경에 동반된 증상이 강하거나 월경량이 특히 많은 사람은 휴식을 취하거나 가벼운 운동을 해야 하지만, 그러한 것이 없으면 통상적인 스포츠활동에 참가하여도 지장이 없다고 한다.

지금까지는 임산부의 스포츠활동은 태아에게 진동이나 충격을 주기 때문에 태아의 발육장애나 유산의 우려가 있다고 하여 소극적인 의견이 많았다. 실제로 특정시기의 임산부에게는 그러한 위험성이 있고, 또한 무거운 태아를 임신하고 있으면 몸의 움직임이 불편하여 운동을 할 수 없는 상황이라는 느낌이 들 수도 있다. 그러나 운동은 골반안이나 하반신의 혈류를 촉진하고 울혈을 개선하는 데 도움이 되며, 출산에 필요한 체력유지와 산욕을 부드럽게 하는 데에도 도움을 주므로, 오히려 어느 정도 적극적인 운동이 바람직하다고 한다. 다만 안전상의 배려는 특별히 필요하며, 운동종목이나 강도에도 주의해야 한다.

임산부의 스포츠활동에서 주의해야할 사항은 다음과 같다.

▣ **다음의 경우에는 의사의 허가없이 운동을 해서는 안 된다.**

▶ 임신중독증

▶ 임신에 동반된 합병증

▶ 유산 · 조산 · 사산의 경험이 있는 사람

▶ 다태아임신

▶ 출혈 · 파수

▶ 양수과다

▶ 임신 5개월 이내 및 8개월 이상인 사람

▣ **다음과 같은 운동은 해서는 안 된다.**

▶ 경기스포츠(예 : 대부분의 스포츠경기)

▶ 격렬한 운동 · 스포츠(예 : 전력을 다하는 모든 운동)

▶ 몸중심의 상하 움직임이 심한 운동(예 : 줄넘기, 계단오르내리기)

▶ 배를 압박하는 운동(예 : 앞으로 많이 굽히기, 일부 철봉체조)

▶ 강한 힘이나 배압력을 증가시키는 운동(예 : 무거운 물건 들고 버티기, 바벨운동, 강한 근력 트레이닝)

▶ 오래동안 하는 모든 운동

▣ **임산부에게 좋은 일반적인 운동은 다음과 같다.**

▶ 걷기(30분 이내)

▶ 임신체조

▶ 수영(경영, 접영, 잠수는 제외)

◈▷ 비만인의 운동처방

◐ 1kg 감량에 필요한 운동량

비만인의 운동처방을 수량적으로 다루기 위해서는 운동량·영양섭취량·체지방량 등을 동일한 단위로 표시하고, 호환을 가능하게 할 필요가 있다. 영양섭취량은 보통 kcal로 표시한다. 체지방도 같은 단위로 나타낼 수 있다.

버터 등의 순수한 지방은 1g에 9kcal의 열량이 있다. 그러나 체지방은 수분이나 기타 불순물을 함유하고 있기 때문에 1g당 열량은 약간 낮으므로 7kcal로 가정한다. 일반적으로 운동량을 계산할 때에는 kcal 단위로 환산한다.

그러면 1kg을 감량하기 위해서는 어느 정도 운동을 하면 좋은지 계산해보자. 위에서 1kg의 체지방에는 7,000kcal의 영량이 있다(1g당 7kcal이므로)고 하였으므로 운동에 의해 그만큼의 칼로리를 소비하면 된다. 실제로는 운동을 시작하면 식욕도 변화하기 때문에 섭취에너지도 변화하는 경우가 많고, 기초대사량도 변하며, 근육도 비대해지지만, 그로 인해 필요한 단백질은 에너지를 사용하여 합성해야 한다. 이러한 모든 것도 에너지 밸런스에 영향을 주므로 상호작용에 의해 복잡해지지만, 여기에서는 단순히 7,000kcal의 운동을 하면 1kg의 체지방이 소비된다고 가정하고 설명을 진행한다.

일반인이라도 편하게 달릴 수 있는 분속 140m의 속도의 조깅을 예로 든다. 이 운동의 에너지대사율(RMR : relative metabolic rate)은 7 전후이므로 7,000kcal 소비하려면 1,000분 달리면 된다는 계산이 나온다. 하루에 30분, 주 6일 달린다고 하면 약 40일이 걸린다. 이 비율로 10kg 줄이려면 1년 이상 걸린다. 다른 운동에 관해서도 마찬가지로 계산하면 필요한 운동기간을 구할 수 있다.

비만에 대한 운동의 효과는 운동강도가 아니라 운동량, 즉 '운동강도×운동시간'에 의해 정해진다는 것은 이미 설명하였다. 운동강도를 2배로 하면 필요한 기간은 반이 될 것이다. 그러나 운동강도를 2배로 한 RMR이 14인 운동은 일반인에게는 너무 강하고, 몇 분밖에 지속하지 못하는 운동이 된다. 따라서 1회의 소비에너지는 50kcal 이하가 되며,

1kg 줄어드는 데 필요한 기간은 오히려 길어진다. 이에 비해 강도를 반으로 할 때, 예를 들어 90m/분의 속도로 걷기(RMR=3.5)할 때를 생각해 본다면, 하루에 60분 걸었을 때 30분의 조깅과 소비에너지는 동일해진다. 하루에 1시간 남짓 걷는 것은 생각만큼 무리한 운동이 아니므로, 누구라도 실행 가능하다.

결국 비만에 대한 운동요법은 운동강도는 오히려 낮게 억제하고, 시간을 길게 하여 운동량을 늘리는 것이 효과적이다.

◑ 비만인에게 적합한 운동

선 자세에서는 체중을 다리나 허리로 지지해야 하기 때문에 비만인은 다리나 허리의 관절에 많은 부담이 가해진다. 특히 조깅이나 구기경기에서는 다리의 부담이 크고 착지 시의 충격도 크기 때문에 다리의 근육과 뼈에 이상이 올 수도 있다. 이러한 점에서 보면 수영과 사이클링은 비만인에게 적합한 운동이라고 할 수 있다.

수영이 비만인에게 적합한 운동인 이유의 하나는 부력 때문에 스스로 체중을 지지할 필요가 없고, 따라서 다리와 허리에 강한 충격력이 가해지지 않는다는 점이다. 그러므로 조깅 등을 하면 다리와 허리에 통증을 느끼는 사람이라도 수영에서는 통증을 느끼지 않는 경우가 많다. 또한 체지방이 많으면 체비중이 적어 부력의 효과가 현저해지기 때문에 비만인은 수영을 하면 편하게 많은 에너지를 소비할 수 있다.

자전거타기에서는 윗몸의 체중이 안장으로 지지되기 때문에 다리의 부담이 그만큼 적어지고, 체중이 무거워도 운동에 장애가 되지 않는다. 게다가 다리의 무게는 페달을 밟는 힘으로 이용되기 때문에 무거운 다리는 이 운동에는 오히려 유리하게 작용한다고 볼 수 있다.

조깅 등에서는 발이 착지하는 순간에 무릎이나 발목관절은 강한 충격을 받지만, 자전거타기에서는 부드러운 페달의 회전 때문에 힘의 작용시간이 길기 때문에 관절에 가해지는 충격이 적다. 이러한 것도 자전거타기가 비만인에게 적합한 운동이라는 하나의 예가 된다.

◑ 운동요법과 식이요법의 비교

운동요법에 의한 감량은 얼핏보면 식이요법보다 비효율적으로 보이지만, 실질적 효과는 오히려 식이요법보다 크다. 또한 운동요법에는 감량 이외에도 눈에 보이지 않는 효과도 있다. 그래서 운동요법이 더 적극적인 비만대책이라고 할 수 있다. 물론 극단적인 비만이나 합병증이 있는 비만인은 운동을 하려고 해도 할 수 없는 경우도 있고, 또한 식이요법과 운동요법의 병용이 좋은 경우도 있기 때문에 간단하게 말할 수 없는 면도 있다. 그러나 일반인으로 특별한 위험인자가 없고, 극단적인 비만이 아닌 한 운동요법을 위주로 하는 것이 좋다.

신체운동과 건강증진

제2장

운동과 생활습관병의 예방 · 개선

최근의 역학조사에서는 고혈압, 당뇨병, 이상지질혈증(고지질혈증) 등의 질환이 여전히 계속해서 증가한다고 경종을 울리고 있다. 이러한 질환은 '침묵의 병(slient disease)'이라고 불리며, 무증상기간이 장기간 이어진다. 방치하면 질환을 악화시켜 뇌졸중이나 심장근육경색과 같은 치명적인 질환에 이르게 된다.

이러한 질환은 부모로부터 물려받은 유전인자와 오랜 동안의 생활습관이 복잡하게 서로 얽혀 발증한다. 그러나 유전인자를 가지고 있다 하더라도 양호한 생활습관을 유지하면 발증은 억제될 수 있다는 사실이 밝혀졌다. 즉 이러한 질환발증에는 유전인자도 영향을 미치지만, 생활습관의 관여가 굉장히 높다는 뜻이다.

운동부족과 생활습관병

생활습관병이란 '식습관, 운동습관, 휴식, 흡연, 음주 등의 생활습관이 그 발증 · 진행에 관여하는 질환군'이다. 특히 고혈압, 당뇨병, 이상지질혈증 등은 생활습관병 중에서도 운동습관이 크게 관련되어 있다. 최근 교통통신의 발달과 생활의 자동화로 인해 생활환경은 굉장히 편리해졌는데, 결과적으로 이것이 일생생활에서 운동량 감소를 초래하였다.

또한 여가시간은 많아졌어도, 자주적인 운동습관을 가지고 있는 사람은 굉장히 적다. 이 때문에 현대의 젊은이들이 중장년기에 접어들면 생활습관병이 현저히 증가하게 될 것이다. 질환의 싹은 이미 유아기부터 일어나고 있다고도 하며, 질환예방을 위한 양호한 생활습관의 확립은 빠를수록 좋다.

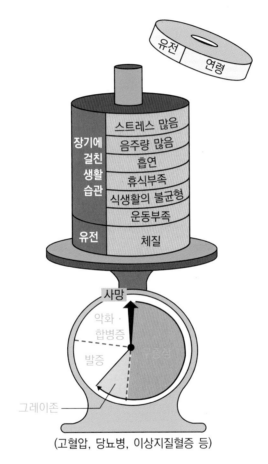

그림 2-1 생활습관병의 발증요인

◑ 운동부족병

1961년에 미국에서 출판된 『운동부족병(Hypokinetic Disease-Disease Produced by Lack of Exercise)』에서 저자인 크라우스(Kraus, H.)와 랍(Raab, W.)은 운동부족이

근육	뼈	순환계통	대사 · 내분비계통
위축, 근력 저하	뼈질량 감소	심박출량 감소, 안정심박수 증가, 순환혈액량 감소, 최대산소섭취량 저하	당내성 저하, HDL콜레스테롤 감소, LDL콜레스테롤 증가

그림 2-2 운동부족과 체내의 변화

근육골격계통의 질환뿐만 아니라 심장병과 같은 내과적 질환도 야기한다는 점을 지적하고, 예방의학으로서 신체활동의 중요성을 명확히 했다.

운동부족이 인체에 미치는 영향은 다음과 같다.

▶ 운동부족상태가 오래 지속되면 최대산소섭취량(VO_2max)의 저하, 뼈대근육에 분포된 모세혈관밀도의 감소, 제4형포도당수송체(GLUT4 : glucose transporter 4) 등의 감소

▶ 인슐린저항성 및 이자 β 세포로부터 인슐린분비량의 증가

▶ 과잉분비된 인슐린은 지방합성능력을 증가시켜 지방축적으로 인한 대사이상 초래

▶ 기초대사량 감소로 인한 안정에너지소비량의 저하

▶ 비만이나 인슐린저항성(insulin resistance ; 혈중에 인슐린이 있어도 표적세포인 근육 · 간 · 지방조직 등에서 기능이 충분히 발휘되지 않는 상태)의 증가로 당뇨병 · 고혈압 · 이상지질혈증 등의 발증

주요 인슐린의 생리기능은 다음과 같다.

▶ 근육 : 당흡수, 글리코겐합성, 단백질합성촉진

▶ 지방조직 : 당흡수와 이용촉진, 지방합성촉진과 분해억제, 단백질합성촉진

▶ 간 : 당신생억제, 글리코겐합성촉진과 분해억제, 단백질합성촉진

한편 실험적으로 혈액 중의 인슐린값을 증가시키면 인슐린작용에 의해 글루코스의 75~95%가 뼈대근육에서 흡수된다. 따라서 뼈대근육에 미치는 인슐린저항성의 영향은 크다.

고혈압, 당뇨병, 이상지질혈증과 라이프스타일

고혈압, 당뇨병, 이상지질혈증 등이 생활습관병으로 불리는 이유는 무엇일까. 이러한 질환과 라이프스타일의 관계는 다음과 같다.

● 고혈압

■ 고혈압이란

고혈압이란 대략 최고(수축기)혈압 140mmHg 이상, 최저(확장기)혈압 90mmHg 이상인 경우를 말한다. 혈압은 심박출량과 말초혈관저항에 의해 결정되는데, 이것들이 증가하면 혈압이 상승하게 된다.

고혈압에는 혈압상승의 원인이 명확하지 않은 본태고혈압과 콩팥 등의 기질·기능적인 이상에 의한 이차고혈압이 있다. 본태고혈압이 약 90%를 차지한다.

■ 운동습관과 고혈압발증률

파펜버거(Paffenbarger, Jr.) 등(1996)이 하버드대학 졸업생을 대상으로 실시한 역학연구에 의하면, 대학시절에 운동부 소속의 유무와 고혈압발증은 관련성이 없었다. 그러나 대학졸업 후에 활발한 운동을 하지 않은 사람은 하고 있는 사람보다 고혈압발증률이 35% 높았다. 나아가 보행거리·계단오르기·스포츠활동 등으로부터 산출한 일상생활의

MET(metabolic equivalent)는 운동총소비에너지를 안정시의 배율로 표시한 것이다. 안정대사량을 1MET로 나타낸다.

(예) 배드민턴 : 5.8METs, 배구 : 8.3METs, 유도 : 13.5METs, 탁구 : 4.1METs, 테니스 : 6.5METs, 줄넘기 : 9.0METs 등

METs를 에너지소비량으로 환산하는 식은 다음과 같다.

kcal = METs × 체중(kg) × 운동시간(분) / 60분

신체활동량이 높아도 중간강도(4.5METs) 이상의 운동을 하지 않으면 고혈압발증률은 높아진다고 보고하고 있다.

한편 고혈압의 가족병력이 있는 사람은 없는 사람보다 고혈압발증률이 83% 높다는 사실이 보고되고 있다. 그런데 고혈압의 가족병력이 있는 사람, 비만인 사람 등과 같이 고혈압위험인자를 갖고 있더라도 중간강도(4.5METs) 이상의 운동을 하면 고혈압발증이 억제된다고 하였다.

한편 최대산소섭취량이 많은 사람은 고혈압발증률이 낮다. 따라서 고혈압의 발증예방에는 유산소능력을 개선할만한 강도의 운동이 효과적이라고 볼 수 있다.

▣ 기호품 · 식생활과 고혈압

많은 역학연구로부터 습관적인 음주는 혈압상승을 초래한다고 보고되었으나, 흡연습관과 고혈압의 관련성은 나타나지 않았다. 흡연의 급성효과는 니코틴(nicotine)에 의한 일회성 혈압상승이다. 또한 흡연은 혈관내피세포(hemangioendothelial cell)의 일산화질소를 감소시키고, 활성산소를 발생시켜 동맥경화를 촉진한다. 고혈압환자이면서 흡연자는 고혈압이면서 비흡연자보다 사망률이 현저히 높다.

고혈압의 발증은 식생활을 반영한다. 식염섭취량이 1일 6g 차이가 있으면 청소년기(15~19세) 및 고령기(60~69세)의 수축기혈압은 각각 5mmHg, 10mmHg 차이가 있다는 사실이 밝혀졌다. 우리나라 사람의 평균 식염섭취량은 10g/일을 넘어서고 있으나, WHO의 가이드라인에서는 5g이하/일로 되어 있다. 한편 칼슘을 많이 섭취하면 혈압을 강하시킨다. 그러나 우리나라 사람의 1일평균칼슘섭취량은 600mg 이하로, 낮은 편이다.

고식염과 저칼슘섭취가 조합된 식생활은 고혈압발증에 박차를 가한다.

◑ 2형당뇨병

▣ 당뇨병이란

당뇨병은 제Ⅰ형인 인슐린의존당뇨병(IDDM : insulin-dependent diabetes

mellitus), 제Ⅱ형인 인슐린비의존당뇨병(NIDDM : noninsulin-dependent diabetes mellitus)으로 크게 나뉜다.

당뇨병을 진단할 때에는 만성고혈당 여부를 먼저 판단해야 한다. 지금까지 당대사이상의 판단기준은 공복당부하시험이나 경구당부하시험에 의한 혈당치를 기준으로 당뇨병형, 정상형, 경계형(당뇨병형도 정상형도 아님)으로 구분하였다. 그러나 오늘날에는 과거 1~2개월간의 평균혈당치를 나타나는 지표인 HbA1c(당화혈색소, glycosylated hemoglobin)가 진단기준으로 더해지고 있다.

우리나라 사람은 서구인과 같이 고도비만(BMI 30kg/m² 이상)인은 많지 않지만, 경도비만이라도 서구인보다 당뇨병은 생기기 쉽다(표 2-1).

 2-1 **당뇨병발증연령별 BMI 변화(남성)**

발증연령	BMI(kg/m²)				
	18세	25세	40세	50세	60세
40~49세	20.8±2.3	22.0±2.2	25.1±2.7ab	25.2±2.4ab	23.6±2.6
50~59세	20.5±1.9	20.2±4.4	23.4±3.0a	22.4±5.6	21.8±2.6
60세 이상	20.3±1.7	20.8±1.6	22.3±2.4	22.9±2.3	22.8±2.5
비당뇨병환자	20.4±2.1	20.9±2.3	21.9±2.6	22.4±2.7	22.5±2.7

평균치±표준편차 a : p<0.05(vs.비당뇨병환자), b : p<0.05(vs.60세 이상)

 당대사이상의 판정기준

[당뇨병형]
공복혈당치≧126ml/dL, 혹은 75경구당부하시험(OGTT) 2시간치≧200mg/dL, 혹은 HbA$_1$c(국제표준치)≧6.5%

[정상형]
공복혈당치<110mg/dL, 혹은 OGTT 2시간치<140ml/dL

한편 고령자에게서 나타나는 당내성저하는 주로 인슐린의 표적세포인 뼈대근육량이 감소하고, 체지방의 증가와 활동량의 감소 때문으로 볼 수 있다. 따라서 표준체중을 유지하고 있더라도 연령에 따라 체성분에 변화가 생기면 당뇨병이 쉽게 발병할 수도 있다. 최근 우리나라에서는 중노년층뿐만 아니라 초등학생 및 중학생에서도 비만과 2형당뇨병이 현저히 증가하고 있어서 2형당뇨병발증의 연소화가 걱정되고 있다.

▣ 운동습관과 당뇨병

제Ⅱ형당뇨병에 대한 운동의 효과는 인슐린감수성증가, 체중조절, 당내성향상 등이다. 또, 운동에 의한 내장지방감소가 제Ⅱ형당뇨병의 발증예방이나 개선에 효과가 있다.

최근의 보고에 의하면 청년남성이 체중의 7.5%에 해당하는 부하로 2주간 합계 15분간 전력을 다해 자전거타기를 하면 인슐린작용이 향상된다는 사실이 밝혀졌으며, 단시간의 격렬한 운동에 의해서도 운동효과가 나타났다.

▣ 기호품 · 식생활과 당뇨병

일련의 연구에 의하면 비흡연자보다 흡연자(1일 20개비 이상)가 제Ⅱ형당뇨병발증위험이 남성 1.4배, 여성 3.0배 높다고 한다. 또, 하루에 소주 1병 이상을 마시는 남성은 비음주자에 비해 1.3배 발병위험이 높다.

제Ⅱ형당뇨병은 식습관과 밀접한 관계가 있다. 최근 총에너지섭취량은 과거에 비해 감소하는 경향이지만, 동물성지방섭취량의 현저한 증가추세와 식생활의 서구화가 젊은 층의 당뇨병발증을 증가시키는 한 가지 원인으로 볼 수 있다. 총에너지에 대한 지질의 섭취비율은 18~29세에서는 20~30%, 30세 이상에서는 20~25%가 적절하다. 식물성 섬유는 식후의 혈당을 억제하는 작용이 있다.

◑ 이상지질혈증

▣ 이상지질혈증이란

혈액 중의 지질은 주로 콜레스테롤, 중성지방(triglyceride), 인지질, 유리지방산의 4

종류로 구성되어 있다. 지질은 혈청에 녹지 않기 때문에 아포단백(apoprotein)이라고 불리는 단백질과 결합하여 지질단백질복합체(lipoprotein)를 형성한다.

혈청지질단백질은 비중이 가벼운 것부터 암죽미립(chylomicron, 초초저밀도지질단백질), 초저밀도지질단백질(VLDL : very low density lipoprotein), 중간밀도지질단백질(IDL : intermediate density lipoprotein), 저밀도지질단백질(LDL : low density lipoprotein), 고밀도지질단백질(HDL : high density lipoprotein)로 분류된다(표 3-2). LDL 값의 상승은 동맥경화를 촉진하는 위험인자이지만, 최근에는 LDL의 양뿐만 아니라 그 질도 중요시된다. 또한 LDL에 비해 입자가 작고 비중이 무거운 소밀도지질단백질(SLDL : small dense low density lipoprotein)이 주목받고 있다. SLDL은 심장동맥질환의 위험성을 나타내는 마커이다.

중성지방, LDL콜레스테롤 중 어느 것 하나가 높거나(중성지방 150mg/dL 이상, LDL콜레스테롤 140mg/dL 이상), HDL콜레스테롤이 40mg/dL 미만인 경우를 이상지질혈증(고지질혈증, 고지혈증)으로 진단한다.

지질단백질의 종류

지질단백질	주성분	동맥경화
암죽미립(초초저밀도지질단백질)	중성지방	촉진
VLDL(초저밀도지질단백질)	중성지방	촉진
IDL(중간밀도지질단백질)	중성지방	촉진
LDL(저밀도지질단백질)	콜레스테롤	촉진
HDL(고밀도지질단백질)	콜레스테롤, 인지질	억제

■ 운동습관과 이상지질혈증

이상지질혈증을 예방하려면 체력수준을 올려주고 최대산소섭취량을 증가시켜주는 비교적 강한 강도의 운동이 필요하다. 또한 일상생활에서 운동을 습관화하는 것도 중요하다. 혈청지질은 체형과도 관계가 깊지만, 신체활동으로 인한 효과는 뚜렷하게 나타난다.

▣ 기호품 · 식생활과 이상지질혈증

흡연자는 비흡연자보다 HDL콜레스테롤치가 낮고, 중성지방치가 높다고 한다. 또, 중성지방은 음주에 의해서도 증가한다. 그러나 적당량을 음주하면 HDL콜레스테롤이 증가한다. 또한 지방의 과잉섭취, 포화지방산의 섭취, 식물섬유의 섭취부족 등도 이상지질혈증 발증요인이 된다. 한편 올리브오일 등 불포화지방산은 LDL콜레스테롤을 낮추는 효과가 있다.

◑ 대사증후군

▣ 대사증후군이란

최근 비만에 의한 인슐린저항성의 증대는 당뇨병뿐만 아니라 고혈압 · 이상지질혈증의 발증이나 합병증과 깊은 관련이 있다고 밝혀졌다. 특히 내장지방축적에 의해 야기된 동맥경화성질환(심장동맥질환, 뇌혈관장애)의 복합형 위험요인의 모임을 대사증후군(metabolic syndrome)으로 부른다.

▣ 운동습관과 대사증후군

최대산소섭취량으로 평가한 유산소능력별 허리둘레나 내장지방면적과 대사증후군 발증위험의 관계를 조사한 연구에 의하면, 같은 정도의 허리둘레나 내장지방면적이라도 유산소능력이 낮은 사람은 높은 사람보다 대사증후군 발증위험이 높다고 하였다. 유산소능력이 낮은 사람은 높은 사람보다 연령 · 피부밑지방 · 내장지방면적 등을 고려해도 대사증후군발증위험도가 약 2배 높다고 되어 있다.

헬싱키대학의 락소넨(Laaksonen, R.) 등(2002)은 핀란드에 거주하고 있는 중년남성을 대상으로 여가시간의 신체활동수준과 대사증후군 발증위험의 관련성을 조사 · 연구하여 다음과 같이 보고하였다. "7.5METs 이상의 고강도운동을 하면 운동시간의 연장과 함께 대사증후군 발증위험이 감소하였으나, 4.5METs 미만의 운동에서는 그 관계가 나

내장지방 축적에 의해 고혈당, 지질이상, 고혈압 중에서 2가지 이상이 해당되면
대사증후군으로 진단한다.

내장지방 축적*
허리둘레 : 남성 90cm, 여성 85cm 이상

| 고혈당
공복혈당치
110mg/dL 이상 | 지질이상
중성지방 150mg/dL 이상
동시에/또는
HDL 콜레스테롤 40mg/dL 미만 | 혈압최고치
수축기 130mmHg 이상
동시에/또는
확장기 85mmHg 이상 |

(주) 약물치료를 받고 있으면 대부분 여기에 포함된다.
* 내장지방의 축적은 남녀 모두 내장지방면적이 $100cm^2$ 이상인 경우인데, 간단한 지표로
  허리둘레를 이용하고 있다.

그림 2-3   대사증후군의 진단기준

타나지 않았다. 특히 7.5METs 이상의 운동을 주당 60분 이상 한 사람에서는 BMI, 혈압치, HDL콜레스테롤, 혈당치, 가족병력 등의 인자를 인정하더라도 그 효과가 나타났다. 즉 대사증후군발증위험인자를 갖고 있더라도 절대적인 고강도운동을 장시간하면 대사증후군의 발증을 억제할 수 있었다."

한편 고령자(65~84세 남녀)를 대상으로 한 우리나라의 한 연구조사에 의하면 1일당 평균걸음수가 많은 사람, 3METs 이상의 운동강도로 운동시간이 긴 사람일수록 대사증후군 발증위험이 낮은 경향이 있었다.

■ 인슐린감수성과 운동효과

최근의 보고에 의하면, 아동기에 비만이었던 사람은 남녀 모두 대사증후군 발증위험이 높았다고 한다. 이는 성인기 이후뿐만 아니라 유아기부터의 식생활이나 운동에 의한 비만예방이 중요하다는 사실을 시사한다.

한편 일단 단순성비만이나 비만형당뇨병이 되어도 식이요법과 규칙적인 운동을 하면 인슐린저항성의 개선되는 것으로 나타났다. 특히 인슐린저항성의 개선은 체중감소의 정도보다도 운동량의 다소에 의존한다는 사실이 밝혀졌다. 나아가 유산소운동에 저항트레이닝을 더하면 한층 효과가 있다는 보고가 있다.

3대 사망원인과 라이프스타일

우리나라 사람의 3대사망원인은 암, 뇌혈관질환, 심장질환으로 총사망자의 47%에 이른다.

◗ 심장질환

▣ 허혈심장질환이 늘어나고 있다

심장질환에는 많은 종류가 있지만 과거에 많았던 류머티스심장질환(승모판막증)은 감소경향에 있지만, 대신 협심증이나 심장근육경색이라고 하는 허혈심장질환(ischemic heart disease)은 증가하고 있다. 고혈압, 당뇨병, 이상지질혈증, 흡연은 허혈심장질환의 4대위험인자로 여겨지고 있다.

▣ 운동습관과 심장질환

파펜버거(Paffenbarger, Jr.) 등(1998)은 하버드대학 졸업생을 대상으로 학생시절과 그 후의 운동습관과 심장질환의 관련성을 조사·연구하여 다음과 같이 보고하였다. 학생시절 경기선수였어도 졸업 후에 거의 운동을 하지 않으면 학생시절에 운동을 한 것은 그 후의 심장질환발병률에 별다른 영향을 미치지 못하는 것으로 나타났다. 그러나 졸업 후 주당 500~1,999kcal에 해당하는 운동을 유지하고 있는 사람은 학생시절의 운동경력이 심장질환의 예방효과가 있었다.

운동과 심장질환의 관계를 밝힌 유명한 연구는 런던의 2층버스 운전수와 차장에 관한 조사보고이다. 운전수의 심장질환발병률은 차장에 비해 높다고 보고되었는데, 그 이유로

차장과 운전수의 업무상 신체활동량의 차이를 들고 있다.

또한 약 20년에 걸친 종단적인 역학조사에서도 일상적으로 중노동을 하는 어민은 단순노동자보다 심장질환발병률이 낮다고 보고되고 있다. 나아가 좌업종사자라도 일과 후나 휴일에 잔디깎기나 레크리에이션활동을 하는 사람은 그렇지 않은 사람보다 심장질환발병률이 반 정도 낮았다. 이 보고에서는 총에너지소비량보다도 운동의 강도가 심장질환의 예방에 효과적이라는 사실을 지적하고 있으며, 1분간 7.5kcal(약 6METs)의 에너지를 소비하는 비교적 고강도의 운동은 심장질환예방에 굉장히 효과적이라고 결론짓고 있다.

또한 파펜버거(Paffenbarger, Jr.) 등(1998)의 보고에서도 일상의 신체활동이 같은 정도라고 하더라도 활발한 스포츠활동(농구, 달리기, 등산, 스키, 테니스 등)의 유무는 심장질환발병률에 관계된다고 하였다. 최근의 보고에서는 주당 30분 이상 저항트레이닝을 하면 심장질환발병률이 저하된다고 하였다.

한편 절대적인 고강도운동을 습관적으로 하면 운동효과가 없다거나 심장질환발병률이 증가경향을 나타낸다는 보고도 있으므로, 운동강도는 중간 혹은 약간 고강도가 적절하다고 볼 수 있다. 또한 고혈압, 비만체형, 양친이 심장질환의 위험인자를 가지고 있다고 하더라도 일상의 신체활동량을 높게 유지하면 심장질환의 발병이 저하된다는 보고도 있다.

◗ 뇌혈관장애(뇌졸중)

▦ 뇌졸중

뇌졸중은 크게 뇌출혈과 뇌경색으로 분류된다. 1960년대부터 1970년대까지 구미에서 순환계통질환은 심장동맥질환이 주였다. 그런데 우리나라에서는 뇌졸중, 특히 뇌출혈의 비율이 높았다. 뇌출혈은 고혈압과 낮은 혈청콜레스테롤치가 위험인자이며, 식염과잉섭취나 동물성식품의 섭취부족 등이 원인으로 지적되고 있다. 한편 뇌경색은 장기적인 고혈압이 심각한 위험인자로 보고되고 있다. 1980년 이후 뇌졸중발증은 약간 감소경향을 보인 반면, 뇌경색발증률은 증가하고 있다.

▣ 운동습관과 뇌졸중

영국에서 실시한 대규모 조사·연구에서는 신체활동량과 뇌졸중발증률은 반비례한 다고 보고했는데, 이것을 지지하는 연구결과도 많았다. 한편 하버드대학의 파펜버거 (Paffenbarger, Jr.)와 리(Lee)의 연구(1998)에 의하면 뇌졸중의 발증과 일상신체활동량 의 관계는 U자형에 가깝고, 주당 2,000~3,000kcal의 활동량이 가장 효과적이라고 보 고하고 있다. 또한 젊었을 때부터 계속적인 운동을 하면 뇌졸중발증률이 저하된다는 보 고도 있다.

운동량과 뇌졸중발증의 관련성에 관하여는 충분한 연구결과는 없지만, 국제뇌졸중학 회의 가이드라인에 의하면 뇌졸중 예방에 대한 신체활동의 효과는 주로 뇌졸중의 위험 인자(고혈압, 당뇨병, 비만 등) 개선에 의한 이차적 효과가 있을 것으로 보고 있다. 앞에 서도 현재 우리나라에서 사망원인 1위는 암이지만, 심장질환·뇌졸중과 같은 순환계통 질환에 의한 사망도 암에 의한 사망자수와 거의 비슷하다.

◑ 악성종양(암)

암은 우리나라의 사망원인 1위를 달리고 있다. 해마다 새로운 암환자가 17만 여명이 나 등록되며, 전체 암환자는 72만 여명이나 된다고 한다.

우리나라는 1999년부터 전국 단위의 암환자등록자료를 구축하기 시작했다. 보건복 지부는 2005년도에 최초로 국가 암환자등록통계를 발표했고, 지난해 12월 말에는 암환 자등록사업이 시작된 이후 2008년까지 10년간의 암유병률(전체인구 중 암환자비율) 등 각종 통계를 발표했다.

암의 종류별 발생률은 2008년 말 기준으로 위암이 가장 많았고, 그다음이 갑상샘암, 큰창자암, 허파암, 간암, 유방암, 전립샘암의 순이었다. 남자의 경우 위암, 대장암, 허파 암 순이었다.

갑상샘암은 과거 10년 전에 비해 26배나 환자가 늘어났다. 전립샘암도 증가하는 추 세에 있다. 큰창자암은 서구의 대표적인 암종인데, 남자는 2000년도에는 위암, 허파암에 이어 3위의 암종이었으나, 2008년에는 허파암을 앞질러 2위로 올라섰다.

암사망률을 보면 2005년부터 허파암사망률이 1위로 올라섰는데, 그 이유는 대기오염과 노령화의 진전 때문에 고령허파암환자가 많이 발생했기 때문으로 보고 있다.

위암은 오랫동안 우리나라에서 사망원인 1위 암으로 꼽혀왔다. 1990년대부터 암전문가들 가운데는 위암발병률이 10~20년 뒤에는 1위 자리를 내줄 것으로 예상하는 사람들이 많았다. 이는 선진국의 사례를 보고 그런 예측한 한 것인데, 소득증가와 보건위생상태의 개선으로 위암발병률이 낮아질 것으로 전망했던 것이다.

한국인이 위암발생비율이 높은 이유는 위점막에 기생하면서 특정독소를 분비하는 헬리코박터균의 감염률이 세계적으로 높은데다 짠 음식을 많이 섭취하는 식습관이 주요인으로 알려져 있다.

▣ 암발생기구

사람의 세포 하나에는 약 2~3만 개의 유전자가 있는데, 그중 '암유전자(oncogene)'가 활성화되거나 '암억제유전자(tumor inhibitory gene)'가 불활성화되면 세포의 암화가 시작된다. 그러나 하나의 암유전자나 암억제유전자에 의해 바로 암이 발생하는 것이 아니라, 오랜 세월이 지나면서 다수의 암유전자나 암억제유전자의 이상 및 축적(활성화와 불활성화)으로 인하여 세포증식을 제어할 수 없게 되면 암이 발생하게 된다.

▣ 암발생위험인자

암발생위험인자에는 인간에서는 빠질 수 없는 노화·방사선·타르·바이러스 등의 외부환경과 흡연·음주·운동부족 등의 생활습관이 있다.

염색체이상을 알기 위한 간편한 지표인 말초혈관의 소핵형성빈도와 라이프스타일의 관계를 조사한 연구가 있다. 거기에서는 라이프스타일 불량집단은 양호집단에 비해 높은 소핵빈도, 즉 높은 염색체이상을 나타냈는데, 그것은 특히 운동습관·흡연·수면시간과 중요한 관련인자였다고 보고되고 있다. 또한 과도한 운동은 림프계통세포의 일종인 자연살해(NK : natural killer)세포 등의 면역기능을 높일 뿐만 아니라 암발생억제효과도 있다고 하였다.

▣ 운동습관과 암

운동습관과 암발생에 관하여 연구한 체리(Cherry, T., 1922)가 좌업종사자의 암발병률이 높다는 사실을 발표한 이래 오래 동안 역학적 연구가 이루어졌다. 최근의 연구에 의하면, 운동에 의한 암발생예방효과는 부위에 따라 다르다고 한다. 현재까지 운동의 예방효과가 보고되고 있는 암은 큰창자암, 허파암, 간암, 위암, 이자(췌장)암, 전립샘암, 유방암 등이다. 또한 큰창자암 · 전립샘암 · 자궁암 · 유방암 등은 비만과 관련성도 있으며, 운동습관과 식습관의 개선에 의한 암발생 예방효과가 시사된다.

특히 최근 암발생증가경향이 있는 큰창자암은 비만체형이라 하더라도 신체활동을 많이 하면 발병률이 저하된다고 한다. 흡연자(15개비 이상/일)의 허파암발병은 운동에 의한 억제효과가 나타난다는 보고가 있다.

◆▷ 운동습관과 사망률의 관련성

1873년에 모르간(Morgan, J. E.)이 옥스퍼드대학과 켐브리지대학 출신 보트선수가 수명이 길다는 사실을 발표한 이래, 운동과 수명에 관한 연구가 많이 이루어져왔다.

▣ 지구력스포츠가 수명을 연장시키는가

엘리트 경기선수를 대상으로 스포츠종목의 특이성이 수명(추정치)에 미치는 영향을 조사한 결과, 지구력스포츠선수 75.6세, 팀스포츠선수 73.9세, 파워스포츠선수 71.5세, 대조군 69.9세 순이었다는 보고가 있다(Sarna, S. 등, 1993). 이 보고는 지구력스포츠가 수명에 좋은 영향을 미친다는 사실을 시사하는 것이다.

그러나 파펜버거(Paffenbarger, R. S.) 등의 보고(1986)에서는 대학시절의 운동경력과 사망률에서 관계를 찾아내지 못했고, 졸업 후 일상생활에서의 신체활동량이 중요하다는 사실을 나타내고 있다. 사실 위의 사르나(Sarna) 등의 보고(1993)에서 은퇴 후의 직업을 고려하면 지구력스포츠선수의 수명이 반드시 길다는 결과는 얻어지지 않는다. 따라서 과거의 운동경력보다도 은퇴 후의 오랜 기간에 걸친 라이프스타일이 중요하다고 할 수 있다.

▨ 운동하는 사람은 오래 사는가

파펜버거(Paffenbarger, R. S.) 등에 의하면 고혈압, 흡연습관, 체형, 졸업 시부터의 체중증가, 양친의 사망연도 등과 같이 사망률은 높이는 위험인자를 갖고 있어도 일상생활에서 신체활동량을 높게 유지하면 사망률이 현저하게 감소한다는 사실을 밝히고 있다. 이는 라이프스타일 중에서도 신체활동이 특히 중요하다는 사실을 시사하고 있다.

한편 같은 정도의 신체활동량이라도 4.5METs(중간강도) 이상의 운동을 포함하고 있는 경우에는 사망률이 현저히 저하된다는 사실도 보고되고 있다. 나아가 지금까지의 운동습관(4.5METs 이상)이 없었던 사람이나 일상생활에서 신체활동량이 적은 사람이라고 하더라도 운동의 습관화나 신체활동량을 증가시키면 사망률이 뚜렷한 저하현상을 나타내고 있다.

신체활동량의 증가가 수명에 기여하는 것은 고령자에서도 나타나고 있으나, 반대로 고령자는 고강도의 운동부하가 사망률을 높인다는 보고도 있다.

◑ ACSM과 AHA에 의한 운동권장 가이드라인

미국스포츠의학회(ACSM : American College of Sports Medicine)와 미국심장병학회(AHA : American Heart Association)가 제시한 운동권장가이드라인은 표 2-3과 같다. 여기에서는 중간강도운동을 3~6METs 미만으로, 고강도운동을 6METs 이상으로 하고 있다. 강도가 높은 운동이 큰 효과를 낳는다는 것은 많은 보고에 의해 증명되고 있으나, 정기적으로 운동하지 않는 사람이나 신체활동수준이 낮은 사람에게는 일상의 신체활동량을 증가시킴으로써 큰 효과를 얻을 수 있다.

또한 동일한 운동강도라도 고령자나 체력수준이 낮은 사람은 젊은 사람이나 체력수준

18~65세의 건강한 성인의 운동권장가이드라인(ACSM과 AHA에 의함)

▸ 건강유지나 증진을 위해서는 18~65세인 성인은 활동적인 라이프스타일을 유지해야 한다.
▸ 건강유지나 증진을 위해서는 중간강도의 유산소(지구력)운동을 주 5일, 1일 최저 30분간 하거나, 고강도의 유산소운동을 주 3일, 1일 최저 20분간 해야 한다.
▸ 중간·고강도운동의 조합은 이 권장가이드라인에 맞게 한다. 예를 들면 주 2회 30분간의 빨리 걷기를 하고, 그 이외의 날에는 20분간 조깅을 하는 것이다.
▸ 이러한 중간·고강도의 운동은 일상생활에서하는 저강도의 신체활동(예 : 셀프케어, 설거지, 책상에서 가벼운 도구 사용)이나 매우 단시간의 신체활동(예 : 쓰레기 버리기, 사무실 또는 마트의 주차장에서 보행)과 함께한다.
▸ 빨리 걷기나 심박수증가를 느낄 수 있는 운동인 중간강도의 유산소운동은 1회의 운동시간이 10분간 혹은 그 이상으로 계속되는 운동을 최저 30분간 해도 좋다.
▸ 조깅 등으로 대표되는 고강도운동은 연속적인 심박수증가나 현저한 호흡수 증가를 야기하는 것이다.
▸ 나아가 모든 성인은 주당 2일 이상은 근력이나 지구력 유지·향상을 위한 운동을 해야 한다.
▸ 만성질환이나 장애의 위험도를 감소시키고, 건강하지 못한 체중증가를 막으려는 사람들은 여기에서 권장하는 최소의 신체활동을 넘어서야 비로소 운동의 효과를 얻을 수 있다.

이 높은 사람에 비해 상대적인 강도가 증가하므로 체력수준, 건강상태, 연령 등에 따른 적절한 운동처방이 필요하다.

◑ 운동참가 전의 건강검진과 운동부하검사의 필요성

ACSM의 운동처방지침(2000)에서는 운동참가 전의 건강검진과 운동부하검사의 필요성을 3가지 위험층으로 분류하여 권고하고 있다.

▸ 저위험층 : 남성 45세, 여성 55세 미만으로 무증상이며, 심장동맥질환 위험인자(가족병력, 흡연, 고혈압, 비만, 운동량이 적거나 생활습관 등)가 1이하인 사람
▸ 중간위험층 : 남성 45세, 여성 55세 이상으로 심장동맥질환의 위험인자를 2개 이상 갖고 있는 사람

▶ 고위험층 : 심장혈관계통질환이나 허파질환의 주요사인이나 증상(허혈에 기인할지
도 모르는 가슴·목·턱·팔 등의 통증이나 불쾌감, 빈맥, 통상적이지 않은 피로
감, 보통의 활동으로도 숨이 차는 등)이 1개 이상 있거나 심장혈관계통질환, 뇌혈
관계통질환, 대사성질환 등이 있는 사람

저위험층에서는 건강검진이나 운동부하검사가 필수적인 것은 다니지만, 중간위험층으
로 고강도(60%VO$_2$max, 6METs 이상 등) 운동을 하는 경우와 고위험층으로 중간강도
(40~60%VO$_2$max, 약 3~6METs, 45분까지 쾌적하게 계속할 수 있는 운동 등) 이상의
운동을 하는 경우에는 운동 전에 건강검진과 운동부하검사를 권장하고 있다.

안전하게 효과적인 운동을 하는 것이 가장 중요하다. 생활습관병의 연소화가 보고되
고 있는 우리나라에서는 젊고 자각증상이 없는 사람이라도 운동개시 전이나 운동량을
증가시킬 때에는 건강검진이나 운동부하검사를 받는 것이 바람직하다.

카르보넨의 식으로 운동강도를 구하는 방법

운동강도(HRR(%))

$$= \frac{운동심박수 - 안정심박수}{최고심박수^* - 안정심박수} \times 100$$

*최고심박수 = 220 − 연령 (여기서는 20세의 예)
 심박수, 최고심박수, 안정심박수, 운동, 시간
 ※ HRR(heart rate reserve) = 예비심박수

2-4 3메츠 이상의 일상생활활동

메츠	3메츠 이상의 일상생활활동(예)
3.0	보통걷기(평지에서 67m/분, 개를 끌고), 전동장치가 있는 자전거타기, 아이돌보기(선 자세), 부엌일 돕기, 목공일, 짐꾸리기, 기타 연주(선 자세)
3.3	카펫청소, 바닥청소, 청소기사용하기, 전기관계의 일(배선공사), 신체의 움직임을 동반하는 스포츠 관람
3.5	걷기(평지에서 75~85m/분, 보통의 속도, 산보 등), 편안히 자전거타기(8.9km/시), 계단 내려오기, 가벼운 물건 옮기기, 차의 물건 내리기, 짐 싸기, 걸레질, 바닥 닦기, 목욕탕청소, 정원 풀뽑기, 아이와 놀기(걷기/달리기, 중간강도), 휠체어 밀기, 낚시(전반), 스쿠터(원동기 부착)·오토바이의 운전
4.0	자전거타기(=16km/시 미만, 출퇴근), 계단 오르기(천천히), 동물과 놀기(걷기/달리기, 중간강도), 고령자나 장애가 있는 사람의 간병(부축하기, 목욕시키기, 침대올리고내리기), 옥상에 쌓인 눈 치우기
4.3	약간 속보(평지에서 약간 빠르게=93m/분), 나무심기, 가축에 먹이 주기
4.5	밭갈기, 집 수선
5.0	상당한 속보(평지에서 빠르게=107m/분), 동물과 놀기(걷기/달리기, 활발하게)
5.5	삽으로 흙이나 진흙 뜨기
5.8	아이와 놀기(걷기/달리기, 활발하게), 가구이동·운동
6.0	삽으로 눈 치우기
7.8	마른 풀 거두기, 헛간 청소
8.0	운반(무거운 물건)
8.3	물건을 윗층으로 옮기기
8.8	계단오르기(빠르게)

3메츠 이상의 운동

메츠	3메츠 이상의 운동(예)
3.0	볼링, 사교댄스(왈츠, 삼바, 탱고), 필라테스, 태극권
3.3	자전거에르고미터(30~5와트), 자신의 체중을 이용한 가벼운 근력트레이닝(경·중간강도), 체조(집에서, 경·중간강도), 골프(손으로 미는 카트를 써서), 카누
3.5	전신을 사용하는 텔레비전 게임(스포츠, 댄스)
4.0	탁구, 파워요가
4.3	약간 속보(평지, 약간 빠르게=93m/분), 골프(클럽을 메고 운반하기)
4.5	테니스경기(복식), 수중보행(중간강도)
4.8	수영(천천히 배영)
5.0	상당한 속보(평지, 빠르게=107m/분), 야구, 소프트볼, 서핑, 발레(모던, 재즈)
5.3	수영(천천히 평영), 스키, 아쿠아빅스
5.5	배드민턴
6.0	천천히 조깅, 웨이트트레이닝(고강도, 파워리프팅, 보디빌딩), 농구, 수영(느긋하게 헤엄치기)
6.5	등산(0~4.1kg의 짐을 메고)
6.8	자전거에르고미터(90~100와트)
7.0	조깅, 축구, 스키, 스케이트, 핸드볼경기
7.3	에어로빅스, 테니스경기(단식), 등산(약 4.5~9kg의 짐을 메고)
8.0	사이클링(약 20km/시)
8.3	달리기(134m/분), 수영(자유형, 보통 빠르기, 46m/분 미만), 럭비경기
9.0	달리기(139m/분)
9.8	달리기(161m/분)
10.0	수영(자유형, 빠르게, 69/분)

운동과 비만

체성분

체성분을 아는 5가지 잣대

'체지방'이라는 말을 일상생활에서 자주 듣는다. 체지방은 근육이나 뼈 등과 함께 우리들의 몸을 구성하는 중요한 조직이다. 오늘날 체지방이 특히 주목받고 있는 이유는 '마른 몸을 원하는 현상'이라는 미의식뿐만 아니라, 의학적인 관점에서 비만 혹은 비만증과의 밀접한 관련이 있기 때문이다.

그림 2-4에는 체성분을 관찰하기 위한 5가지 수준을 나타냈다. 이 '수준' 중에서 체지방·근육·뼈·혈액과 같은 '조직'부터의 관찰법과 '원소' 혹은 '분자' 등의 관찰법이 포함되어 있다. 스포츠과학·영양학·예방의학 등의 연구분야에서는 '조직'에서 본 몸의 내용물을 평가하는 방법에 관심이 집중되고 있다.

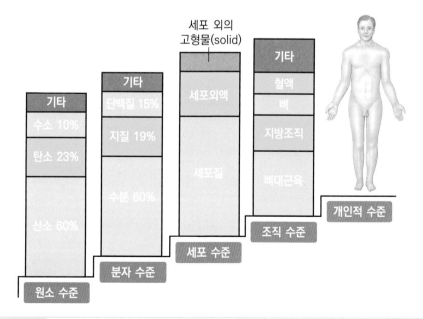

그림 2-4 사람의 체성분을 관찰하는 5가지 수준

표준적인 청년 남녀의 체성분을 '조직' 수준에서 관찰하면 가장 많은 비율을 나타내는 근육량이 남성은 체중의 약 45%, 여성은 약 36%로, 남성이 약 10% 높은 비율을 나타낸다. 또한 뼈질량도 남성이 체중의 약 15%, 여성이 12%로, 남성의 비율이 높다. 한편 체지방의 비율에서는 남성이 약 15% 있는데 비해 여성은 25%로, 반대로 여성쪽이 높은 비율을 나타낸다.

다음으로 몸을 '분자' 수준에서 관찰하면, 우리몸의 약 60%는 수분이며, 근육이나 기관을 만드는 원천인 단백질이 약 15%, 지방세포에 축적된 에너지원으로 사용되는 지질이 약 19%이다. 나아가 가장 미세한 '원소' 수준에서는 몸의 약 60%는 산소, 이어서 탄소(23%), 수소(10%)의 순으로 되어 있다.

◑ 체지방의 2가지 역할

체지방은 2가지 역할을 한다. 하나는 중추신경계통이나 각 장기가 정상적인 대사기능을 하는 데 없어서는 안 될 '필수지방'의 역할이고, 다른 하나는 과잉한 에너지원을 축적하는 '저장지방'의 역할이다.

▣ 필수지방

남성의 필수지방은 체지방률로서 약 3%이고, 여성은 약 12%로, 여성이 남성의 약 4배가 된다. 여성은 유방 · 볼기(gluteal, 둔부) · 넙다리 등에 필수지방이 많은데, 이는 여성 특유의 생리기능을 유지하기 위해서이다.

한편 음식공급이 차단된 매우 과혹한 서바이벌훈련을 완수한 병사라도 체지방률이 3% 이하인 사람은 없었다고 한다. 이 사실은 인체에 꼭 필요한 '필수지방'이라는 체지방의 존재를 뒷받침하는 흥미로운 결과로 볼 수 있다.

▣ 저장지방

체지방에서 필수지방을 빼고 남은 것을 저장지방이라고 한다. 주목해야할 일은 남녀에서 큰 차이가 없으며, 표준적인 남녀의 저장지방비율은 체중의 약 12%이다. 여성이 남성보다도 풍만하게 보여도 결코 비만은 아니다.

남녀의 체지방률은 생활환경의 변화에 따라 증감하는데, 이때 체지방률의 변화는 저장지방량의 증감을 의미한다.

▶ 비만상태의 정의

◑ 보는 것만으로는 알 수 없는 비만

"비만이란 어떤 상태인가?"

씨름선수나 역도선수처럼 뚱뚱해보이거나 실제로 체중이 무거운 것을 가리키는 걸까? 실제로는 겉모습이 뚱뚱하거나 체중이 무겁다는 것만으로는 비만이라고 말할 수 없다. 왜냐하면 체중이 무거워도 비만이 아닌 사람이나 겉모습은 마르게 보여도 비만인 사람이 있기 때문이다.

비만을 판단하는 기준은 몸에 축적된 지방의 비율, 즉 '체지방률'이다. 지방이 몸에 다량으로 축적되어 있어도 그만큼 근육이 적은 몸이라면 겉모습은 뚱뚱해 보이지 않는다. 반대로 체지방이 적더라도 근육이 발달한 스포츠선수는 몸이 크게 보이고 체중도 많을 수 있다. 따라서 보는 것만으로 비만인지 아닌지의 판단은 불가능하다. 비만이란 체중에서 차지하는 지방의 비율, 즉 체지방률이 결정한다는 사실을 확실히 이해하기 바란다.

◑ 숨겨진 비만

일상생활에서 운동량과 식사량에는 일정 밸런스가 있다. 운동량이 보통때보다 증가하면 그에 따라 섭취칼로리도 자연스럽게 증가한다. 근육도 체지방도 굉장히 적은 슬림한 이른바 '허약한 몸'은 일상의 활동량이 굉장히 적으며, 식사도 그에 맞게 소량이다. 이와 같이 굉장히 낮은 활동량이 유지되는 생활환경에서 식사량만 보통사람과 같다면 여분의 칼로리는 체지방으로 쌓이고, 겉모습은 보통이어도 근육은 굉장히 낮아 체지방률이 높

비만판정방법

① Broca법 : 학령기 이후에 적용되는 방법
- 신장 150cm 이하일 때의 표준체중(kg)=신장(cm)−100
- 신장 150cm 이상인 경우의 표준체중(kg)=(신장(cm)−100)×0.9

$$비만도(\%) = \frac{실제체중(kg) - 표준체중(kg)}{표준체중(kg)} \times 10$$

② Kaup지수 : 출생 후 3개월~만 6세까지 적용되는 방법

$$Kaup지수 = \frac{체중(g)}{신장(cm)^2} \times 10$$

③ Röhrer지수 : 학령기 이후부터 성인까지 적용되는 방법

$$Röhrer지수 = \frac{체중(g)}{신장(cm)^3} \times 10^4$$

④ 체질량지수(BMI : body mass index) : 성인기 이후 적용되는 방법

$$BMI = \frac{체중(g)}{신장(cm)^2}$$

※ 체질량지수에 의한 비만판정법

정상	19~25	가벼운 비만	26~30
중간정도비만	31~40	심한 비만	41 이상

은 '숨겨진 비만'인 몸이 되어버린다. "나는 슬림해보이기 때문에 괜찮아. 비만이 아니야."라는 말은 모든 사람에게 통용되는 것이 아니다.

근육의 양은 힘을 발휘하는 능력과 밀접한 관계가 있다. 근육량이 적으면 같은 일을 해도 지치기 쉽고, 움직임이 둔해지게 된다. 또한 근육량이 적은 몸은 뼈에도 영향을 미친다. 근육량과 뼈질량 사이에는 밀접한 관계가 있어서, 근육량이 적은 사람은 뼈질량도 저하되고 있다. 뼈질량을 높여야만 하는 중요한 시기에 그 목표가 달성되지 않으면 나중에 곤란한 일이 기다리고 있다. 왜냐하면 성인 이후 감소하는 뼈질량을 증가시키는 것은

굉장히 어렵기 때문이다. 따라서 젊었을 때 충실히 몸을 보양하는 것은 굉장히 중요한 일이다.

체지방의 역할

에너지저장고로서의 지방

비만의 판정기준을 체지방률에 둔다면 될 수 있는 한 체지방을 감소시키면 된다. 누구나 그렇게 생각한다. 확실히 체지방이 과다하면 몸에 악영향을 미치는 것도 사실이다.

그러나 체지방은 굉장히 중요한 역할을 한다. 옛날부터 체지방은 에너지저장고로서, 위급할 때 중요한 역할을 한다는 사실이 알려져 있다. 어떤 사고로 기아상태가 되면 체내에 저장된 지방이 생명유지에 필요한 에너지를 보급한다. 체중 60kg인 사람이 체내에 20%의 체지방을 축적하고 있다면 그 사람의 체지방량은 12kg이 된다.

체지방량이란 지방세포의 양이다. 지방세포는 그 부피의 약 80%를 저장지방이 차지하고 있다. 따라서 지방 그 자체는 1g당 9kcal의 에너지량을 갖지만, 이것을 지방세포 1g당으로 환산하면 에너지량은 7.2kcal(9kcal×80%)가 된다. 다시 말하면 12kg의 체지방에는 86,000kcal의 에너지가 저장되어 있다는 계산이 된다. 유감이지만 지방만을 이용하여 생명유지에 필요한 에너지 공급은 불가능하지만, 이 12kg의 지방은 실제로 약 1개월분에 필적하는 에너지량이다. 즉 우리의 몸은 풍부한 에너지를 항상 저장하고 있다고 할 수 있다. 이외에도 체지방은 체온유지를 위한 단열재로서의 보조적인 역할이나 내장을 보호하는 역할 등을 한다.

생리활성물질을 분비하는 지방세포

최근 이루어진 지방세포의 대사 및 역할에 관한 연구에서 지방세포 그 자체가 중요한 생리활성물질을 분비하고, 우리몸의 정상적인 대사기능유지에 매우 중요한 역할을 담당한다는 사실이 밝혀졌다. 예를 들면 1994년 말에 쥐의 지방세포 유전자집단 중에서 비만유전자가 동정(identification)되어 전 세계의 주목을 받았다.

비만유전자로부터 만들어낸 '레프틴(leptin)'이라고 명명된 단백질은 호르몬처럼 지방세포에서 혈액으로 분비되어 뇌의 시상하부에 있는 레프틴수용체에 결합하여 식욕을 억제하거나 소비에너지량을 증가시켜 비만을 막는 작용을 한다. 이 비만유전자는 사람에게도 있어서, 비만유전자 생성물질인 레프틴을 혈액 속으로 분비시키고 있다. 사람의 경우에는 비만 쥐만큼의 레프틴결손증이 있거나 레프틴분비부족에 의해 비만이 발증하는 것은 아니다. 비만자의 혈중레프틴농도는 체지방량에 비례하여 높은 값을 나타냄으로써 레프틴이 작용하기 어려운 상태, 즉 레프틴에 대한 저항성이 비만을 일으키고 있는 듯하다.

일반적으로 체지방이 너무 적으면 환경이나 기온의 변화에 약하고, 병에 대한 저항력이 낮아진다. 이것도 지방세포가 방출하는 물질에 관계된다. 왜냐하면 면역계를 정상적으로 유지하기 위해 지방세포가 중요한 역할을 맡고 있기 때문이다.

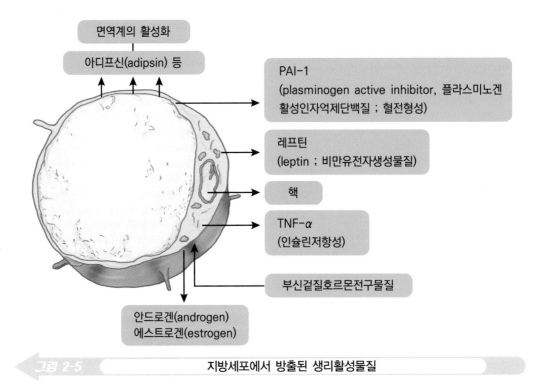

그림 2-5　　지방세포에서 방출된 생리활성물질

이와 비슷한 것으로 여성호르몬이 있다. 여성의 체시방률이 16% 이하로 감소하면 월경이상을 일으키는 빈도가 서서히 늘어난다. 나아가 체지방률이 10% 전후까지 감소하면 월경은 전혀 일어나지 않게 된다. 그러나 체지방률이 증가하면 월경은 자연스럽게 정상으로 돌아온다. 지방세포에는 여성포르몬을 가공하여 활성을 갖는 형태로 바꾸는 역할이 있는데, 그것이 정상적인 월경과 관련되어 있다.

◆▷ 비만의 발생원인

◐ 체중의 세트포인트설

체지방은 자신도 모르는 사이에 축적된다. 예를 들면 환갑(60세)을 넘은 남성의 체중이 20세였을 때는 60kg이었으나 40년간 10kg이 증가하여 70kg이 되었다고 하자. 실제로는 연령에 의해 근육량이 감소하였으므로 체지방증가률은 체중증가률 이상이 된다. 그러나 여기에서는 증가한 체중만큼 체지방이 증가했다고 하자. 20세 때의 체지방률을 15%라고 하면, 10kg 증가한 60세의 체지방률은 27%가 되어 확실한 비만이다. 이 40년간 증가한 10kg의 체지방을 1일로 환산하면 매일 약 0.7g씩 증가한 것이다. 겨우 0.7g으로, 에너지량으로 하면 5kcal, 눈깔사탕의 반쪽에도 미치지 못하는 약간의 변화이다.

오늘날 비만경향이 많은 사람을 보면 의외일지도 모르나, 우리들의 체중은 장기적으로 볼 때 실로 교묘하게 조정되어 있다. 일시적인 과식이나, 반대로 다이어트로 체중이 단기적으로 변화하는 경우가 있더라도 장기간의 에너지수지는 엄밀히 제한되어 있다. 이 메커니즘을 설명하는 가설이 '체중의 세트포인트설'이다.

실험동물에게 강제적으로 과식시켜서 체중을 증가시키면 그 동물은 식욕을 잃는다. 원숭이를 실험한 결과 체중이 25% 증가했을 때 먹이의 섭취량이 거의 제로가 되었고, 그 후 체중이 감소함에 따라 섭식량을 회복되었다고 한다. 사람의 경우에도 마찬가지 현상이 관찰되고 있다. 건강한 남성에게 통상보다 1일당 1,000kcal 많은 식사를 하게 하고 단기간에 체중을 1~2kg 증가시켰을 때, 그 후 자유로운 섭식 시에 취한 식사량은 통상보다도 1일에 약 500kcal 적었다. 반대로 절식에 의해 체중을 감소시키면 그 후 자유로운 섭식 시에 식욕은 증가하고, 체중은 원래대로 돌아온다.

이렇듯 동물도 우리들의 체중도 세트된 체중 이하로 감소했을 때에는 섭식행동이나 에너지대사의 조절에 의해 정해진 체중으로 돌아오려고 한다. 또한 체중이 세트된 값 이상이 되어도 마찬가지의 반응이 작용하여 원래의 체중으로 되돌아오려고 하는 것이다.

체지방률에 의한 비만의 판정

	남성	여성
표준	15~20%	20~25%
경도비만	20~25%	25~30%
비만	이상	이상

◑ 체지방의 축적원인

"비만은 어떻게 해서 생기게 되는 것일까?"

비만의 원인에 대해서는 현재에도 충분히 해명되어 있다고는 할 수 없으나, 대략 ① 유전, ② 과식, ③ 운동부족, ④ 섭식패턴의 네 가지를 주요원인으로 꼽고 있다.

■ 유전

유전소인이 같은 일란성쌍생아를 대상으로 체지방의 증가에 미치는 유전의 영향을 검토한 보우챠드(Bouchard, C.) 등(1990) 조사결과를 살펴보자. 피험자는 12쌍의 일란성쌍생아이다. 그들은 대학 내에 있는 기숙사에 숙박하게 하고, 24시간 행동을 관리하였다. 매일 30분간 실시한 옥외산보 이외에는 운동이 제한되었고, 독서·텔레비전감상·텔레비전게임·카드 등으로 매일을 보내게 하였다. 살찌는 것을 목적으로 한 실험이었다고는 하지만 엄청난 노력이다. 한편 각자의 섭취칼로리는 실험 전에 한 식사의 예비조

사를 기반으로 산출하여 보통의 생활보다도 약 1,000kcal 많은 식사를 약 3개월간 섭취
하게 하였다.

조사시작 3개월 후 그들의 체중은 평균 약 8kg 증가했고, 실험 전에 11%였던 체지방
률은 평균 약 18%까지 증가했다. 그림 3-6은 이 실험에서의 체중증가량의 일치도를 쌍
둥이의 짝끼리 비교한 결과이다. 쌍둥이 한쪽의 체중증가량과 다른 쪽의 체중증가량에
는 일정한 관계가 나타났고, 살찌기 쉬운 쌍둥이와 살이 잘 찌지 않는 쌍둥이가 있었다.
그러나 유전소인이 같다고 하더라도 쌍둥이 짝의 살찌기 쉬운 정도는 반드시 밀접한 관
계는 나타나지 않았다. 체지방률의 증가에 대해서도 마찬가지로, 유전이 살이 쉽게 찌는
데 공헌하는 비율은 30% 이하로 추정할 수 있다.

일란성쌍생아를 조사한 다른 연구에서도 사춘기까지는 쌍둥이의 한쪽이 비만이라면
다른 쪽도 비만일 확률이 약 70%로 높았으나, 성인이 된 쌍둥이의 경우에는 생활환경에
의해 비만의 일치율은 약 30%로 감소한다는 사실이 보고되어 있다. 따라서 살찌기 쉬운
정도는 유전에 의한 영향을 받긴 하지만, 그것으로만 인해 결정되는 것은 아니며, 식습
관이나 운동습관 등 환경인자에 의한 영향을 다분히 받고 있다는 사실을 말하고 있다.

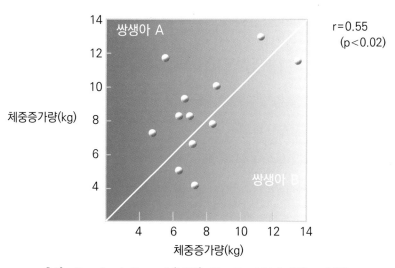

출처 : Bouchard, C. et al.(1990). *New Eng. J. Med.*, 322. p.1479.

그림 2-6 　일란성쌍생아의 체중증가량 일치도

▣ 과식

▶ 마른 대식가는 흡수능력의 차이 : 섭취한 영양소는 소화관에서 흡수되어 체내로 들어온다. 통상 섭취한 에너지량의 80~90%는 체내로 흡수된다. '마른 대식가'는 음식물의 흡수능력이 좋지 않기 때문에 살찌지 않는다고 하지만, 실험적으로는 마른 사람과 살찐 사람 간에 음식물의 흡수능력은 큰 차이는 없다고 한다. 한편 식사 중에 몸이 뜨거워지거나 때로는 땀을 흘리기도 한다. 이것은 식사유발성 열방산으로, 하루에 소비하는 총에너지량의 약 10%가 음식물이 흡수될 때 열이 되어 사라진다. 따라서 단순히 '섭취량과 소비량의 차이가 저장되는 에너지량'이라는 식은 성립되지는 않지만, 과잉한 섭취에너지가 체지방의 증가에 관여하고 있다는 사실은 누구라도 인정하고 있다.

▶ 과식의 메커니즘 : 비만의 원인 중 하나인 과식을 일으키는 메커니즘은 다음과 같다.

첫 번째 아주 근접된 인자는 스트레스이다. 일반적으로 심한 스트레스를 느끼는 환경에 놓이면 불안을 느끼게 되어 그것을 해소하기 위해 음식물을 손에 닿는 대로 먹게 되는 식행동이 관찰된다. 실험적으로도 스트레스유발성 과식을 일으킬 수 있다.

두 번째 인자는 혈당치를 일정하게 제어하는 작용이 망가진 경우이다. 식후에 포만감을 느끼는 것은 시상하부에 있는 포만중추(satiety center)가 자극을 받아 일어난다. 이 자극에서 중요한 것이 혈당치[혈중포도당(글루코스)량]이다. 정상인 사람은 혈당치가 120mg/dL 전후로 포만감을 생기게 하지만, 비만자는 포만감을 느끼는 혈당치가 상승해 있다고 한다.

세 번째 인자는 인슐린이다. 비만인의 대부분에게 인슐린분비과잉이 나타나고 있다. 인슐린에는 혈당치를 낮추는 작용이 있으며, 뇌의 섭식중추(feeding center)를 자극하여 식욕을 증가시킨다. 또한 인슐린은 섭식중추를 직접 자극하여 식욕을 늘리는 작용을 한다.

그밖의 인자는 뇌 속에 있는 세로토닌(serotonin) 등과 같은 모노아민(monoamine)이나 펩티드호르몬(peptide hormone) 등과 같은 신경전달물질의 관여이다.

■ 운동부족

▶ 식욕조절 : 섭취에너지와 소비에너지의 밸런스에서 생각해보면 운동이 부족하면 소비하는 에너지량을 감소시켜 여분의 에너지를 일으키기 쉽다. 뿐만 아니라 운동이 부족한 몸은 그 자체가 살찌기 쉬운 상태에 빠져 있다고 할 수 있다. 적당한 운동은 활동량에 맞는 섭취에너지량을 결정하는 중요한 시그널이 되고 있다. 그리고 낮은 활동량은 '필요한 섭취량을 자각하는 능력'을 혼란시켜 비만을 초래하게 된다.

▶ 인슐린분비과잉 : 운동부족은 혈당치를 낮추는 작용이 있는 인슐린의 효과도 둔화시킨다. 인슐린에 대한 저항성이 운동부족에 의해 높아지면 같은 효과를 낳기 위해 인슐린이 과잉분비된다. 인슐린이 과잉분비되면 몸에 지방이 축적되기 쉬운 대사상태를 만든다.

▶ 안정에너지대사량의 감소 : 안정 시의 에너지대사량은 우리들이 하루에 소비하는 에너지량의 약 70%를 차지한다. 운동부족은 그 자체가 소비에너지량을 줄이는 원인이 되지만, 안정에너지대사량에도 영향을 미친다. 운동을 하면 그 후의 회복기에도 대사는 높은 상태가 유지된다. 그러나 운동부족의 생활에서는 대사는 낮은 채로 머물게 되어 안정에너지대사량은 서서히 감소해간다. 나아가 운동부족이 계속해서 이어지면 안정에너지대사량을 결정하는 근육량 그 자체가 저하되기 때문에 안정 시의 대사는 만성적으로 저하되어버린다. 운동부족은 모든 면에서 체지방이 축적되기 쉬운 환경을 만든다.

■ 잘못된 식습관

비만을 예방하기 위해 "자기 전에는 먹지마라.", "식사는 정해진 시간에 하라."는 말을 자주 듣는다. 실제로 식사의 횟수나 타이밍은 살찌기 쉬운 정도에 영향을 미친다. 하루에 섭취하는 식사량이 같더라도 식사의 횟수에 따라 살찌기 쉬운 정도에 차이가 난다.

정해진 양을 1회에 먹은 사람에 비해, 그 양을 여러 차례에 나눠 먹은 사람이 비만이 되기 어렵다. 식사의 타이밍으로는 하루 중의 활동기보다도 저녁부터 밤에 걸친 휴식기에 먹는 것이 살찌기 쉽다. 이것은 같은 음식물을 먹더라도 식사의 횟수나 그 타이밍에 따라 위나 창자의 흡수능력에 차이가 생긴다는 사실을 의미한다.

음식물이 필요할 때에 바로 먹을 수 있는 현대와는 달리, 우리들의 선조는 항상 기아상태에 놓여진 채로 살아 왔다. 며칠씩이나 음식물을 손에 넣지 못하는 일도 많았다. 사냥감을 다소 많이 포획했을 때에는 몸은 에너지를 적극적으로 저장하려고 한다. 굉장히 자연스러운 구조이다. 우리몸은 그당시의 기능을 지금까지도 이어오고 있다. 이 기구는 자연계에서 생명체가 살아남기 위해 획득한 지혜의 산물이다.

포식의 시대라고 불리는 오늘날에는 "흡수가 나쁜 시간대인 아침은 많이 먹고, 흡수가 좋은 시간대인 저녁은 많이 먹지 말라."고 한다. 정말 이대로 좋은 걸까? 자연계의 동물이 그렇고, 우리의 선조들도 하루 종일 돌아다녀서 획득한 사냥감을 저녁에 모두 나눠서 먹고, 그 후에는 휴식을 취했다. 그런 생활을 계속해왔다. '운동 → 식사 → 휴식'의 순서가 굉장히 자연스러운 모습이며, 결코 '식사 → 운동 → 식사 → 휴식'의 순서는 아니다. 활동하는 근육에 대부분의 혈액이 배분되어 있는 낮에는 당연히 음식물의 흡수능력이 낮다. 음식물의 흡수능력이 높을 때 식사를 하는 것은 굉장히 자연스러운 모습이다. 적절한 양의 식사라면 식사의 횟수가 1회이거나 그것을 야간에 먹더라도 비만이 되지 않는다. 1일 2,000kcal의 식사는 언제 어떻게 섭취하든 2,000kcal 이상은 되지 않는 법이다.

➡▷ 비만판단법

◑ 올바른 비만증측정법

슬림하지만 뚱뚱하다고 생각해서 필요 이상으로 마르기를 원하는 여성이 많다. 적절한 체지방은 대사기능을 정상적으로 유지하기 위해 불가결하다. 비만도나 체지방에 관한 오해를 없애기 위해서는 누구라도 정확한 체지방률을 파악할 필요가 있다.

체지방률을 측정하는 방법에는 크게 나눠 2가지 방법, 즉 직접법과 간접법이 있다. 직접법이란 몸안에 축적된 지방조직을 모두 빼서 그 양을 계측하는 방법이지만, 당연히 살아 있는 인간에게 실시하는 것은 불가능하다. 간접법에는 국제적으로 널리 보급되어 있고 신뢰성이 높은 '수중체중측정법' 등과 같은 여러 가지 방법이 고안되어 있다. 어떤 간접법도 추정의 정도를 높이기 위해 최대한 연구되어 왔다. 그러나 어디까지나 간접적인 방법이며, 어떤 정확한 측정을 실시하더라도 추정의 오차는 반드시 생기게 마련이다.

▣ 체지방률계산

체지방률산출에 쓰이는 추정식은 남녀노소를 불문하고 공통이다. 올라서기만 해도 체지방률이 표시되는 측정기도 이 추정식이 사용되고 있다. 지금부터 40년 정도 전에 작성된 이 추정식은 현재 전 세계적으로 널리 이용되고 있다.

$$체지방률(\%)=457\div체밀도-414\cdots\cdots Brozek의\ 추정식$$

이 추정식에는 '체밀도' 항목이 있는데, 그것은 몸의 밀도, 즉 체중을 몸의 부피로 나눈 값이다. 체중은 체중계에서 간단히 측정할 수 있다. 그러나 몸의 부피는 간단하게 측정되지 않는다. 이 때문에 부피를 추정하는 방법이나 그밖의 대용방법이 고안되었다.

▣ 몸의 부피를 재는 수중체중측정법

수중체중측정법은 몸의 부피를 아르키메데스(Archimedes)의 원리에 따라 측정하는 방법이다. 누구나 물속에 몸을 넣으면 몸이 가벼워지는 느낌을 경험했을 것이다. 아르키메데스(Archimedes)의 원리에 따르면 물체는 그 부피만큼의 부력을 받는다. 즉 물속에 몸을 넣고 측정한 수중체중은 몸의 부피만큼 부력을 받아 가벼워진다. 따라서 공기 중에서의 체중과 수중체중의 차이가 부력이 되는데, 이 부력을 물의 밀도로 나누면 몸의 부피가 구해진다.

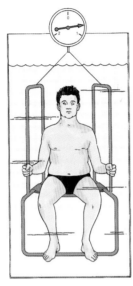

175cm	신장	175cm
70kg	체중	70kg
2.5kg	수중체중	4.0kg
67.5L	부피	66L
1.037g/ml	체밀도	1.061g/ml
26.7%	체지방률	16.7%
19.1kg	체지방량	11.6kg
50.9kg	제지방량	54kg

* 부피 = 체중 - 수중체중

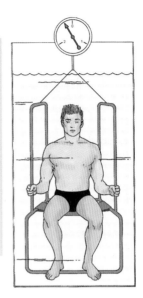

그림 2-7   수중체중측정법

현실적으로는 사람이 물속에 들어가면 허파 속의 공기를 최대한 뱉어낸다고 하더라도 허파에는 당연히 뱉어내지 못한 공기(잔기량)가 남아 있게 된다. 이 잔기량을 보정하여야 진짜 부피가 산출된다. 그러나 수중체중측정법에 의한 체지방률측정의 정밀도는 굉장히 높으며, 같은 사람을 반복해서 측정해도 체지방률은 1% 이내의 차이가 있을 뿐이다.

▨ 캘리퍼법

손가락끝으로 배·팔 등의 피부밑지방조직을 쉽게 잡아올릴 수 있다. 캘리퍼법은 손가락끝대신 손잡이부분에 걸리는 압력($10g/mm^2$)을 규정한 캘리퍼(calliper)를 사용하여 지방조직두께(피부밑지방두께)를 측정하는 방법이다. 이 방법은 측정이 쉽고, 캘리퍼가 비교적 저렴하기 때문에 체지방측정의 간이법

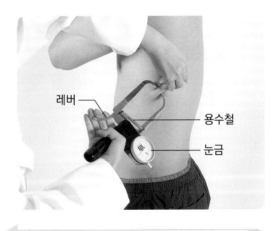

레버

용수철

눈금

그림 2-8   캘리퍼로 피부밑지방두께 계측

으로 옛날부터 이용되어 왔다.

캘리퍼법으로 측정된 피부밑지방두께와 체밀도(체지방률) 사이에는 상관관계가 있어서 양자의 관계를 이용하여 피부밑지방두께로부터 체밀도를 산출하는 추정식이 많이 작성되었다. 캘리퍼법에서는 피부밑에 있는 지방조직을 이중으로 집어올리기 위해 실제의 피부밑지방조직의 두께를 2배로 한 값을 나타내게 되어 있다. 그러나 캘리퍼로 측정된 피부밑지방두께는 실제의 피부밑지방두께의 2배는 되지 않으며, 사람에 따라서 또는 측정부위에 따라 양자에는 큰 차이가 있다. 왜냐하면 사람에 따라 피부의 탄력 등에 차이가 있기 때문이다.

▣ 초음파B모드법

피부밑지방층이나 근육의 모양을 촬영하여 화상으로 나타내는 초음파B모드법은 높은 정밀도로 피부밑지방두께를 측정할 수 있다. 몸에 축적된 체지방의 약 80%는 피부밑조직에 있기 때문에 피부밑지방두께와 체밀도 사이에는 높은 상관관계가 있다. 이 양자의 밀접한 관계를 이용하여 피부밑지방두께로부터 체밀도를 산출하는 추정식이 개발되었다.

그러나 문제점이 없는 것은 아니다. 소형이며 휴대용인 초음파장치가 개발되었다고는 하지만, 장치는 아직 비싸다. 또한 피부밑지방두께를 촬영할 때 피부에 강한 압력이 가해지면 수치가 변동해버린다. 그렇다고 해도 화상으로 찍힌 피부밑지방층을 보면 누구든지 인정할 것이다.

▣ 생체전기저항법

최근 체지방률을 간편하게 측정하는 방법으로 생체전기저항법(BI법 : bioelectrical impedance mothod)이 주목받고 있다. 이것은 체중계에 올라가기만 하여도 체지방률을 측정할 수 있는 장치이다. 이 생체전기저항법을 체지방률측정에 이용하는 기본적인 원리는 다음과 같다.

▶ 인체의 제지방조직(몸에서 체지방을 빼고 남은 조직) 중에서도 뼈 이외의 조직에서는 전해질함유량이 높으며, 전기전도성이 뛰어나다는 점

▶ 전도체의 부피와 저항(impedance) 사이에는 기하학적인 관계가 성립된다는 점

▶ 연구용장치는 팔다리에 전극을 부착하여 전기를 흘려보내 다음 생체저항값을 계측하는 것이다. 저항값과 체밀도 사이에는 비교적 높은 상관관계가 있으며, 체밀도를 평가하는 추정식이 제안되어 있다.

◗ 비만의 종류

비만도가 같더라도 체지방분포의 차이에 따라 생활습관병의 발증에 큰 차이가 나타난다. 이 사실을 최초로 제창한 사람은 프랑스의 바그 박사이다. 지금으로부터 58년 전(1956년)으로 거슬러 올라가지만, 당시에는 별로 주목받지 못했다. 그 후 1980년대가 되어 의료기기의 진보와 더불어 체지방분포와 생활습관병의 밀접한 관계가 밝혀지면서 앞의 가설이 현실화되었다. 복부의 중심에 지방이 축적하기 쉬운 상반신의 비만(사과형)에서는 당대사이상이나 지질대사이상 혹은 고혈압증 등이 하반신비만(서양배형)에 비해 굉장히 높은 비율로 발증한다는 사실이 확인되었다(그림 2-9).

젊은 남성의 경우에는 체지방의 약 80%가 피부밑조직에, 나머지는 배안(abdominal cavity, 복강) 속의 큰그물막(greater omentum, 대망)이나 창자사이막에 부착되어 있

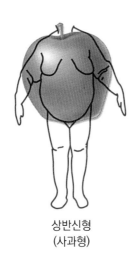

상반신형
(사과형)

하반신형
(서양배형)

그림 2-9 비만의 유형

다. 중년 이후에 배가 점점 나오는 것은 복부의 피하지방이 아니라 실은 내장지방이 증가하고 있기 때문이다. 일반적으로 내장지방의 비율은 여성보다도 남성에게서 높으며, 연령에 따라 남녀 모두 증가한다.

◑ 허리와 엉덩이둘레의 비율

한 번의 측정으로 내장지방의 축적상태를 알 수 있는 방법은 허리와 엉덩이둘레의 비율이다. 내장지방이 축적되어가면 배가 서서히 나오는데, 그 형태적인 특징을 계측하는 것이 허리와 엉덩이둘레의 비율이다. 실제로 허리와 엉덩이둘레의 비율과 내장지방량은 직접적인 비례관계가 있다. 벨트가 조이게 되는 것은 내장지방이 서서히 증가하고 있기 때문이라고도 할 수 있다. 엉덩이에 대한 허리둘레가 남성은 95%, 여성은 85%를 넘으면 훌륭한 상반신비만의 예비군이다.

◑ 내장지방은 눈에 보이는가

X선 CT법이나 MRI기기를 이용하면 내장지방이나 피부밑지방 모두 일목요연하게 보인다. 임상현장에서는 촬영한 복부단층사진으로부터 내장지방과 피부밑지방의 면적비를 산출하여 비만의 평가에 이용하고 있다. 그러나 측정에는 고가의 의료기기가 필요하기 때문에 일반적인 친숙도는 낮다.

초음파B모드법에 의해서도 내장지방의 축적상태를 쉽게 관찰할 수 있다. 이 방법은 '명치' 부분을 초음파법으로 촬영하고, 간의 앞면에 해당하는 배막쪽의 지방두께를 관찰하는 것이다. 이 배막쪽의 지방두께를 내장지방의 축적을 나타내는 유효한 지표로 볼 수 있다.

비만개선법

안정에너지대사량의 증가

안정에너지대사량이란

아무것도 하지 않는 안정상태에서도 몸은 생명을 유지하기 위해 필요한 에너지를 소비한다. 심신 모두 릴랙스한 안정상태에서 소비되는 에너지량을 '안정에너지대사량'이라고 한다. 일반성인이 하루에 소비하는 총에너지소비량의 60~70%는 안정에너지대사량이다. 활동적이지 않은 사람은 그 비율이 80% 이상인 경우도 있다. 따라서 안정에너지대사량의 대소(증감)는 체중 컨트롤이나 비만해소에 관여하는 중요한 요인이 된다.

안정에너지대사량의 증감에는 기본적으로 2가지 요인이 관련되어 있다. 하나는 뼈대근육 등 체조직이나 기관의 중량변화이고, 다른 하나는 조직이나 기관의 에너지대사율 변화이다. 안정에너지대사량에 대한 트레이닝효과를 이해하기 위해서는 이 2가지 요인이 트레이닝에 의해 어떻게 변화하는지를 알아야 한다.

지구력트레이닝을 하면 일반적으로 체지방량은 감소하지만, 근육량의 지표인 제지방량은 거의 변화하지 않는다. 한편 오래 전부터 제지방량당 에너지대사율은 지구력트레이닝에 의해 상승할 수 있다는 가능성이 보고되어 왔다. 그 이유로 트레이닝에 따른 갑상샘호르몬의 분비증가나 신경전달물질인 노아드레날린의 분비증가, 나아가 근육단백질 합성의 상승 등이 지적된다. 그러나 이러한 변화는 일과성일 뿐이며, 트레이닝(1회의 운동) 후 24시간 이내에 거의 소실되어버린다는 사실이 최근의 연구에서 밝혀졌다. 따라서 지구력트레이닝에 의해 안정에너지대사량은 상승하지 않는다.

저항트레이닝의 주요목적은 뼈대근육량은 증가시키는 데 있다. 따라서 근육량이 증가하면 그 증가에 맞춰 안정에너지대사량은 계속적으로 상승하게 된다. 지금까지의 연구에서는 저항트레이닝에 의해 제지방량이 1kg 증가하면 안정에너지대사량은 약 50kcal/일의 상승이 예상된다. 일반적으로 제지방량의 증감은 그 구성조직인 뼈대근육량의 변화를 의미한다.

그러나 뼈대근육의 안정에너지대사율은 1kg당 13kcal/일로 낮으며, 저항트레이닝에 의해 제지방량이 1kg 증가한 경우의 50kcal/일과는 일치하지 않는다. 이 차이에 대해서는 충분하게는 해명되어 있지 않으나, 아마도 근육의 양적인 변화에 플러스하여 대사율의 변화도 일어나고 있을 가능성을 생각할 수 있다. 사실 고령자는 저항트레이닝으로 제지방량이 1kg 증가하면 안정에너지대사량은 약 90kcal/일 상승하여 젊은층보다 높다. 트레이닝에 의해 단위 제지방량당 안정에너지대사량이 젊은 사람보다도 고령자에게서 크게 증가하는 것은 연령에 따라 저하된 뼈대근육의 에너지대사율이 높아진 결과로 볼 수 있다.

◑ 체중이 증가하지 않는 1일 에너지소비량의 기준

안정에너지대사량은 기본적으로 몸의 크기에 비례한다. 한편 1일의 총에너지소비량은 신체활동수준에 따라 변화(증감)한다. 이 안정에너지대사량과 총에너지소비량의 비로부터 체중(체지방)증가를 억제하기 위한 신체활동량의 기준을 끄집어낼 수 있다.

성인남녀를 대상으로 한 조사에 의하면 안정에너지대사량에 대한 1일의 총에너지소비량의 비가 1.75 이상이면 체중은 증가하지 않는다. 이 1.75라고 하는 비를 써서 안정에너지대사량으로부터 총에너지소비량을 산출하면 중년남성은 약 2,400kcal/일, 중년여성은 약 2,000kcal/일, 고령남성은 약 2,000kcal/일, 고령여성은 약 1,700kcal/일이라는 수치가 얻어진다. 이 총에너지소비량을 체중당 수치로 환산하면 37~40kcal/일이 되는데, 이는 에너지소요량에 있어서 생활활동강도의 '약간 무거움' 이상에 해당한다. 따라서 비만예방을 위해 체중을 컨트롤하려면 적극적인 신체활동수준을 유지하는 것이 필요하다.

운동과 비만의 관계

스포츠선수의 체지방률

단련된 근육, 상당히 얇은 피부밑지방 등 올림픽무대에서 활약하는 엘리트선수들의 육체는 거의 예술작품이다. 마라톤, 육상경기의 단·장거리, 복싱이나 레슬링의 경량급, 기계체조 등 체중을 두 다리로 지지하고 이동속도를 다투거나 재빠른 몸동작이 요구되는 경기의 선수들은 체지방률이 굉장히 낮다. 일반적으로 과잉체지방은 운동수행능력을 저하시키기 때문에 선수는 체지방이 적고 꽉 짜여진 몸을 목표로 트레이닝에 힘을 쏟게 된다.

피부밑지방이 1mm씩 온몸에 축적되면 계산상 체지방량은 약 1.5kg 증가하게 된다[몸의 표면적(약 1.5m^2)×피부밑지방두께].

체지방률이 7~8%인 남자선수라면 약 5kg의 체지방이 있다는 계산이 되는데, 이것을 피부밑지방의 두께로 환산하면 약 3mm가 된다. 일반남성은 몸의 부위에 따른 차이가 있지만 10~15mm의 피부밑지방이 축적되어 있다. 엘리트선수의 체지방이 얼마나 적은가를 실감할 수 있을 것이다. 마찬가지로 여자선수의 15%(체중을 55kg라고 할 때)는 체지방으로 해서 약 8kg인데, 이것은 여자의 체표면적이 남성보다 적다는 사실을 고려해도 피부밑지방의 두께는 7mm 정도가 된다.

한편 스포츠종목에 따라서는 높은 체지방률이 관찰된다. 씨름처럼 많은 체중이 유리한 경기종목의 선수는 배의 피부밑지방두께가 100mm 정도인 선수도 있다. 스포츠선수라고 하더라도 체중이 100kg 이상이 되면 체중증가에는 체지방의 축적을 피할 수 없다.

1일 1만 보 걷기의 효과

국민의 대부분이 자신의 건강에 불안을 느끼고, 건강이나 체력증진을 위해 운동이나 스포츠를 즐기려고 한다. 그중에서 걷기는 일상생활에 밀착된 가장 인기가 높은 운동종목이다. 보수계는 걷기를 즐기는 사람뿐만 아니라 일상의 활동량을 파악하고 싶은 사람들에게도 굉장히 편리한 장치이다. 최근에는 보수뿐만 아니라 보행 시의 가속도와 운동 시의 칼로리를 산출하는 보수계도 시판되고 있다. 일요일이나 비 오는 날 등 실외에 한 번도 나가지 않는 날의 보수는 1,000보 이하로 적으며, 주말에 멀리 외출했을 때에는 1만 보 이상이 되기도 한다.

그러나 통상의 생활에서 1일 평균보수는 7,000~8,000보이다. '1일에 1만 보'라고 자주 말하지만, 1만 보 이상 걷는 집단에서는 명확하게 체지방률이 낮고, 내장지방량의 지표인 허리/엉덩이 둘레비도 의미있게 작다. 또한 이 1만 보 이상 걷는 집단에서는 혈중 콜레스테롤이 낮고, 반대로 HDL콜레스테롤이 높았다. 식사에 의한 섭취칼로리는 보수가 높은 집단일수록 많고, 운동량에 비례한다. 걷기라는 굉장히 평범한 운동이 건강한 몸을 키우는 기본이 된다. 등을 쭉 펴고 보폭을 넓게 하여 건강하게 걷기부터 시작해보자.

◗ 운동만으로 비만이 해소될까

비만 혹은 비만 경향이 있는 사람들 중에는 운동부족을 실감하고 있는 사람이 많다. 한 번 비만이 신경쓰이기 시작하면 운동부족만이 비만의 원인이라고 생각하고 스포츠나 운동에 열중하게 된다. 그러나 '3일천하'라는 말도 있듯이 갑자기 운동을 시작해도 체지방이 감소하기는커녕 오히려 체중이 증가하고 의욕을 잃게 될 수도 있다.

운동부족은 비만을 유발하는 중요한 요인이지만, 운동만으로 비만이 모두 해소되는 것은 아니다. 운동과 식사, 양쪽의 밸런스가 중요하다. 보통사람들이 상당히 노력해서 스포츠나 운동을 한다고 하더라도 소비되는 에너지량은 고작 200~300kcal이다. 1주간 매일 해도 약 2,000kcal인데, 이것이 체지방감소에만 이용된다고 해도 체지방은 300g 밖에 감소하지 않는다. 확실히 매일 규칙적으로 운동을 하면 스태미너나 근력 등의 체력요소는 확실히 향상된다.

그러나 우리들 주위에는 불행인지 다행인지 가공된 고칼로리식품이 넘쳐나고 있다. 예전에는 식재료를 그대로 조리하여 먹었지만, 오늘날에는 식재료에서 영양소만 추출하여 가공식품으로 농축한 것을 먹는다. 식사의 양은 그다지 많지 않더라도 과잉한 에너지를 간단히 섭취하기 쉬운 환경에 있는 것이다. 씨름선수가 격렬한 연습을 해도 그 연습량 이상으로 식사를 한다면 체중은 유지되기는커녕 오히려 증가한다. 즉 비만을 해소하기 위해서는 식사를 충분히 관리하고, 운동의 유효성이 정확하게 나타나도록 고려할 필요가 있다.

 2-7 **1일 평균 보수와 체성분의 변화**

	1일 평균 보수		
	8,000보 미만	8,000~10,000보	10,001보 이상
사람수(인)	11	10	13
연령(세)	50.1 (6.7)	82.2 (6.7)	48.5 (6.1)
신장(cm)	163.2 (6.8)	161.7 (6.2)	163.4 (5.2)
체중(kg)	68.6 (10.9)	60.5 (8.1)**	57.9 (6.9)**
BMI(kg/m^2)	25.7 (3.2)	23.1 (2.3)**	21.7 (2.3)**
허리/엉덩이둘레비	0.93 (0.07)	0.90 (0.05)	0.85 (0.08)**
체지방률(%)	20.6 (3.6)	17.8 (3.3)	15.3 (2.7)**
최고혈압(mmHg)	128 (10)	120 (15)	123 (22)
최저혈압(mmHg)	78 (9)	80 (11)	79 (13)
총콜레스테롤: TC(mg/dL)	210 (25)	197 (28)	185 (33)**
HD콜레스테롤: HDL-C(mg/dL)	42.5 (6.7)	46.5 (8.9)	57.8 (8.6)* **
HDLC/TC비	0.21 (0.05)	0.24 (0.07)	0.32 (0.06)* **

* 8,000~10,000 걷기집단과 10,001보 이상 걷기집단의 유의차
** 8,000보 미만 걷기집단과 8,000~10,000보 걷기집단 및 10,001보 이상 걷기집단의 유의차
주 : ( ) 속의 수치는 표준편차

◐ 비만해소에 좋은 운동

체지방을 감소시키려면 운동 중이나 운동 후의 회복기에 지방(지방산)을 에너지원으로 사용하여 효과적으로 연소시켜야 한다. 운동으로 에너지를 많이 쓰는 것이 중요하지만, 그중에서 될 수 있는 한 지방을 에너지로 효과적으로 사용하는 것도 비만해소에는 중요하다. 운동시작 초기나 단시간의 격렬한 운동에서는 주로 근육 중의 고에너지인산계(ATP-CPr계)나 글루코스가 이용되며, 지방은 거의 사용되지 않는다. 왜냐하면 지방은 운동 중의 에너지원으로 유효하게 사용되려면 당질보다 시간이 더 걸리기 때문이다. 또한 지방을 태우기 위해서는 당질에 비해 많은 산소가 필요하기 때문에 지방은 격렬한 운동 시에는 사용하기 어렵다. 즉 지방을 잘 사용하기 위해서는 비교적 저강도의 운동을 장시간해야 한다.

안정상태에서는 당질과 지질의 이용비율은 거의 50%씩이지만, 운동강도가 낮으면 변화가 나타나지 않으며, 운동강도 60%(60% VO_2max)까지는 그 이용비율이 유지된다. 운동강도의 상승에 비례하여 단위시간당 소비되는 에너지량은 증가하므로 운동강도 60%까지는 지방이용량이 증가하게 된다.

◐ 에어로빅스애호자의 내장지방

체지방의 연소에 효과적인 유산소운동이 내장지방이나 피부밑지방의 저하에 미치는 효과를 검증하기 위해 에어로빅스(에어로빅댄스)의 레슨횟수를 기준으로 주 1~2회인 집단, 주 3~6회인 집단 및 규칙적인 운동습관이 없는 집단으로 나눠서 체지방분포를 비교해보았다(표 2-8). 대상이 된 중년여성의 체지방률은 에어로빅스의 빈도가 높은 사람일수록 낮고, 40대 여성이라도 주 3~6회의 레슨을 실시하고 있는 사람은 체지방률 평균이 약 23%로, 20대의 평균적인 수준이었다. 또한 레슨횟수가 많은 사람일수록 내장지방도 피부밑지방도 낮으며, 유산소운동의 효과도 확실히 나타났다.

운동습관과 내장지방량 및 피부밑지방의 분포

	운동습관이 없는 사람(n=12)	운동습관이 있는 사람	
		주 1~2회(n=12)	주 3~6회(n=11)
연령(세)	43.8 (3.1)	44.8 (3.8)	43.9 (3.4)
신장(cm)	155.3 (5.5)	155.3 (5.8)	156.4 (6.1)
체중(kg)	57.3 (6.2)	53.1 (6.1)	50.9 (3.3)*
BMI(kg/m^2)	23.8 (2.6)	22 (2.4)	20.8 (0.7)*
체지방률(%)	30.4 (4.6)	28.8 (2.7)	22.5 (3.3)* **
제지방량(kg)	39.7 (3.3)	37.8 (4.3)	39.5 (3.5)
피부밑지방량(kg)	17.6 (4.1)	15.3 (2.6)	11.4 (1.7)* **
총콜레스테롤: TC(mg/dL)	10.7 (2.9)	9.3 (2.5)	7.1 (0.6)* **
내장지방량(kg)	6.9 (1.8)	6 (0.7)	4.3 (1.3)* **
내장지방비율(%)	39.6 (6.5)	40.2 (7.2)	37.4 (6.1)

*: $p < 0.01$: 운동습관 없음 vs 주 3~6회, **: $p < 0.01$: 주 1~2회 vs 주 3~6회
주 : (   ) 속의 수치는 표준편차

식사 및 운동과 비만의 관계

잘 씹어 먹을 것

먹는 양이 이미 정해져 있다면 씹지 않고 재빨리 먹으나 씹어서 천천히 먹으나 섭취하는 칼로리는 차이가 없다. 그러나 뷔페(buffet)식 식사처럼 자기 자신이 포만감을 얻을 때까지 먹는 환경에서는 씹지 않고 먹는 빨리 먹기는 과식의 원인이 된다. 왜냐하면 혈당치가 상승하여 포만중추를 자극할 때까지 시간이 걸리기 때문이다. 따라서 과식을 막기 위해서는 잘 씹어서 천천히 식사를 하는 것이 중요하다.

잘 씹어서 먹는 효과는 이외에도 있다. 사람의 침은 가공식품에 포함되어 있는 독을

중화시키는 기능이 있다. 현재 가공식품에 포함되어 있는 식품첨가물 중에는 발암성이 의심되는 것도 있다. 침에는 이러한 발암성물질을 입에서 완화하고, 그 위력을 없애버리는 효과를 갖고 있다. 옛날부터 '잘 씹어먹으라'는 가르침이 있었는데, 그 효과는 이러한 면에도 숨어 있었다. 젓가락을 내려놓고 천천히 침과 섞어 먹는 것은 건강을 지키는 첫 걸음이다.

◑ 유산소운동과 식사의 효과

온몸의 총지방량과 내장지방량 사이에는 밀접한 비례관계가 있다. 따라서 생활습관병의 원흉인 내장지방을 감소시키기 위해서는 기본적으로 체지방량을 개선할 필요가 있다. 내장지방을 감소시키려면 당연히 운동부족과 과식의 어느 한쪽 혹은 양쪽 모두 개선해야 한다. 그렇다면 운동과 식사제한 중에는 어느 쪽이 내장지방의 감소에 보다 효과적일까.

내장지방에 대한 식사제한의 효과를 검토한 연구에서는 섭취칼로리를 줄이면 내장지방·피부밑지방이 함께 감소하는데, 그 감소비율은 내장지방 쪽이 약간 높다고 한다. 그러나 식사제한은 체지방뿐만 아니라 중요한 근육도 줄여버리게 되므로 주의해야 한다. 한편 운동만의 효과를 검토한 연구에서는 내장지방·피부밑지방 모두 감소했으나, 어느 쪽의 지방감소에 보다 유효한지에 대해서는 충분히 명확하게 밝혀지지 않았다.

운동과 식사제한을 조합하면 내장지방이 효과적으로 감소한다. 주 1~2회의 운동빈도로도 가벼운 식사제한을 겸용하면 그 효과는 높은 빈도로 실시한 유산소운동의 효과에 필적한다. 어쨌든 피부밑지방의 감소는 운동빈도에 관계하지만, 내장지방의 감소에는 운동빈도는 관여하지 않는다. 내장지방은 운동이든, 식사제한이든 체지방의 감소에 따라 낮아지며, 그 비율은 체지방의 감소보다도 높다.

◑ 내장지방의 감소와 위험인자의 개선

한 번 발증한 생활습관병의 위험인자는 내장지방을 감소시키면 개선될 수 있을까? 약 1년에 걸친 유산소트레이닝의 결과 트레이닝에 의해 내장지방이 감소하면 생활습관병의 위험인자가 개선되었다. 그러나 트레이닝을 해도 내장지방에 변화가 나타나지 않은 경우에는 위험인자가 개선되지 않았다. 식사제한으로도 내장지방이 감소하면 위험인자도 개선되었다. 따라서 운동을 해서든 식사제한을 해서든 내장지방을 감소시키면 생활습관병의 위험인자를 개선할 수 있다.

◑ 리바운드현상 방지법

너무 심하게 식사를 제한하면 초기에는 체성분 중에서 수분이나 저장당질이 먼저 급속히 저하하여 체중이 급속히 감소한다. 이것은 칼로리제한에 의한 저당질식이 원인인데, 이때 부족분은 저장되어 있는 글리코겐의 이용으로 채워진다. 글리코겐의 저장에는 그 양의 3배의 수분을 필요로 한다. 따라서 저장글리코겐이 저하되면 여분의 수분이 체외로 방출되어 체중이 감소한다. 단기간에 과격한 다이어트는 이러한 수분 및 저장글리코겐의 변화가 주가 되지만, 기간이 긴 다이어트에서는 체지방이나 근육 모두 서서히 감소해간다.

일반적으로 다이어트만으로 체중이 감소한 경우에는 체지방은 전체 감소체중의 약 70%가 감소하고, 나머지 30%는 근육이 감소한다. 우리 몸은 저칼로리식에 대해 안정에너지대사를 낮추고, 체중이 감소하지 않도록 대응한다. 앞에서 설명한 세트포인트설과 같이 체중이 감소하면 식욕을 촉진하고 체중을 원래대로 되돌리려고 한다. 결과적으로는 일시적으로 감소한 체중은 원래대로 되돌아가는 경우가 많다. 다이어트에 의해 감소한 체중이 다시 증가하는 현상을 '리바운드'라고 한다. 젊은 여성 중에서는 리바운드현상을 체험하면 더 과격한 다이어트에 도전하는 사람도 많다.

그러나 주의해야할 일은 몇 번이나 다이어트를 반복하면 체중은 같더라도 체지방이 점점 증가해버린다는 사실이다. 근육을 회복시키기 위해서는 격렬한 근력트레이닝을 해도 수개월이 걸린다. 왜냐하면 다이어트에 의해 체중이 빠질 때에는 체지방도 근육도 같이 줄어들지만, 리바운드로 체중이 돌아올 때에는 지방만이 늘기 때문이다.

리바운드현상을 막기 위해서는 식사제한에 운동을 조합하는 것이 효과적이다. 다이어트에 유산소운동을 조합시키면 다이어트만 하는 경우보다 근육의 감소비율을 반(체중감소의 약 10~15%)으로 억제할 수 있다. 또한 근력트레이닝을 조합시키면 다이어트를 해도 근육량은 변화하지 않으며, 안정에너지대사를 저하시키지 않고 유지할 수 있다.

제 **3** 편

신체부위별 상해와 질환

머리 및 목부위의 상해와 질환 · 제1장

머리상해

◆▷ 머리상해란

스포츠활동 중 발생하는 머리상해는 대부분 직접적인 외력 때문이다. 머리상해 시의 손상부위는 머리덮개(sclap, 두피), 머리뼈(cranial, 두개골), 뇌실질(brain parenchyma) 등이다.

뇌실질은 머리에 직선적인 힘이나 회선력이 가해지면 상해를 입는다. 특히 스포츠활동 중에는 회선력에 의한 경우가 많다. 이 경우 받은 외력 자체의 운동에너지($K_E = MV^2/2$, M : 질량, V : 속도)는 교통사고 때보다 질량·속도 모두 작기 때문에 상대적으로 작다. 경기종목별로는 헬멧을 착용하는 미식축구·아이스하키에서는 격렬하게 충돌한 경우, 복싱에서 뺨·턱·이마·머리에 직접 펀치를 맞는 경우, 유도에서는 던지기 기술에 의해 바닥면에 직접 부딪친 경우, 골프공에 맞은 경우, 스노보드를 타다가 넘어진 경우 등에 머리상해를 많이 입는다.

머리상해의 발생기전과 병태생리

스포츠활동 시에 머리상해 발생기전은 회선력 때문인 경우가 많고, 외력 자체에 의한 경우는 비교적 드물다. 머리가 외력을 받으면 신경세포의 K^+ 변동, 당이용 증대, 산소공급 저하 등이 나타나 신경세포의 기능이 일시적으로 상실된다. 회선력의 크기와 작용시간의 길이에 의해 뇌진탕증상이 나타날 수도 있다. 이 힘이 크고 작용시간이 길면 광범위 뇌손상을 초래하는데, 이를 광범(미만)뇌손상(diffuse brain injury)이라고 한다.

머리가 회전력을 받으면 머리뼈와 뇌실질 사이에 엇밀린힘(shearing force, 전단력)을 만든다. 이 엇밀린힘이 머리뼈와 뇌실질 사이를 잇는 연결정맥(bridging vein)을 파탄시켜 급성경질막밑혈종(acute subdural hematoma)을 발생시킨다.

머리상해의 분류

머리상해 시의 손상부위는 다양하다. 여기에서는 스포츠활동에서 발생하는 대표적인 머리손상을 살펴본다.

◐ 머리덮개손상

머리덮개손상(epicranium injury)은 외력에 의해 외부와 머리덮개밑조직이 교통하지 않는 타박상(bruise, 좌상, 멍)과 외부와 교통하는 타박상(contused wound, 좌창)으로 나뉜다. 머리덮개는 혈류가 많아서 예상 이상으로 대량출혈이 될 수도 있다. 응급처치는 출혈부위의 직접 압박이다. 지혈이 곤란하면 병원에 가서 감염예방도 겸하여 조기에 상처봉합술을 받는다.

◐ 머리밖출혈

머리밖출혈(extracranial hemorrhage, 두개외출혈) 시에는 머리뼈와 머리덮개 사이에 생긴 '혹'을 만질 수 있다. 응급처치는 지혈을 위한 얼음찜질이다. 통상적으로는 방치해도 큰 지장은 없다.

◑ 머리뼈골절

머리뼈골절(cranial bone fracture)은 골프공, 골프클럽, 스틱 등에 맞을 때 발생한다. 골절이 의심되면 경질막바깥혈종(epidural hematoma, 경막외혈종) 등의 합병증 유무를 검색하기 위해 머리뼈 X선사진, 뇌CT 촬영 등을 한다. 경기에 참가하지 못하게 한다.

◑ 머리속출혈

▣ 경질막바깥혈종

뇌는 가쪽부터 경질막, 거미막, 연질막 등 3종류의 막으로 싸여 있다. 머리뼈와 경질막 사이에서 혈종을 만드는 것을 경질막바깥혈종(epidural hematoma)이라고 한다. 상해는 외력에 의해 머리뼈가 골절되면 경질막을 주행하는 경질막동맥이 파탄하여 발생한다.

혈종은 보통 맞은 쪽에 발생한다. 혈종이 커지며 같은 쪽의 동공(pupil)이 확대된다. 동공지름을 조절하는 눈돌림신경(oculomotor nerve, 동안신경)은 머리 속에서 주행거리가 길어서 혈종에 의해 압박받으면 마비되어 확대된다. 전형적인 증상은 의식소실을 보이다가 일시적으로 의식이 청명해지는 것이다. 혈종이 커짐과 동시에 급속히 의식장애가 나타난다.

▣ 경질막밑혈종

경질막과 뇌 사이에서 혈종을 만들어낸 것을 경질막밑혈종(subdural hematoma, 경막하혈종)이라고 한다. 이 부위가 상해를 입으면 경질막과 머리덮개를 잇는 혈관(연결정맥)과 뇌타박상에 의한 머리덮개 근방의 소혈관이 파탄되어 경질막밑공간(subdural space, 경막하강)에 출혈하여 혈종을 형성한다. 이 혈종은 맞은 부위의 반대쪽에 형성되는 경우가 많다. 이때 연결정맥(bridging vein)만 파탄이 일어나고 뇌타박상이 합병되지 않으면 상해발생 후 의식장애는 나타나지 않는다.

한편 뇌타박상이 합병되면 상해발생 직후부터 의식장애가 나타낸다. 증상은 동공크기의 좌우 차, 혈종에 의한 구토중추(vomiting center)의 압박소견으로 토하고 싶은 기분, 구토 등이다. 소량의 출혈이 지속되다가 상해발생 후 1~3일 후에 발증하는 경우도 있으므로 경과관찰이 필요하다.

경질막밑혈종이 발생하면 재빨리 혈종을 제거해야 한다. 치료 후 일상생활은 제한되는 경우가 많으며, 경기로 복귀할 수 있는 가능성은 낮다.

지금까지 머리속출혈에 대해 설명했다. 스포츠현장에서 이에 관해 정확하게 판단내리기는 어려우며, 치료가 늦어지면 생명이 위험해지므로 긴급도·중증도의 판단은 과대평가해도 지장이 없다. 이 경우 지표로서는 앞에서 언급한 증상 외에, 다음에 설명할 뇌진탕에 의한 정신증상 및 의식상태를 참고로 병원진료를 받는다.

◑ 뇌진탕

머리상해발생 직후부터 발증하는 의식장애·정신증상 등 일시적인 정신기능 저하를 나타내는 증상을 총칭하여 뇌진탕(cerebral concussion)이라고 한다. 이 경우 의식상실 유무는 묻지 않는다. 의식상실이 나타난다면 그 간격은 순간적인 것부터 길어도 몇 초 내지 몇 분 사이다. 의식상실의 특징은 의식회복 후 그사이의 기억이 없는 것이다. 상해발생 시부터 그 이전의 기억이 상실된 것을 역행기억상실(retroactive amnesia)이라고 하며, 상해발생 후의 기억이 상실된 것을 외상후기억상실(posttraumatic amnesia)이라고 한다.

중증 머리상해 여부를 예상하는 지표는 의식장애의 정도, 의식상실시간, 외상후기억상실 지속시간 등이다. 스포츠현장에서는 상해발생 후의 의식상실시간이 5분 이상이면 중증일 가능성이 있다고 보며, 늦기 전에 병원치료를 권한다. 참고로 미국에서 사용되는 뇌진탕의 정도 분류와 경기복귀 가이드라인을 각각 표 1-1 및 표 1-2에 나타냈다.

1-1 뇌진탕의 정도 분류

제1도	경증	착란	건망 없음	의식장애 없음
제2도	중간정도	착란	건망	의식장애 없음
제3도	중증			의식장애 있음

1-2 뇌진탕 후의 경기복귀 가이드라인

제1도 경증	첫 번째 뇌진탕	20분 이상 증상이 나타나지 않으면 경기에 복귀한다.
	두 번째 뇌진탕	경기나 연습중지. 1주일 이상 증상이 나타나지 않으면 경기에 복귀한다.
	세 번째 뇌진탕	현재시즌 중지. 3개월이 경과하여도 증상이 나타나지 않으면 경기에 복귀한다.
제2도 중간정도	첫 번째 뇌진탕	경기나 연습 중지. 1주일 동안 증상이 나타나지 않으면 경기에 복귀한다.
	두 번째 뇌진탕	현재시즌 중지를 고려. 그러나 1개월이 경과하여도 증상이 나타나지 않으면 경기에 복귀한다.
	세 번째 뇌진탕	현재시즌 중지. 증상이 나타나지 않더라도 다음 시즌부터 경기에 복귀한다.
제3도 중증	첫 번째 뇌진탕	경기나 연습을 중지하고 병원에 간다. 2주 동안 증상이 없더라도 1개월 이상 경과한 다음에 경기에 복귀한다.
	두 번째 뇌진탕	현재시즌 중지
	세 번째 뇌진탕	증상 정도에 불문하고 CT나 MRI로 뇌타박상의 상태나 머리속 이상 여부를 확인한다. 현재시즌 중지

▣ 뇌진탕후증후군

한 시즌에 여러 번 뇌진탕을 일으킨 운동선수에게서 많이 나타나는 증상이 뇌진탕후증후군(postconcussional syndrome)이다. 특징은 집중력 결여, 피로감, 안달복달 등

심리적 불안정이다. 이러한 증상을 나타내면 의학적으로 정밀검사의 대상이 되며, 증상이 나아지거나 없어질 때까지는 경기복귀를 보류한다. 일반적으로 경과는 양호하며, 뇌 자체에 기능적·형태적인 이상은 남기지 않는다.

▣ 속발충돌증후군

머리상해발생 초기에는 의식상실을 보이지 않는 뇌진탕을 속발충돌증후군(secondary impingement syndrome)이라 한다.

이 증상이 나타난 후 1주일 이내에 다시 한 번 머리상해를 입으면 뇌조직이 급속히 종창되어 죽음에 이를 수도 있다. 경도의 뇌진탕이라고 하더라도 반복해서 상해를 입으면 생명을 위협한다는 점에서 중요하다.

▣ 만성외상성뇌질환

반복하여 머리에 충격을 받는 복싱, 축구(헤딩), 미식축구 등을 오래 동안 하면 만성외상성뇌질환(chronic traumatic encephalopathy)을 일으킬 수 있다. 머리에 충격이 누적되면 뇌 자체가 손상되는데, 그 예로는 펀치드렁커라고 하는 복서의 외상치매(traumatic dementia)가 있다.

두통

➡▷ 두통이란

두통(headache)은 머리'통증'을 총칭하는 말이며, 일상생활에서 종종 나타나는 증상의 하나이다. 두통은 단순히 뇌 자체나 머리뼈(cranial bone, 두개골)의 통증만은 아니다. 머리를 둘러싸서 통증을 느끼는 기관은 혈관, 수막(meninx ; 뇌와 척수를 싸고 있는 3개의 막 중 하나), 거미막(arachnoid, 지주막), 신경, 근육 등이다. 따라서 두통의 원인은 여러 가지가 있으며, 원인에 따라 증상도 다르다.

◆▷ 두통의 분류

1988년에 국제두통학회가 발표한 두통의 분류는 두통의 원인이나 병태를 이해하는 데 도움이 될 것이다(표 1-3). 국제두통학회에서는 두통을 13항목으로 분류하였는데, 그 내역은 ①~④는 기능성두통, ⑤~⑪은 증후성두통, ⑫는 신경통이다. 특히 기능성두통과 증후성두통이 두통을 일으키는 대부분의 원인이다.

 1-3   **국제두통학회의 두통 분류**

① 편두통(migraine headache)
② 긴장형두통(tension type headache)
③ 군발두통(cluster headache, 떼두통) 및 만성발작편두통
④ 기질적 병변에 따른 각종 두통
⑤ 머리외상에 의한 두통
⑥ 혈관장애에 의한 두통
⑦ 비혈관성 머리속질환에 의한 두통
⑧ 원인물질 또는 그것의 이탈에 의한 두통
⑨ 머리 이외의 감염증에 의한 두통
⑩ 대사장애에 의한 두통
⑪ 머리뼈, 목, 눈, 귀, 코, 코곁굴(부비강), 치아, 입, 얼굴·머리조직 등에 의해 일어나는 두통이나 얼굴통증
⑫ 머리신경통, 신경줄기통증, 구심로차단통증(deafferentation, 들길차단통증)
⑬ 기타 두통

출처 : Headache Classification Committee of International Headache Society(1988). Classification and diagnostic criteria for headache disorders, cranial neuralgias and facial pain. *Cephalalgia 8(suppl 7)* : 9-96.

◑ 기능성두통

기능성두통(functional headache)은 뇌 자체에는 병이 없기 때문에 뇌를 검사해도 이상은 발견되지 않지만, 반복해서 강한 두통에 시달리는 만성적 경과를 나타내는 경우가 많다. 대표적인 질환으로서 편두통 · 긴장형두통 · 군발두통 등이 있으며, 각각 특징적인 병태를 가지고 있다(표 1-4).

1-4 기능성두통의 특징

	편두통	긴장형두통	군발두통
성별, 발병연령	여성에게 많음 10~20대에 발병	성별 · 연령 불문	남성에게 많음 20~40대가 많음
부위	한쪽 이마부위(전두부)가 심함	양쪽 뒤통수(후두), 목덜미(후경부)	한쪽 눈확(안와부), 이마부위
성질	박동성	머리가 무거움(두중감), 머리가 조이는 듯한 느낌	격통(pang)
정도	중간강도~고강도	경도~중간강도	격통
수반증상	구토, 헛구역질, 빛과민증, 음과민증	어깨응고, 머리긴장	콧물, 결막충혈, 코막힘, 콧물, 땀 등
유발인자	특정한 음식물, 과로, 수면부족, 과다수면 등	스트레스, 장시간 같은 자세 유지 등	알코올 등

◑ 증후성두통

증후성두통(symptomatic headache)은 뇌나 뇌에 연결된 기관의 병에 의해 생기는 두통이다. 그림 1-1은 증후성두통의 발생양식이나 수반증상에 따른 원인질환을 정리한 것이다. 특히 뇌출혈, 거미막밑출혈, 뇌종양, 뇌염 등은 생명을 위협하기도 하므로 적절한 처치를 재빨리 해야 한다.

발증양식	국소신경증상	수막자극증상	동반증상	고려해야할 질환
돌발	없음	없음	없음	양성운동성 두통
			헛구역질, 구토	거미막밑출혈 초급성기
		있음	헛구역질, 구토	거미막밑출혈
	있음	없음	심장병, 부정맥	뇌색전
		있음	헛구역질, 구토	거미막밑출혈
			구토, 현기증	소뇌출혈
급성진행	없음	없음	시력저하, 결막충혈	급성녹내장
			콧물, 얼굴통증	급성코곁굴(부비강)염
		있음	발열	수막염, 뇌염
	있음	없음	고혈압	뇌출혈
		있음	발열	뇌염
준급성진행	없음	없음	발열, 근육통	측두동맥염
		있음	발열	결핵성수막염초기, 진균성수막염
	있음	없음	울혈유두(유두부종)	뇌종양
			과거의 상해	만성경막밑혈종
		있음	발열, 경련	뇌종양, 뇌정맥동혈전증

두통

발증양식에서 '돌발'은 급성증상이 갑자기 나타나는 것이고, '급성진행'은 1일~며칠 단위로 증상이 진행되는 것이며, '준급성진행'은 며칠~몇 주간 증상이 진행되는 것이다. 국소신경증상은 한쪽마비, 수막자극증상은 목 부위경직이 대표적인 소견이다.

그림 1-1 **증후성두통의 원인질환**

➡▷ 운동선수에게 나타나는 두통

운동선수에게 머리상해 후에 나타나는 두통은 가장 주의를 기울여야 하는 두통 중의 하나다. 그 두통의 원인은 외상에 의한 머리뼈속(endocranial, 두개내)출혈일 가능성도 있다.

다음은 외상을 제외한 운동성두통(exertional headache)에서 많이 나타나는 증상이다.

◐ 호흡성두통

호흡성두통(respiratory headache)은 운동 중 무호흡이나 과다환기(hyperventilation) 때문에 발병하는 질환이다. 무호흡(apnea)은 수영, 잠영, 트랙경기 등에서 나타난다. 과다환기는 많은 스포츠에서 나타난다. 특히 시합 전 긴장감 등으로 과다환기증후군에 빠지는 사람도 있다.

◐ 체온상승에 따른 두통

이 두통은 더운 시기에 옥외에서 스포츠를 할 때 나타난다. 보통 운동종료 후 체온이 저하하면 두통도 경감되지만, 두통이 지속되면 열사병(heat stroke, 열중증)일 가능성도 있다.

◐ 혈압상승에 따른 두통

운동 중 급격한 혈압상승을 나타내는 스포츠는 역도경기이다. 혈압이 상승하면 머리뼈속 압력도 항진하여 두통이 생길 수 있다. 두통에 따른 시각·대화·의식상태 등에 이상이 나타나면 병원으로 가야 한다.

◐ 편두통

편두통(migraine headache)은 테니스나 장거리달리기 등의 스포츠에서 출현하는 경우가 많다. 유발인자는 고지, 고온, 다습, 트레이닝부족 등이다. 이러한 유인을 최대한 피하기 위해서는 충분한 컨디셔닝이나 워밍업이 필요하다.

◑ 긴장성두통

시합 전 정신적 긴장이 계속될 때나 격렬한 운동 후에 긴장성두통(tension head-ache)이 출현하는 경우가 많다. 예방책으로는 운동 전후에 릴랙스한 상태로 스트레칭, 워밍업 및 쿨링다운을 적절히 하는 것이다.

◆▷ 스포츠현장에서 두통의 처치

두통의 원인은 다양하지만 스포츠현장에서 두통이 출현하면 원칙적으로 즉각 스포츠를 중지시킨다. 갑자기 극심한 두통으로 구토, 경련, 의식장애 등의 증상을 나타내면 재빨리 병원으로 이송해야 한다. 그러한 증상이 없어도 스포츠 중지 후에 두통이 지속되면 병원에 가서 진찰을 받아야 한다.

의식장애

◆▷ 의식장애란

의식장애(mental disorder)란 확실하게 깨어 있는 상태(각성상태)를 유지할 수 없어서 자기 자신이나 주위의 상황을 올바르게 인식하고 반응하는 것이 곤란한 상태이다.

의식을 지휘하는 중추는 크게 대뇌와 뇌줄기(brain stem, 뇌간)로 나뉜다. 대뇌는 운동기능 · 기억 · 시각 · 지각 · 감정(affection, 정동) 등에 관여하는 인지기능을 갖고 있으며, 뇌줄기는 각성기능이 있다. 또한 대뇌와 뇌줄기는 상행그물체부활계(ascending reticular activation system, 상행성망상체부활계)를 거쳐 감각정보를 연락하므로, 양자는 밀접한 관계가 있다(그림 1-2). 즉 의식장애는 대뇌겉질의 장애가 일어날 때에 나

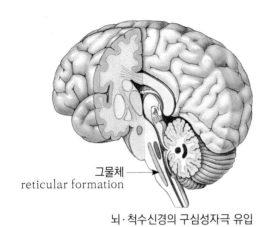

시각자극 · 청각자극 등의 감각이 뇌줄기의 상행그물체부활계에 입력되면 신경세포나 신경섬유들은 그물처럼 네트워크를 이루고 있는 대뇌에 투사되어 느끼게 된다.

그물체
reticular formation

뇌·척수신경의 구심성자극 유입

그림 1-2   그물체

타난다고 할 수 있다.

◑ 의식장애의 증상 및 정도

일반적으로 의식장애의 정도가 심할수록 중증이며 긴급성이 높은 병태로 여겨진다. 표 1-5는 의식장애의 고전적 분류인데, 단계적으로 중증도가 심해진다.

1-5   의식장애의 고전적인 분류

몽롱상태(dreamy state)	간단한 질문에는 대답할 수 있지만, 복잡한 대화는 하지 못한다.
기면(졸림, sommolence)	말을 할 때 눈은 뜨고 있지만, 곧 잠들어버리는 상태
혼미(stupor)	때리거나 꼬집는 강한 자극에는 반응하지만, 곧 잠들어버려 자발적인 동작이 없는 상태
혼수(coma)	외부에서 오는 자극에 전혀 반응이 없는 상태

◑ 의식장애의 원인

의식장애의 원인은 뇌 자신의 병변에 의한 것과 뇌 이외의 장애에 의한 것으로 분류된다(표 1-6). 나아가 과거병력, 맥박, 혈압, 체온, 의식장애가 발생한 상황 등으로부터 의식장애의 원인을 예상할 수 있다(표 1-7). 원인질환과 병태의 파악은 병원에서 신속하고 정확한 진찰을 행하는 데 도움이 된다.

 1-6 주요 의식장애의 원인질환

1. 원발뇌병(pimary encephalopathy, 원발뇌장애)
   ▸ 뇌혈관장애 : 뇌출혈, 뇌경색, 지주막밑출혈
   ▸ 머리외상 : 경질막밑혈종, 경질막바깥혈종, 뇌타박상(cerebral contusion),
   　　　　　　　뇌진탕(cerebral concussion)
   ▸ 감염증 : 뇌염, 뇌수막염
   ▸ 종양 : 뇌종양

2. 전신질환에 의한 속발뇌병(secondary encephalopathy, 속발뇌장애)
   ▪ **대사 및 내분비계통질환**
   　▸ 당대사이상 : 저혈당, 당뇨병혼수(diabetic coma)
   　▸ 전해질이상 : 저/고나트륨혈증, 저/고칼슘혈증
   　▸ 간기능장애 : 간성혼수(hepatic coma ; 전격간염, 간경변)
   　▸ 콩팥기능장애 : 요독증(uremia ; 콩팥기능부전)
   　▸ 호흡질환 : CO_2 혼수
   　▸ 내분비질환 : 갑상샘기능항진증, 점액부종(점액수종), 애디슨병(Addison's disease)
   　▸ 비타민결핍증 : 베르니케(Wernicke)뇌증, 펠라그라(pellagra)뇌증
   ▪ **무산소(저산소)장애**
   　▸ 순환장애 : 심장근육경색, 심정지, 쇼크상태, 부정맥, 기립저혈압, 혈관미주신경성실신
   　▸ 저산소증 : 호흡계통질환(질식, 폐렴, 폐부종)
   ▪ **고혈압뇌병**
   ▪ **중독** : 알코올, 수면제, 향정신약, 마약
   ▪ **체온이상** : 열사병, 저체온증
   ▪ **기능장애** : 간질, 경련성질환
   ▪ **정신질환** : 히스테리, 정신분열증

1-7 발병상황에 따른 의식장애의 원인

주위상황을 보면 안다	머리외상, 약물중독, 알코올중독, 질식
갑자기 발증하는 경우	뇌혈관장애(뇌출혈, 거미막밑출혈), 심장근육경색(특히 고령자)
서서히 발증하는 경우	뇌종양, 대사성질환(간성혼수, 요독증)
전구증상이나 동반증상에 의한 경우	발열 : 뇌수막염, 뇌염, 열사병 격심한 두통 : 뇌혈관장애(뇌출혈, 거미막밑출혈), 고혈압뇌병, 뇌수막염 경련 : 간질, 뇌혈관장애(뇌출혈, 거미막밑출혈), 뇌종양, 고혈압뇌병 빠른맥 : 빠른부정맥[심실빠른맥박, 1:1 심방된떨림(심방조동)], 열사병 느린맥 : 느린부정맥(완전방실차단, 병적굴부전증후군), 저체온증
기초질환이 있는 경우	고혈압, 심장병, 당뇨병, 간경변, 콩팥기능부전, 뇌종양
과거에 같은 형태의 의식장애가 있는 경우	간질, 뇌종양, 뇌혈관장애(뇌출혈, 뇌경색), 저혈당, 당뇨병, 부정맥, 기립저혈압, 혈관미주신경성실신

운동선수의 의식장애

운동선수의 의식장애는 복싱이나 럭비와 같은 접촉스포츠에서 많이 나타나는 외상성 의식장애와 접촉스포츠 이외의 스포츠에서 발생하는 비외상성의식장애로 나뉜다. 외상 성의식장애의 대부분은 뇌진탕, 뇌타박상, 머리뼈속출혈(경질막밑혈종, 경질막바깥혈종, 뇌출혈 등) 등으로 머리외상 때문이다.

스포츠현장에서 발생하는 비외상성의식장애로는 저혈당, 순환장애, 열사병 등이 대표 적 병태로 꼽힌다.

◑ 저혈당

의식을 지휘하는 뇌세포의 에너지원은 혈당이라고 불리는 혈액 중의 포도당이다. 혈 당치가 저하하면 두근거림이나 식은땀이 나고, 정신적으로 불안정해져 의식장애로 진행 한다. 격렬한 스포츠를 계속하면 보다 많은 당질을 필요로 한다. 따라서 무리한 다이어트나 감량을 하면서 스포츠를 하면 저혈당에 빠질 위험이 있다.

◑ 순환부전

의식장애의 원인이 되는 심장질환은 중고령자의 경우에는 심장동맥경화를 주체로 하는 허혈심장질환이 많으며, 젊은층에서는 비대형심장근육질환이나 확장형심장근육질환과 같은 심장근육질환이나 심장동맥기형과 같은 선천기형이 많다. 이러한 심장질환에 심실된떨림과 같은 중증부정맥이 합병하면 충분한 심박출량이 유지되지 않게 되어 뇌로 가는 혈류가 저하되어 의식장애가 초래되는데, 이것이 순환부전(circulatory failure)이다. 또한 혈관미주신경성실신이나 기립저혈압 등은 스포츠 활동 시에 긴장이나 불안에 의한 심리적 인자가 자율신경에 영향을 주어 느린맥이나 혈압저하가 출현하고, 갑자기 의식소실을 일으킨다.

◑ 열사병

열사병(heat stroke, 열중증)은 고온환경에서 스포츠활동을 할 때 나타나는 가장 위험한 장애이다. 열사병의 발생원인에 따라 열피로, 열경련, 열중증 등으로 분류되고 있으나, 실제로는 서로 중복하여 존재하므로 개별적 감별은 어렵다. 총칭하여 열사병은 다량의 발한에 의한 염분상실성탈수, 체온조절기능실조, 혈관허탈 등에 빠져 의식장애가된다. 때로는 죽음에 이를 수도 있다.

▪▷ 스포츠현장에서 의식장애의 처치

접촉스포츠에서 플레이 중 의식장애가 일어나면 경기를 계속 수행할 수 있는지의 여부를 판단할 필요가 있다. 의식장애의 원인이 머리외상에 의한 것인지 판단하려면 이름·일시·대전상대 등에 관한 질문, 신경학적 관찰, 두통·구토 등의 수반증상 유무를 확인하여 경기를 계속할지의 여부를 결정한다.

일반적으로는 스포츠활동 중에 갑자기 의식장애가 나타나면 치명적이 될 가능성도 있으므로 모두 긴급한 병원치료나 정밀검사의 대상이 된다.

코피

▷ 코피의 원인

스포츠활동 중에 상대의 몸·공·용구 등이 코를 직접적으로 타격하면 코피(nasal bleeding, 비출혈)가 날 수 있다. 특히 축구, 럭비, 복싱 등의 접촉스포츠에서 발생빈도가 높다. 드물게는 운동 중의 급격한 고혈압, 정신적인 흥분에 의한 고혈압 등에 의해 혈관이 터져 코피가 나기도 한다.

▷ 코피의 기전

코의 해부도는 그림 1-3과 같다. 콧방울(ala nasi, 비익)은 해부학적으로 코중격연골(nasal septal cartilage)혈관이 풍부한 부위(Kiesselbach 부위)와 대립관계를 이룬다. 콧방울은 연골로 구성되어 있으며 가동성이 있다. 반대로 코중격연골은 고정성이 좋다. 콧방울에 직접외력이 가해지면 바로 코중격에 전해져 키셀바흐부위를 손상시키고, 혈관을 파탄시켜 코피가 나게 한다. 코피의 약 90%는 이 부위의 출혈이다.

▷ 코피의 증상

외상에 의해 나는 코피는 대부분 외력을 입은 쪽의 코안(nasal cavity, 비강)에서 난다. 한편 고혈압에 기인한 코피는 코안 뒷부분에서 많은데, 이때 혈액이 입안으로 유입될 수

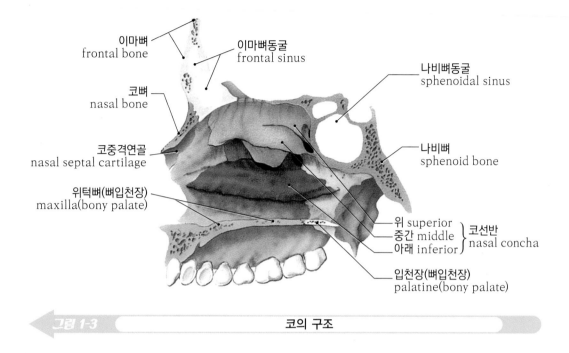

이마뼈
frontal bone

이마뼈동굴
frontal sinus

나비뼈동굴
sphenoidal sinus

코뼈
nasal bone

나비뼈
sphenoid bone

코중격연골
nasal septal cartilage

위턱뼈(뼈입천장)
maxilla(bony palate)

위 superior
중간 middle
아래 inferior
코선반
nasal concha

입천장(뼈입천장)
palatine(bony palate)

그림 1-3 코의 구조

도 있다. 출혈이 지속되면 코뼈 등 얼굴뼈(facial bones, 안면골)골절을 의심해야 된다.

➪ 코피의 응급처치와 치료

키셀바흐부위의 코피는 대량출혈이 되는 않으므로 스포츠현장에서 대처할 수 있다. 외출혈 시의 지혈법은 원칙적으로 압박지혈이다. 방법은 부상자를 앉거나 서게 한 다음 양쪽 콧방울의 위쪽가장자리를 엄지와 검지로 강하게 잡듯이 해서 코중격연골을 압박한 다. 이 방법을 사용하면 대부분은 5분 이내로 지혈된다.

다른 방법은 솜·티슈 등으로 코안을 틀어막아 압박한다(tamponade). 이때에는 콧방울이 팽륭할 때까지 막아야 한다. 5분 정도 경과한 후에 막은 것을 제거하고 지혈을 확인한다. 출혈이 없으면 그대로 경과를 관찰한다. 출혈이 지속되면 몇 번 더 막기를 반복한다. 효과가 없으면 이비인후과를 찾아간다. 코·얼굴의 변형, 종창 등이 동반되면 골절이 되었을 수도 있으므로 병원에 가서 진찰을 받는다.

▶ 경기복귀

코피가 난 다음의 스포츠현장 복귀는 지혈되고 코안을 막은 내용물이 제거되는 것을 전제로 한다. 생리학적으로 기도(흡입하는 공기가 지나는 길, 숨길)는 코안, 인두, 후두, 기관, 기관지를 거쳐 흡입된다. 흡입된 공기는 허파꽈리에서 가스교환되어 코안과 인두 사이에서 습도·온도가 조절되어 일정해진다. 이 기능이 기도점막을 자극하거나 손상시키는 것을 방지한다.

지혈이 되지 않고 코안의 내용물이 제거되지 않으면 구강호흡으로 이행하게 되는데, 이렇게 되면 다음과 같은 현상이 일어난다. 이것을 개선하지 않으면 스포츠활동에 지장을 초래한다.

▶ 혈액이 코안뒤쪽에서 입안으로 유입되어 기관에 흡입될 가능성이 있다.

▶ 직접 냉기나 온기가 기관으로 흡입되어 자극이 강하고 기침을 유발한다.

▶ 코안에 채워져 있는 내용물에 의해 답답함을 느껴 스트레스가 된다.

목상해

▶ 목상해란

목(collum, neck, 경부)을 구성하는 기관·조직은 목빗근(sternocleidomastoid muscle, 흉쇄유돌근), 등세모근(trapezius muscle, 승모근), 갑상샘, 기관, 식도, 혈관 등이다. 무거운 머리는 목뼈가 지지한다. 목이 스포츠상해를 입을 때 외력이 직접 목에 작용하는 경우는 드물다. 대부분 머리에 외력이 가해지면 목은 간접적인 외력 때문에 손상을 입게 된다.

이러한 외력의 영향을 받기 쉬운 조직은 근육, 목뼈, 목뼈 주위의 연부조직, 목척수 등이다. 특히 목척수손상은 순간적인 부주의로 생기며, 치명적 장애가 될 수도 있다. 이 경우 생명에는 지장이 없다고 하더라도 운동선수로서 경기복귀는 불가능할 뿐만 아니라 일상생활에도 지장을 초래하게 된다.

◆▷ 목상해의 발생기전

목뼈는 머리를 지지하는 7개의 척추뼈(vertebra)로 구성되어 있다. 이들은 각각 척추 뼈몸통(vertebral body, 척추체), 척추사이원반(intervertebral disc, 추간판), 척추뼈고리(vertebral arch, 추궁), 가시돌기(spinous process, 극돌기) 등의 뼈성분과 앞세로인대(anterior longitudinal ligament, 전종인대), 뒤세로인대(posterior longitudinal ligament, 후종인대), 가시사이인대(interspinous ligament, 극간인대) 등의 연부조직으로 구성되며, 목·머리의 안전성과 운동성을 유지하고 있다(그림 1-4).

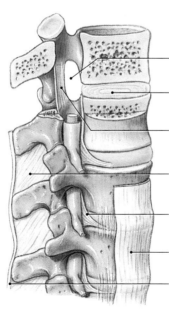

척추뼈사이구멍(추간공)
intervertebral foramen

척추사이원반(추간원판)
intervertebral disk

황색인대
ligamentum flavum

가시사이인대(극간인대)
interspinous ligament

뒤세로인대(후종인대)
posterior longitudinal ligament

앞세로인대(전종인대)
anterior longitudinal ligament

가시끝인대(극상인대)
supraspinous ligament

그림 1-4　　　　　　　　　　**목뼈(옆모습)**

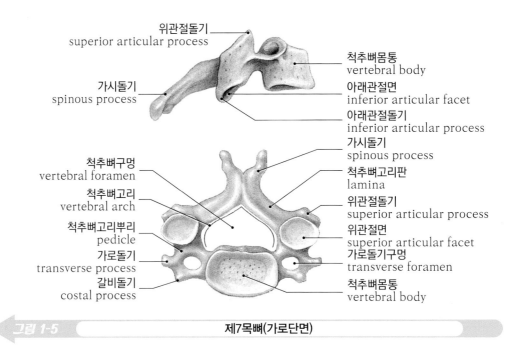

위관절돌기
superior articular process

척추뼈몸통
vertebral body

아래관절면
inferior articular facet

아래관절돌기
inferior articular process

가시돌기
spinous process

척추뼈고리판
lamina

위관절돌기
superior articular process

위관절면
superior articular facet

가로돌기구멍
transverse foramen

척추뼈몸통
vertebral body

가시돌기
spinous process

척추뼈구멍
vertebral foramen

척추뼈고리
vertebral arch

척추뼈고리뿌리
pedicle

가로돌기
transverse process

갈비돌기
costal process

그림 1-5 　　　　　 **제7목뼈(가로단면)**

　첫 번째 목뼈는 고리뼈(atlas, 환추), 두 번째 목뼈는 중쇠뼈(axis, 축추)라고 한다. 이 2개의 척추뼈가 머리뼈와 관절면에서 연결되어 머리의 회선(휘돌림)운동을 지휘한다. 세 번째부터 그 밑에 위치하는 목뼈는 머리의 앞뒤 굽히기를 지휘한다. 목뼈는 5번째 및 6번째 목뼈 사이에서 관절가동범위가 최대가 된다. 운동·지각 등의 신경전달경로인 척수는 이들 척추뼈에 의해 보호받고 있다(그림 1-5).

　목상해의 발생기전은 외력에 의해 목이 과다폄, 과다굽힘, 과다옆굽힘, 과다휘돌림, 세로방향의 폄, 압박 등이다. 이 때문에 연부조직의 손상, 염좌, 탈구, 골절 등을 초래한다. 특히 탈구와 골절은 척수손상의 합병빈도가 높다.

　지금부터 목상해를 뼈손상이 있는 경우와 없는 경우로 분류하여 질환별로 설명한다.

◐ 뼈손상이 없는 경우

▣ Burner증후군

접촉 스포츠를 할 때나 용구에 머리·어깨를 강하게 맞아 목이 반대쪽으로 과다옆굽힘할 때에 나타나는 증상이 버너증후군(Burner syndrome)이다. 이때 5~6목뼈의 신경뿌리가 많이 손상된다. 증상은 어깨부터 손가락까지 저리는 듯한 통증인 '전격통증(fulgurant pain)'이다. 신경파열이나 척수에서 유발되는 요인이 없으면 후유증은 남지 않는다.

▣ 목뼈타박상

목척수를 따라 생기는 근육의 손상이 목뼈타박상(cervical cord bruise, 경추좌상)이다. 상해발생 직후부터도 일정시간이 경과하고 나서야 자각하는 경우가 많으며, 재발하기 쉽다.

▣ 목뼈염좌

스포츠 활동 중 목뼈가 급격히 앞뒤로 굽혀지면 목뼈염좌(cervical vertebra sprain)가 될 수 있다. 운동·지각마비를 보이지 않는 목뼈 주위의 연부조직손상을 총칭하는 말이다. 그 대부분은 인대손상이다.

◑ 뼈손상이 있는 경우

▣ 목뼈골절

목뼈를 구성하는 목척추뼈몸통, 목척추뼈고리, 관절돌기(articular process) 등의 골절을 총칭하여 목뼈골절이라 한다. 목뼈가 골절되면 신경을 끼게 하거나 척수를 손상시킬 수도 있다.

▣ 목척추뼈몸통골절

세로방향으로 외력이 가해져 목척추뼈가 압박을 받으면 목척추뼈몸통이 골절될 수 있다. 앞쪽 목척추뼈몸통골절인 경우에는 목척수로부터 떨어져 있어 목척수손상은 합병되지 않는다. 그러나 뒤쪽 목척추뼈몸통골절인 경우에는 골절된 목척추뼈의 뼛조각이 척주관 안으로 튀어 들어갈 수 있어 목척수손상이 합병되기 쉽다.

▣ 목척추뼈고리골절

다른 목척추뼈골절에 합병된다. 단독골절인 경우에는 척수를 압박하지 않기 때문에 척수손상은 드물다.

▣ 관절돌기골절, 가시돌기골절

목의 과다폄 또는 과다굽힘에 의한 골절이다. 척수손상은 드물다.

▣ 목뼈의 탈구, 탈구골절

외력에 의해 목뼈의 상호위치관계가 어긋난 상태를 말한다. 위쪽 목뼈가 아래쪽 목뼈보다 전방으로 어긋난 경우를 전방탈구, 그 반대로 어긋난 경우를 후방탈구라고 한다(그림 1-6). 대부분 목척수손상이 합병된다.

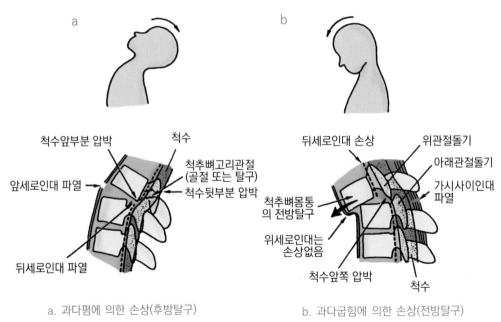

a. 과다폄에 의한 손상(후방탈구) b. 과다굽힘에 의한 손상(전방탈구)

그림 1-6 제7목뼈(가로단면)

◑ 목척수손상

목뼈골절 시 골절된 뼛조각이 목척수를 압박하면 목척수가 손상될 수 있다. 압박된 목척수는 손상을 입어 출혈·부종을 일으키고, 조직 자체도 종창하여 기능이 손상된다.

골절되지 않아도 나타나는 증상으로 중심척수증후군(central cord syndrome)이 있다. 원인은 원래부터 기질적 병변이 있는 척수가 외상, 특히 과다폄되면 발생한다.

스포츠종목별 목상해의 발생기전

목상해는 수영에서 가장 많이 발생하는데, 그 대부분은 다이빙할 때의 사고이다. 풀바닥에 머리를 강하게 부딪치면 목척추뼈몸통이 골절된다. 체조경기의 마루운동, 철봉, 링 등에서 잘못 착지하여 머리가 바닥에 먼저 닿을 때에도 많이 발생한다.

또 럭비에서 태클할 때나 스크럼이 무너질 때에도 발생한다. 특히 스크럼을 짜면 가장 앞줄에는 수백 kg의 힘이 가해지는데, 이때 앞으로 구부린 채 무너지면 탈구 또는 탈구골절을 입는다. 축구에서 고개를 움츠린 자세로 헤딩할 때에도 일어난다. 그밖에 스키, 트램폴린, 유도 등에서도 상해를 입기 쉽다.

목뼈상해의 증상 및 소견

스포츠현장에서는 목척수상해의 중증도를 확인할 수 없다. 이 때문에 목척수손상이 될 가능성 여부를 아는 것이 중요하다. 다음과 같은 증상·소견을 보이면 목척수손상을 의심한다.

▶ 의식이 있는 경우, 목을 강제로 움직이면 근육이 과다하게 펴져 손상을 입고, 자발통증(spontaneous pain)을 느낀다.
▶ 목둘레를 손가락으로 압박하면 통증이 있다.
▶ 목의 가시돌기를 압박할 때 통증을 느끼면 골절이나 인대손상을 의심한다.

지각신경마비 여부를 관찰할 때에는 마비의 범위가 불명확하기 때문에 확인하려면 시간이 걸리므로 손·팔의 저림 유무부터 확인해본다. 운동신경마비 여부는 자세히 관찰

한다. 지시한 대로 움직일 수 있는지의 여부로 대략적인 목척수손상의 범위를 파악할 수 있다. 나아가 배호흡(abdominal respiration), 피부의 홍조 · 열감, 맥박수감소 등이 있으면 목척수손상을 의심해야 한다.

목척수는 8개의 척수분절로 나누어져 있으며, 각각 지배하는 범위가 한정되어 있다. 지시에 따르는 것이 불가능하면 그 부위의 목척수손상을 의심한다. 목척수분절의 운동지배영역은 표 1-8과 같다.

1-8 목척수분절의 운동지배영역

관절	운동	목척수분절
어깨	벌림	C_5
팔꿈치	굽힘	C_5, C_6
	폄	C_7
손	손등쪽굽힘	C_5
	손바닥굽힘	C_7
손목관절	손등쪽굽힘	C_7
	손바닥쪽굽힘	C_8

목상해 시의 응급처치

목상해 시에는 항상 목척수손상을 의심해야 한다. 부상자를 부적절하게 취급하거나 응급처치를 잘못하면 손상을 조장 · 확대할 가능성이 있다. 그렇기 때문에 의식장애의 유무에 상관없이 양쪽 빗장뼈보다 머리쪽에 외상이 있으면 목뼈 · 목척수손상으로 가정하고 다뤄야 한다. 이동할 때에는 한 사람은 목과 머리를 지지하고, 다른 2명 이상이 다른 부위를 지지한다.

◆▷ 경기복귀

목상해 후에 팔저림, 전격통증, 근력저하 등과 같은 운동·지각신경마비가 의심되면 경기복귀를 해서는 안 된다. 수술이나 장기간 고정을 필요로 하지 않는 상해를 입은 후에는 통증이나 붓기가 나으면 가능한 빨리(늦어도 상해발생 48시간 이내, 대부분은 24시간 이내에) 가동범위회복운동을 시작한다. 가동범위회복운동은 수술 5일 후부터 시작해야 하며, 2~3주 이상 늦춰서 시작해서는 안 된다.

운동재활치료는 상해발생 후 스포츠에 복귀하는 가장 효과적인 방법이다. 운동재활 트레이너는 치유를 촉진시키거나 운동을 쾌적하게 할 수 있도록 수(水)치료, 표면층온열요법, 깊은층온열요법, 마사지, 전기요법, 수기요법 등을 실시한다.

한편 이 부위의 운동재활치료는 다음과 같은 목적을 달성하기 위하여 실시한다.

▶ 상해부위의 혈류를 증가시켜 치유를 빠르게 한다.

▶ 고정에 의해 발생한 근육과 관절의 경직을 완화시킨다.

▶ 움직이지 않게 했기 때문에 주위근육이 위축되어 경직되는 것을 예방한다.

눈상해

◆▷ 눈상해란

눈은 표면에는 아래 위에 눈꺼풀(eyelid, 안검)이 있으며, 눈확(orbital, 안와) 속에 눈알이 있고, 눈알운동을 지휘하는 바깥쪽근육(extraocular muscle, 외안근)이 눈알에 부착되어 있다(그림 1-7). 시각신경은 시각신경관을 통해 머리 속에 도달한다. 이러한 연부조직, 뼈조직, 신경조직, 그리고 눈알을 구성하는 여러 부위가 상해에 의해 손상될 수

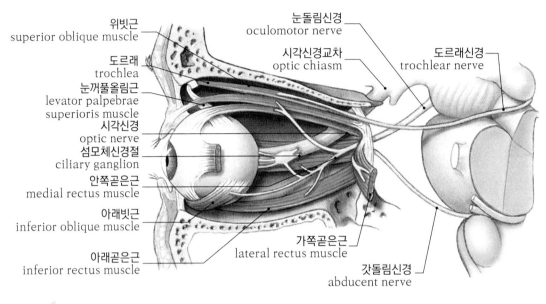

위빗근
superior oblique muscle

눈돌림신경
oculomotor nerve

도르래신경
trochlear nerve

도르래
trochlea

시각신경교차
optic chiasm

눈꺼풀올림근
levator palpebrae
superioris muscle

시각신경
optic nerve

섬모체신경절
ciliary ganglion

안쪽곧은근
medial rectus muscle

아래빗근
inferior oblique muscle

가쪽곧은근
lateral rectus muscle

아래곧은근
inferior rectus muscle

갓돌림신경
abducent nerve

그림 1-7   눈확(orbital, eye socket, 안와)의 구조

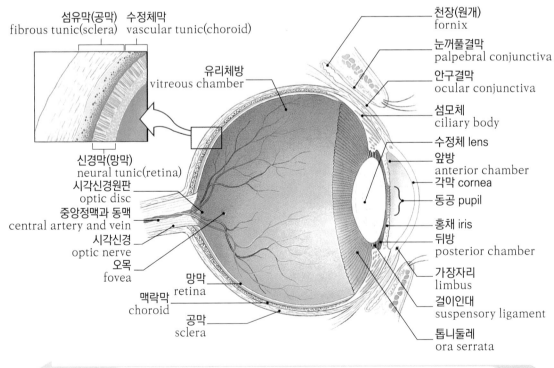

섬유막(공막)
fibrous tunic(sclera)

수정체막
vascular tunic(choroid)

천장(원개)
fornix

눈꺼풀결막
palpebral conjunctiva

안구결막
ocular conjunctiva

유리체방
vitreous chamber

섬모체
ciliary body

수정체 lens

앞방
anterior chamber

각막 cornea

동공 pupil

홍채 iris

뒤방
posterior chamber

가장자리
limbus

걸이인대
suspensory ligament

톱니둘레
ora serrata

신경막(망막)
neural tunic(retina)

시각신경원판
optic disc

중앙정맥과 동맥
central artery and vein

시각신경
optic nerve

오목
fovea

망막
retina

맥락막
choroid

공막
sclera

그림 1-8   눈알(안구)의 구조

있다. 특히 야구를 비롯한 구기경기에서 공에 의한 타박이 많고, 그밖에 스포츠 중 다른 경기자의 팔꿈치·무릎 등에 의한 타박, 스포츠기구에 의한 타박 등이 있다.

◆▷ 눈상해의 증상과 종류

눈상해 시의 자각증상은 시력저하, 복시(물건이 이중으로 보이는 현상), 통증, 흐르는 눈물 등이다. 타각적인 소견은 눈꺼풀(안검)의 발적·종창·상처 유무, 눈꺼풀의 개폐 여부, 양눈의 방향과 눈알의 움직임이상 여부, 눈알돌출 유무, 각막·공막의 열상 여부 등이다. 이러한 자·타각적 소견은 손상부위나 정도를 판단하는 단서가 된다.

눈상해의 종류는 다음과 같다.

◑ 눈꺼풀상해

눈꺼풀(eyelid)상해 시에는 눈꺼풀처짐(blepharoptosis, 안검하수), 눈꺼풀혈종(eyelid hematoma), 눈꺼풀찟김(eyelid laceration, 안검열상) 등이 나타난다.

◑ 눈확상해

눈확(orbital)상해 시에는 눈확을 구성하는 뼈가 골절된다. 눈확이 골절되면 눈확벽과 코곁굴(부비강)에 통로가 생겨 세게 코를 풀면 눈확 속으로 공기가 들어가 눈알이 돌출되는 눈확공기증(orbital emphysema, 안와기종), 같은 기전으로 눈꺼풀밑의 공기가 빠지는 눈꺼풀공기증(palpebral emphysema, 안검기종) 등이 일어난다.

눈을 강하게 맞으면 눈확의 아래쪽벽(때로는 안쪽벽)이 골절되어 바깥쪽근육이 그곳으로 빠져 눈알운동장애(아래쪽벽이라면 눈알을 위로 굴릴 수 없는 장애)를 만드는 눈확바깥파열골절(orbital blowout fracture)이 된다. 이는 정도에 따라 다르지만 경과를 관찰하여 개선되지 않으면 수술을 해야 한다.

이마나 관자뼈를 맞으면 급격히 시력이 저하되는 시각신경관골절 등을 일으킨다.

◐ 결막상해

결막(conjunctiva, 이음막)이 상해를 입으면 결막이 빨개지는 결막밑출혈이 생기는데, 이는 보존적으로 치유한다. 이때 공막(sclera))손상의 합병여부를 주의해야 한다. 이밖에 결막찢김이 있다.

◐ 각막상해

직접적인 외력 때문에 생기는 각막(cornea)손상은 각막까짐(corneal erosion, 각막미란 ; 각막상피의 박리), 각막궤양(keratohelcosis ; 상피가 실질까지 손상되는 것. 외력에 의한 콘택트렌즈의 파손 등으로 일어난다) 등이 있다. 모두 심한 통증이 있으며, 눈물도 많이 난다. 치료 시에는 각막보호약, 인공눈물, 항균제, 항생제 등을 사용한다.

한편 자외선에 의한 손상인 설맹(snow blindness)은 스키 등의 야외스포츠에서 결막·각막이 손상되어 생긴다. 1~2일 사이에 치유해야 한다. 예방을 위해 자외선대책이 필요하다.

◐ 앞방상해

앞방(anterior chamber)이 상해를 입으면 홍채 혹은 섬모체의 혈관이 파탄되어 앞방 속에 혈액이 쌓여 앞방출혈이 된다. 누운 자세에서는 확실하지 않아도 서면 앞방아래쪽에 혈액이 침전한다. 출혈이 많으면 안압(intraocular pressure)이 상승하고, 오래되면 각막 속까지 혈액이 들어가 각막혈액침착(keratohemia)이 발생한다. 상해발생 후 1주일쯤에 재출혈할 수도 있다.

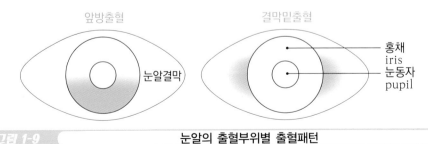

그림 1-9 **눈알의 출혈부위별 출혈패턴**

◑ 홍채상해

홍채(iris)가 큰 외력을 받으면 홍채의 뿌리부위에서 섬모체와 홍채가 분리되는 홍채 분리현상이 생긴다. 상해발생 직후에는 경련성 눈동자축소(miosis, 축동)현상이 발생한다. 장기적으로는 시력이상은 보이지 않지만 눈동자가 확대되는데, 이것을 외상성 눈동자확대(pupillary dilatation, 산동)라고 한다.

◑ 수정체상해

수정체(crystalline lens, lens)가 상해를 입으면 섬모체돌기에서 나와 수정체를 지지하고 있는 섬모체띠가 부분파열되어 수정체가 본래의 위치에서 벗어나게 되는데, 이것을 수정체탈출(phaconmetachoresis)이라고 한다. 섬모체띠가 완전파열하면 앞방 안 혹은 유리체 안으로 수정체가 넘어가게 되는데, 이것을 수정체이탈(lens dislocation)이라고 한다. 이때 시력장애가 일어난다. 탈출한 수정체가 눈동자에 들어가면 급격한 안압상승을 초래하여 격통이 발생한다.

◑ 유리체상해

유리체(vitreous body)가 상해를 입어 망막혈관이 파탄되면 망막출혈, 유리체출혈이 생긴다. 이때 대부분 흡수되지만 백색피부증(leukoderma, 백반) 등을 남길 수도 있다. 그밖에 유리체가 박리되기도 한다.

◑ 망막상해

망막상해에 의해 망막부종이 생기면 망막이 은백색으로 혼탁해지는 망막증(retinosis)이 된다. 이때 부종이 흡수되면 시력장애는 개선된다. 또, 외상으로 망막에 구멍(hiatus, 열공, 틈새)이 생기면 모기가 날아다니는 것처럼 느껴지는 날파리증(myiodesopsia, 비문증. 유리체출혈 ; 뒤유리체박리가 원인)이 생긴다.

◑ 공막상해

공막(sclera)이 천공상해(perforation injury, 뚫림상해)를 입으면 각막이나 공막에 찢김이 생길 수 있고, 전층에 걸친 상해인 경우에는 유리체 등이 탈출할 수도 있어 예후가 좋지 않다.

몸통의 상해와 질환

제 **2** 장

가슴상해

가슴상해의 원인

가슴(chest, 흉부)상해는 럭비 · 미식축구 · 아이스하키 등에서 상대선수와 격렬하게 충돌하거나 체조경기에서 잘못 착지하여 가슴을 심하게 부딪히거나 강하게 압박받으면 발생한다.

가슴상해는 단순히 가슴을 맞는 것부터 가슴안 내장손상까지 중증도가 다른 여러 가지 손상이 있다(그림 2-1). 그러나 대부분은 가슴벽(breast wall)의 외상이며, 그중에서도 응급처치가 필요한 스포츠상해로는 갈비뼈골절이 가장 많다. 특히 중 · 고령자는 뼈가 쇠약해지고 기초체력이 저하되어 익숙하지 않은 운동을 갑자기 격렬하게 하면 쉽게 갈비뼈가 골절될 수 있다. 골프에 의한 갈비뼈골절이 그 전형적인 예로, 중 · 고령자에게서 나타나는 갈비뼈골절의 대부분은 골프 때문이다.

골프 이외의 스포츠에 의한 갈비뼈골절은 야구가 압도적으로 많으나, 테니스 · 배구 · 유도 등의 스포츠에서도 발생한다. 가슴 전체가 강한 충격을 받으면 허파의 모세혈관부터 허파사이질이나 허파꽈리 안에 광범위한 출혈이 일어나 급성호흡부전이 생길 수도 있다(허파타박상). 또, 강한 외력 때문에 가슴누리가 일시적으로 심하게 변형되어 식도

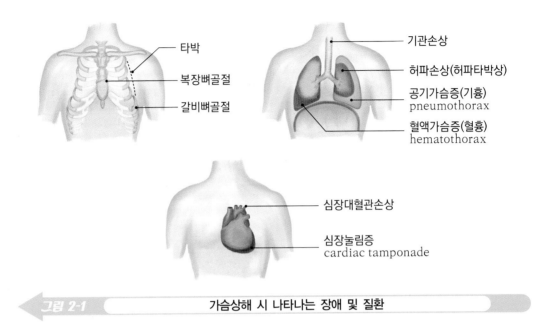

타박
복장뼈골절
갈비뼈골절

기관손상
허파손상(허파타박상)
공기가슴증(기흉)
pneumothorax
혈액가슴증(혈흉)
hematothorax

심장대혈관손상
심장눌림증
cardiac tamponade

그림 2-1　　가슴상해 시 나타나는 장애 및 질환

나 기관 등이 손상되기도 한다. 매우 드물지만 펜싱의 검이나 스키의 스톡 등에 의한 가슴의 관통창(penetrating wound)으로 가슴안장기가 손상될 때도 있다.

　가슴안에는 심장·허파·대혈관 등 생명유지에 필요한 중요장기가 있는데, 간혹 이러한 것들이 손상되기도 한다. 따라서 가슴상해 시에는 긴급성 유무도 신중하게 판단해야 한다.

▷ 가슴상해의 증상과 관찰 포인트

　가슴상해가 발생하면 먼저 전신상태부터 관찰해야 한다. 입술 및 손가락끝의 시아노겐(cyanogen), 빠른맥, 혈압저하, 쇼크증상, 고도의 호흡곤란 등이 나타나면 가슴안에 있는 장기가 중대한 손상을 입었을 가능성이 있다. 이때에는 긴급히 병원으로 이송한다. 특히 피가래(sputum cruentum, 혈담)나 피부밑공기증(subcutaneous emphysema, 피하기종 ; 피부밑으로 공기가 새는 상태)을 보이면 기도나 허파손상을 의심한다. 또, 호흡운동에 의한 가슴벽의 움직임에 좌우차가 있으면 갈비뼈골절, 혈액가슴증, 공기가슴증 등을 의심할 필요가 있다.

단순한 가슴벽타박 시에는 호흡이나 순환이상은 없고, 타박부위에 통증을 호소하는 정도이며, 단시간 내로 통증도 없어진다. 특별한 처치는 필요없고, 경기를 속행해도 지장이 없다. 다만 심한 충격을 받은 직후에는 일과성으로 호흡장애가 일어날 수 있으나, 타박만 일어난 경우에는 수분 내로 회복된다.

갈비뼈골절은 제4~8갈비뼈에 많이 발생하는데, 상해발생 시에 부러진 갈비뼈부위에 극심한 통증을 호소한다. 골절에는 직접 외력이 가해진 갈비뼈가 부러진 경우(직접전달외력에 의한 골절)와 외력으로 가슴우리가 변형되어 외력이 가해진 부위 이외의 갈비뼈가 부러진 경우(간접전달외력에 의한 골절)가 있다(그림 2-2). 전자의 경우에는 골절부에 압통이 있으며, 후자의 경우에는 가슴벽 앞뒤에서 압력이 가해지면 골절부에 통증을 느끼는 간접전달통증이 있다.

직접전달외력에 의한 골절 시에는 골절부밑의 허파가 손상되는 경우가 많으며, 간접전달외력에 의한 골절 시에는 심장대혈관 등이 손상될 위험성이 높다(그림 2-2).

골프를 할 때 발생하는 갈비뼈골절은 대부분 쓰는 팔의 반대쪽 갈비뼈에 생긴다. 이는 오래도록 운동을 하지 않은 중·고령자가 골프에 심취되어 무리하게 연습할 때 생기기 쉽다. 프로골퍼에게는 거의 일어나지 않는다는 사실로 미루어보아 기초체력이 저하

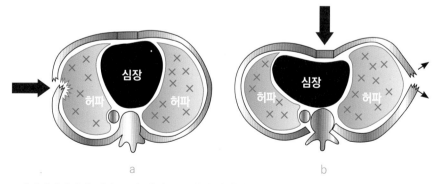

a. 직접전달외력에 의한 골절 시에는 골절된 갈비뼈끝이 허파를 손상시킨다.
b. 간접전달외력에 의한 골절 시에는 심장대혈관 등의 가슴세로칸(mediastinum)조직을 손상시킨다.

그림 2-2 직접전달외력 및 간접전달외력에 의한 갈비뼈골절

된 중 · 고령층의 초보골퍼가 부자연스러운 자세로 하는 스윙이 원인으로 여겨진다.

골프 이외의 스포츠에서 발생하는 갈비뼈골절은 골프와는 달리 쓰는 쪽 팔의 갈비뼈에서 많이 일어나는데, 그것도 제1갈비뼈나 제8~9갈비뼈에 많다.

갈비뼈가 골절되면 몸을 움직이거나 심호흡을 할 때 골절부분이 움직이기 때문에 부상자는 심한 통증을 호소한다. 이러한 증상이 나타나면 운동을 중지하고 병원치료를 받아야 한다.

외상 등으로 몇 개의 갈비뼈가 연속하여 2군데 이상 골절되면, 동요가슴(flail chest) 상태가 되어 호흡곤란을 받는다(그림 2-3). 동요가슴이 되면 연속해서 뼛조각이 떠돌아다니기 때문에 가슴우리의 견고함이 없어지고, 호흡 시에 허파가 공기를 빨아들이지 못하게 된다.

중증가슴상해의 특징 중 하나는 손상이 여러 장기에 영향을 미친다는 점이다. 처음에는 가벼운 증상이었으나 시간의 경과와 함께 중증화되기도 하므로, 골절된 듯한 증상을 나타나면 경과를 신중히 살펴보아야 한다.

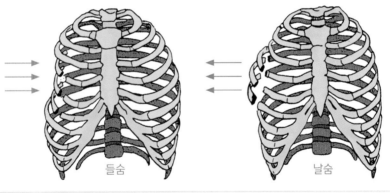

들숨 날숨

그림 2-3 동요가슴(flail chest)

➡️ 가슴상해의 응급처치

가슴상해 후에 통증 · 발적은 있지만, 골절증상이나 전신증상이 없으면 상해부위를 차게 한다. 상해부위에 통증 · 압통 · 간접전달통증 · 심호흡을 하면 심해지는 통증 등이 있으면 갈비뼈골절로 보고 상해부위를 고정한 다음 빨리 병원으로 옮긴다. 테이핑 시에는 폭이 넓은 테이프를 사용한다. 테이핑을 하면 통증이 약해질 수도 있다.

　동요가슴일 때에는 삼각수건이나 팔지지대로 골절쪽의 팔은 같은 쪽 어깨에 걸고, 가슴벽에 고정하면 통증이 줄어든다. 심한 호흡곤란, 호흡에 따른 가슴우리의 이상한 움직임, 피가래의 배출, 시아노겐, 쇼크상태 등이 나타나면 즉시 구급차 출동을 요청하고, 신속하게 병원으로 이송한다.

가슴통증과 호흡곤란

▷ 가슴통증과 호흡곤란의 원인

　스포츠 중 가슴통증(chest pain, 흉통)을 동반하는 호흡곤란의 발생원인은 크게 ① 허파 · 가슴우리의 병, ② 심장의 병, ③ 정신적인 원인의 3가지이다. 원인이 되는 질환은 많지만, 여기에서는 스포츠 중이라고 하는 조건에 의해 비교적 빈도가 높은 질환을 살펴본다.

　호흡곤란은 '통증'과 같은 자각증상이다. 과대하게 호소하는 사람도 있는가 하면 과소로 말하는 사람도 있다. 환자의 호소에 영향을 받지 말고 다른 증상들을 참고로 하여 종합적으로 판단해야 한다.

▷ 자발공기가슴증

◑ 증상

　갑자기 한쪽 허파에 극심한 통증과 호흡곤란이 오면 자발공기가슴증(spontaneous pneumothorax, 자발기흉)일 가능성이 높다. 기침을 하거나 몸을 움직이려고 하면 통증이 심해진다. 특별한 원인없이 일어나는 경우가 많으나, 플레이 중이나 경기를 응원하면서 큰 소리를 질렀을 때, 혹은 격렬한 기침을 했을 때 일어나기도 한다.

자발공기가슴증은 ① 젊은 남성으로, ② 마른 체형인 사람에게 압도적으로 많이 발생한다는 특징이 있다.

◑ 원인

자발공기가슴증은 허파의 일부가 찢어져 공기가 가슴안(thoracic cavity, 흉강)에서 새기 때문에 일어난다(그림 2-4). 그때 샌 공기량에 따라 허파는 수축한다. 즉 공기가 많이 샐수록 허파는 대폭 수축된다. 허파는 어느 정도 이상 수축하면 가스 교환기능이 사라진다.

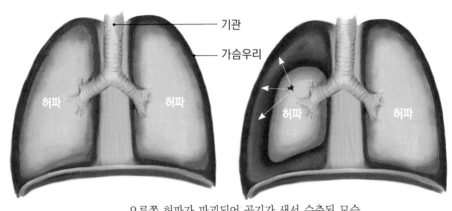

오른쪽 허파가 파괴되어 공기가 새서 수축된 모습

그림 2-4 　자발공기가슴증(자발기흉)

◑ 응급처치

자발공기가슴증이 생기면 대부분 병원치료가 필요하다. 만약 주변에 산소호흡입장치가 있다면 매분 4~5ℓ의 산소를 투여한다. 허파 손상의 정도에 따라 치료방법은 달라지지만, 예후는 좋다.

▶ 급성심장근육경색증

◑ 증상

중고령자 중 갑자기 호흡곤란과 동시에 극심한 가슴통증을 일으키면 급성심장근육경색증(acute cardiac infarction)일 가능성이 높다. 가슴통증은 앞가슴의 격심한 통증으로, 종종 '단단히 죄는 듯한 통증'으로 표현된다. 죽을지도 모른다는 공포감을 동반하는 경우도 많다. 가슴통증은 통상 몇 십 분부터 몇 시간 계속되며, 안정해도 경감되지 않는다. 그밖에 일반적인 증상으로서는 땀남(발한)·구토·안면창백 등이 나타나는데, 중증이면 의식장애나 쇼크상태에 빠질 수도 있다.

◑ 원인

심장에 영양을 공급하는 심장동맥이 동맥경화 때문에 속공간(lumen, 내강)이 좁아져 그 부위가 혈전으로 차단(obliteration, 폐색)되면 폐색부위에서 말초로 가는 혈류가 단절되어 말초심장근육이 괴사하게 된다(그림 2-5). 이것이 심장근육경색이다.

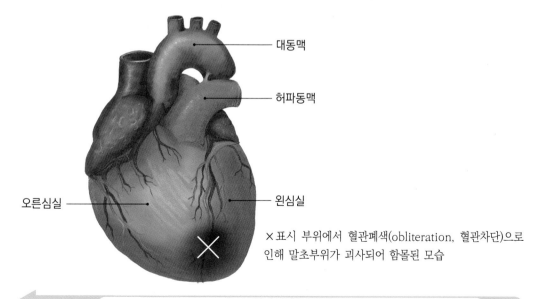

대동맥

허파동맥

왼심실

오른심실

×표시 부위에서 혈관폐색(obliteration, 혈관차단)으로
인해 말초부위가 괴사되어 함몰된 모습

그림 2-5   **심장의 혈관폐색**

심장근육경색은 항상 갑자기 일어난다고는 할 수 없다. 이전부터 협심증이 있고 발작빈도나 지속시간이 늘어나면 최종적으로 심장근육경색증상을 나타내는 경우도 적지 않다.

◑ 응급처치

긴급상황이다. 즉시 구급차 출동을 요청하고, 가까운 병원으로 이송한다. 산소호흡이 가능하다면 구급차가 도착할 때까지 매분 4~5ℓ를 마시게 한다.

⇢ 협심증

◑ 증상

협심증(angina)의 주된 증상은 가슴통증이다. 앞가슴에 통증을 느끼는 경우가 많으나 왼쪽 어깨나 가슴 혹은 팔까지 가는 방산통도 있다. 호흡곤란은 적으나, 질식감이나 고통을 "숨이 안 쉬어진다"라고 표현하는 경우도 종종 있다. 심장근육경색보다 가슴통증은 경도이며, 부위를 특정할 수 없는 막연한 가슴통증, 조이는 듯한 느낌 등으로 표현되는 경우가 많다. 가슴통증은 통상 몇 분에서 15분 정도 지나며 자연스럽게 없어진다.

◑ 원인

협심증은 심장동맥의 협착·수축 등으로 혈류가 일시적으로 저하되기 때문에 생기는 증상으로, 심장근육경색과 달리 심장근육은 괴사되지는 않고 회복된다. 운동을 하면 증상이 발생할 수도 있으며, 비슷한 유형이 많다.

◑ 응급처치

협심증 발작경험이 있는 환자는 스스로 심장동맥확장약을 가지고 있는 경우가 있다.

그러한 것들을 사용해도 되지만, 증상이 나아져도 가급적이면 빨리 병원에 가야 한다.

◆▷ 해리성대동맥류

◐ 증상

해리성대동맥류(dissecting aortic aneurysm)는 대부분 갑자기 가슴이 터질 듯한 극심한 가슴통증으로부터 시작된다. 통증은 처음에 앞가슴이나 등쪽에 많으나 해리(dissociation, 분리)의 진행에 따라 목·배·다리 등으로 퍼진다. 중증이 되면 쇼크상태가 될 수도 있다.

격통(pang)과 동시에 강한 호흡곤란을 호소하기도 한다.

◐ 원인

해리성대동맥류는 오름대동맥을 중심으로 발생하는 경우가 많다. 동맥내벽에 생긴 손상부로부터 혈액이 동맥벽 속으로 흘러들어가 혈종을 만들고, 대동맥벽을 해리시켜가는 질환이다. 60~70대가 빈발연령이며, 2 : 1의 비율로 남성에게 많다. 대부분 고혈압과 동맥경화가 합병된다. 특히 고혈압은 이 증상의 진행에 큰 영향을 미친다.

◐ 응급처치

긴급수술 이외에는 구명수단은 없다. 고혈압인 고령자에게서 이러한 증상이 나타난다면 이 증상으로 여길 필요가 있다.

다음의 질환도 가슴통증을 동반하는 호흡곤란이 나타난다.

▶ 과다환기증후군(hyperventilation syndrome)

▶ 가슴외상

▶ 천식발작

복통

▶ 복통의 정의와 분류

◐ 복통의 정의

복통(abdominal pain, 배앓이)이란 배안(abdominal cavity, 복강)의 장기가 어떤 이상에 의해 통증을 일으키는 인체의 방어반응으로 볼 수 있다. 배안에는 여러 가지 장기가 들어 있다. 이것을 크게 나누면 속에 혈류가 흐르고 있는 실질장기(parenchymatous organ, 실질기관 ; 간, 콩팥, 이자, 지라 등)와 창자의 내용물이 통과하는 관강장기(lumen organ ; 위, 샘창자, 작은창자, 큰창자, 곧창자 등)이다(그림 2-6).

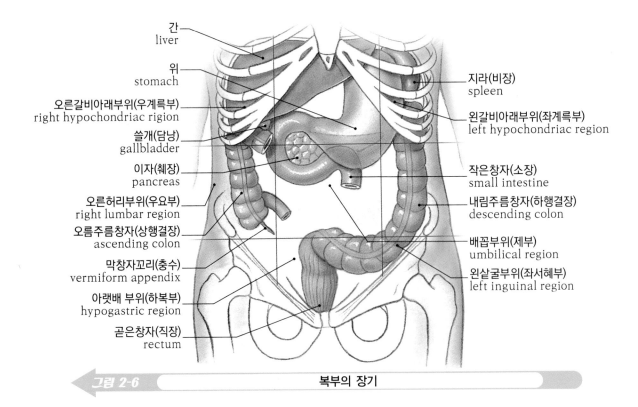

간
liver

위
stomach

오른갈비아래부위(우계륵부)
right hypochondriac rigion

쓸개(담낭)
gallbladder

이자(췌장)
pancreas

오른허리부위(우요부)
right lumbar region

오름주름창자(상행결장)
ascending colon

막창자꼬리(충수)
vermiform appendix

아랫배 부위(하복부)
hypogastric region

곧은창자(직장)
rectum

지라(비장)
spleen

왼갈비아래부위(좌계륵부)
left hypochondriac region

작은창자(소장)
small intestine

내림주름창자(하행결장)
descending colon

배꼽부위(제부)
umbilical region

왼샅굴부위(좌서혜부)
left inguinal region

그림 2-6 복부의 장기

◗ 복통의 분류

복통은 통증부위에 따라 어느 장기의 장애인지를 판단할 수 있다(그림 2-7). 복통을 일으키는 원인은 여러 가지가 있으나, 실질장기가 원인인 경우와 관강장기가 원인인 경우로 크게 나눌 수 있다. 나아가 복부장기의 ① 염증, ② 천공(perforation, 뚫림, 관통), ③ 파열(출혈), ④ 통과장애, ⑤ 순환장애(괴사), ⑥ 결석(calculus, 돌) 등으로 세분화된다.

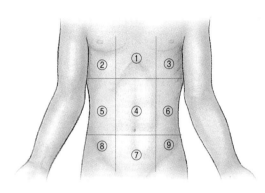

① 명치부위(epigastrium, 심와부, 상복부)
② 오른갈비밑부위(right hypochondrium, 우계륵부)
③ 왼갈비밑부위(left hypochondrium, 좌계륵부)
④ 배꼽부위(umbilical region, 제부)
⑤ 오른옆구리(right flank, 우측복부)
⑥ 왼옆구리(left flank, 좌측복부)
⑦ 아랫배(hypogastrium, 하복부)
⑧ 돌막창자부위(ileocecum, 회맹부) 또는 오른쪽 아랫배
⑨ 왼쪽 아랫배(left hypogastrium, 좌하복부)

그림 2-7 **배부위의 분할**

급성복통은 대략 긴급수술을 필요로 하는 것, 긴급수술은 필요로 하지 않지만 엄중한 경과관찰을 필요로 하는 것(경과에 따라서는 수술을 필요로 하는 것), 수술을 필요로 하지 않는 것의 3가지 그룹으로 나눈다(표 2-1).

복통 중에서도 급성복통이라고 불리는 긴급도가 높은 상태는 ① 갑자기 발증하는 복통을 주증상으로 하며, ② 급성경과를 취하고, ③ 긴급수술의 필요성이 있는지의 여부를 단시간 내로 판단해야만 하는 질환 등을 총칭한다. 원인질환이 확정진단에 이르기까지는 거짓진단명을 편의상 사용하는 경우가 많다. 마찬가지로 긴급수술의 필요성 유무를 판단하는 것이 중요한 소화관출혈이나 복부외상을 급성복통에 포함시키기도 한다.

여기에서는 협의의 내과적 원인에 의한 급성복통을 설명한다.

2-1 급성복통의 분류 및 대표적 원인질환

1. 긴급수술이 필요한 경우

□ **소화관천공(뚫림)에 의한 복막염**

위 또는 샘창자궤양천공, 위암천공, 충수염(막창자꼬리염)천공, 큰창자곁주머니(게실)천공, 큰창자암천공 등

□ **대량출혈**

간암파열, 자궁외임신파열, 복부대동맥류파열, 출혈성위·샘창자궤양 등

□ **장기의 순환장애**

꼬임창자막힘증(strangulation, 교액장폐색증), 구불창자꼬임(sigmoid volvulus, S상결절염전), 위창자간막동맥(superior mesenteric artery thrombosis, 상장간막동맥혈전증), 감금탈장(incarcerated hernia, 헤르니아감돈), 난소물혹꼬임(ovarian cyst volvulus, 난소낭종염전) 등

□ **심한 염증**

급성쓸개주머니염, 급성막창자꼬리염, 급성곁주머니염, 급성쓸개관염 등

2. 긴급수술을 필요하지 않지만 경과에 따라 수술이 필요한 경우

□ **염증**

급성쓸개주머니염, 급성막창자꼬리염, 급성쓸개관염, 급성이자염 등

□ **단순창자막힘증(simple ileus, 단순장폐색증)**

□ **결석증**

쓸개주머니결석증, 총온쓸개관결석증 등

3. 수술이 필요 없는 경우

급성위염, 요도결석, 창자사이막림프절염, 급성간염, 깔때기콩팥염(nephropyelitis, 신우신염) 등

➡️ 복통의 병태생리

급성복통에 동반되는 주요 병태생리는 ① 염증, ② 장기의 순환장애, ③ 창자관의 막힘, ④ 급성복막염, ⑤ 출혈쇼크(hemorrhagic shock), ⑥ 패혈쇼크(septic shock) 등이다.

	몸통증(somatic pain, 체성통)	내장통(visceralgia)
원인질환	배막(복막)·창자사이막에 파급되는 자극(천공, 파열, 배막염)	관강장기의 경련, 폄, 확장(창자폐색, 결석증)
병태	국한성, 지속성	불확실(중심선 부근), 간헐성
움직임, 압박에 의한 변화	증강(환자의 자세가 고정된다)	불변(환자는 데굴데굴 군다)
욕지기, 구토, 얼굴창백, 식은땀	없음	있음
들신경섬유(구심성신경섬유)	뇌척수신경(A섬유)	교감신경, 부교감신경(C섬유)

◐ 염증

급성막창자꼬리염(acute appendicitis, 급성충수염), 급성쓸개주머니염(acute cholecystitis, 급성담낭염), 큰창자곁주머니염(large intestinal diverticulitis, 대장게실염), 급성이자염(acute pancreatitis, 급성췌장염) 등은 염증질환이다. 배안장기뿐만 아니라 배막(복막)의 염증(복막염)을 초래하는 질환으로서 위 혹은 샘창자궤양의 천공, 위암의 천공, 급성막창자꼬리염의 천공 등과 같은 소화관천공이 있다.

염증을 유발하는 인자는 여러 가지이지만, 임상적으로 문제가 되는 것은 병원성미생물에 의한 염증(세균감염)이다. 급성막창자꼬리염, 급성쓸개주머니염, 급성곁주머니염 등과 같은 배안장기의 염증이 진행되면 장기의 천공, 국한배막염, 범발배막염 등으로 진전한다.

◐ 장기의 순환장애

창자관(intestinal canal, 장관)에 영양을 주는 혈관이 막히거나(예 : 창자사이막혈관폐색증), 창자가 꼬여서 창자로 가는 혈류가 단절되면(예 : 교액성일레우스, 구불잘록창자염전 등) 창자관벽은 허혈상태가 되어 시간의 경과와 함께 괴사로 진행한다. 창자관의 허혈은 격렬한 통증을 초래하며, 창자관의 내용물이 배안으로 나오기 시작하면 배막염(복막염)이 된다.

◑ 창자관의 막힘

유착, 종양, 겹침(introsusception, 중적) 등에 의해 창자관의 내용물들이 항문으로 가는 수송이 장애를 받은 상태를 창자폐색(ileus)이라고 한다.

◑ 급성복막염

배막안(peritoneal cavity, 복막강)의 염증을 복막염(배막염)이라고 한다. 주요원인은 진행된 장기의 염증, 소화관의 천공 등이며, 가장 심각한 병태를 초래하는 것은 세균성 복막염이다.

◑ 출혈쇼크

배대동맥류의 파열, 간암의 파열, 자궁외임신의 파열, 출혈, 샘창자궤양 등으로는 출혈쇼크가 나타나고, 중증이자염, 꼬임창자막힘증, 급성범발배막염 등에서는 탈수에 의한 저용량쇼크가 나타난다.

➡▷ 배부위에 나타나는 주요증상

◑ 욕지기, 구토

급성복통에서는 종종 욕지기(오심, 메스꺼움), 구토가 있다. 그러나 욕지기, 구토는 여러 가지 질환에서 나타나므로 이것만으로 복통의 원인질환으로 판단하는 것은 불가능하다. 따라서 구토물의 성질을 관찰하는 것은 중요하다. 장폐색(ileus) 초기의 구토물은 위액과 쓸개즙(biliary, 담즙)이 주이지만, 심해지면 점차 대변과 비슷한 상태가 된다.

◑ 설사

설사란 액체(liquid) 혹은 액체에 가까운 변을 배설하는 것이다. 급성복통에서는 설사의 빈도가 욕지기·구토의 빈도만큼 높지 않다. 급성설사를 초래하는 질환의 대부분은 세균성염증에 유래한다. 식사내용, 혈변의 유무 등을 살펴본다. 설사가 잦으면 탈수, 혈청전해질, 혈중산염기평형이상 등을 초래한다.

◑ 체위

배를 평평하게 하면 복막(배막)이 펴져 통증이 심해지므로 환자는 무릎을 굽혀 배를 구부린 체위를 취하는 경우가 많다. 원칙적으로 환자가 가장 편안한 자세를 취하도록 하는 것이 좋다. 급격한 체위변화나 과도한 진동 등은 통증을 심하게 하고, 욕지기·구토를 유발할 수도 있다. 구토를 할 때에는 잘못해서 삼키는 것을 막기 위해 옆으로 눕혀 얼굴을 옆으로 향하게 하여 잘못 삼키는 것을 피한다. 쇼크가 의심되는 환자는 선 자세를 취하거나 급격한 상반신 들어올리기는 피한다. 이송 시에는 머리와 상반신을 수평으로, 하고 다리를 높인다.

◑ 진통

환자를 병원으로 이송하기 전의 응급구조 시에는 자연스러운 체위를 유지시키고, 과도한 체위변화나 진동을 피하여 통증의 악화를 막는다. 환자에게 상냥하게 말을 걸어 안심감을 주는 것도 통증경감에 도움이 된다. 극심한 통증에 대해서는 진통제를 투여한다. 진통제에는 구토를 유발하거나 과도한 진통효과 등이 있으므로 진통제를 투여한 환자의 경우에는 구토예방과 기도확보에 항상 주의를 기울여야 한다.

허리통증

➡▷ 허리부위의 구조

허리뼈(lumbar vertebrae)는 5개의 척추뼈(vertebra)로 이루어져 있다. 척추뼈는 척추뼈몸통(body of vertebra)과 척추뼈고리(vertebral arch)로 되어 있고, 척추뼈고리는 위·아래관절돌기(superiorinferior articular process), 가로돌기(transverse process), 가시돌기(spinous process)로 이루어져 있다(그림 2-8).

척추뼈몸통과 척추뼈고리로 둘러싸인 곳을 척주관(vertebral canal)이라고 한다. 척주관 안에는 뇌에서 이어지는 척수신경(spinal nerve)이 있고, 척수액·거미막(arachnoid)·경질막(dura mater)으로 싸여 있다. 척추뼈몸통은 원통형을 하고 있고, 내부는 해면뼈로 구성되어 있으며, 척추뼈몸통 사이에는 척추사이원반이 있다. 척추사이원반은 가운데에 속질핵(nucleus pulposus)이 있고, 그 주위를 돌림섬유(circular fibers)가 감싸고 있다. 위아래 척추뼈몸통의 앞쪽에는 앞가로인대, 뒤쪽에는 뒤가로인

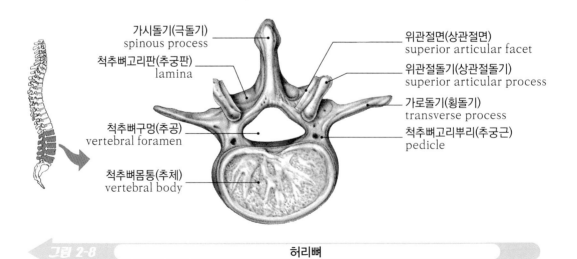

가시돌기(극돌기)
spinous process

척추뼈고리판(추궁판)
lamina

척추뼈구멍(추공)
vertebral foramen

척추뼈몸통(추체)
vertebral body

위관절면(상관절면)
superior articular facet

위관절돌기(상관절돌기)
superior articular process

가로돌기(횡돌기)
transverse process

척추뼈고리뿌리(추궁근)
pedicle

그림 2-8 허리뼈

대가 부착되어 있다. 척추뼈고리 사이는 황색인대(yellow ligament), 가시돌기 사이는 가시끝인대(supraspinous ligament, 극상인대)와 가시사이인대(interspinal ligament)로 연결되어 있다.

척주의 주동근은 배근육(굽힘근)과 등근육(폄근)이다. 굽힘근군에는 배곧은근(rectus abdominis), 배바깥빗근(obliquus externus abdominis muscle), 배속빗근(obliquus internus abdominis muscle), 배가로근(transversus abdominis)이 있다. 배근육군은 깊은층 · 중간층 · 얕은층의 3층으로 이루어져 있는데, 깊은층부터 가시사이근육(interspinales), 가시근(spinalis), 뭇갈래근(multifidus), 돌림근(rotatores), 엉덩갈비근(iliocostalis), 가장긴근(longissimus) 등이 있는데, 이러한 것을 총칭하여 척주세움근(erector spinae muscle)이라고 한다. 허리척주의 운동은 굽히기, 펴기, 옆굽히기, 돌리기가 있고, 큰볼기근(gluteus maximus) 등의 골반주위근육군과 함께 복잡한 운동을 하고 있다.

허리의 상해와 질환

허리타박 · 염좌

허리타박은 넘어지거나, 무엇을 던지거나, 떨어지는 등의 스포츠활동에서 발생하고, 타박부분에 피하출혈과 압통이 있다. 통증이 격렬할 때에는 척추뼈몸통압박골절이나 가로돌기골절을 의심할 수 있다. 허리를 삐었을 때에 돌기사이관절(zygapophysial joints)에 생긴 염좌가 허리염좌(lumbar sprain)이다. 이것은 윗몸을 비틀 때 많이 일어나고, 한쪽에 통증이 생긴다.

골프나 야구에서 스윙연습을 한 후에 오른쪽 허리가 아픈 것은 오른쪽 돌기사이관절의 과사용이다. 예방에는 허리 스트레치가 좋은데, 스윙을 하는 스포츠종목은 연습 후에 스트레칭을 실시할 필요가 있다.

◑ 허리근막염

보통 허리통증이라고 하며, 요통을 주로 호소하는 기질적 원인불명의 허리스포츠상해의 총칭이다. 발생양식에 따라 급성과 만성이 있다. 급성요통은 '허리가 삐끗했을 때'를 말하며, 만성요통은 무리한 스포츠활동으로 몸통근육 자체가 피로해져서 생기는 근막상해가 원인이다.

◑ 척추분리증

척추분리증(spondylolysis)은 성장기에 하는 스포츠활동에서 반복되어 가해지는 스트레스에 의해 돌기사이관절돌기에 일어나는 피로골절이다(그림 2-9). 대부분이 양쪽 셋째~다섯째허리뼈에 발생한다. 초기에 발견되면 최장 6개월 정도 스포츠를 금지하고, 코르셋을 착용하면 분리부위의 뼈가 붙을 수 있다. 또,

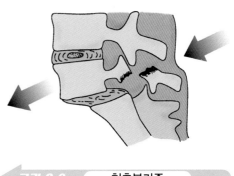

그림 2-9 척추분리증

분리증이 있으면 위쪽의 척추가 아래쪽의 척추에서 미끄러져 이동하면서 방광 · 곧창자의 상해 등을 일으킬 수 있으며, 수술을 해야 하기 때문에 정기적인 체크가 필요하다.

◑ 척추사이원반헤르니아

척추사이원반헤르니아(herniated intervertebral disc)는 척추뼈몸통 사이의 섬유고리(fibrous ring)에 균열이 생겨 척추사이원반의 속질핵이 팽륭 · 탈출하여 허리신경뿌리(lumbar nerve root)를 압박하는 것이다(그림 2-10). 다리들어올리기(SLR : straight leg raising) 테스트를 하였을 때 허리통증과 궁둥신경통(sciatic neuralgia)을 호소한다(그림 2-11).

치료는 안정, 코르셋착용, 경질막바깥공간차단요법, 견인요법, 운동요법 등을 철저히

시행한다. 보존요법이 효과가 없고, 신경결손증상이 보이며, MRI검사 등으로 척주관의 50% 이상의 헤르니아가 증명되었을 때에는 수술치료도 고려한다.

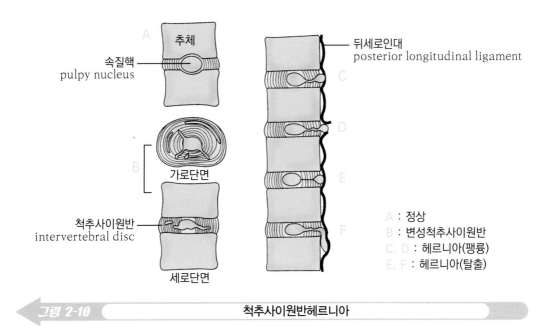

A 추체
속질핵
pulpy nucleus

B 가로단면

척추사이원반
intervertebral disc

세로단면

뒤세로인대
posterior longitudinal ligament
C
D
E
F

A : 정상
B : 변성척추사이원반
C, D : 헤르니아(팽륭)
E, F : 헤르니아(탈출)

그림 2-10　　　　척추사이원반헤르니아

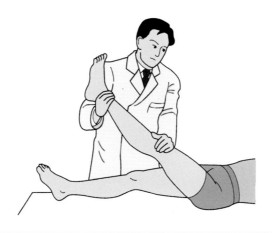

그림 2-11　　　　SLR 테스트

어깨관절 및 팔의 상해와 질환 > 제3장

어깨관절

▶ 어깨관절의 구조

일반적으로 어깨관절(shoulder joint)이라고 하면 어깨뼈(scapula)와 위팔뼈의 관절을 가리키는 경우가 많다. 그러나 어깨의 운동에는 기능적 관절을 포함하여 적어도 6가지 관절이 관련되어 있다. 따라서 이러한 모든 관절에 하나라도 상해가 발생하면 어깨의 정상적인 기능을 잃어버리게 된다.

어깨관절에는 팔을 올리는 중요한 기능이 있는데, 여기에 관여하는 근육은 체표면에 가까이 존재하는 표면층근육, 깊은부분에 위치하는 깊은층근육으로 나눌 수 있다.

전자는 어깨세모근(deltoid) · 큰가슴근(pectoralis major) · 등세모근(trapezius) · 넓은등근(latissimus dorsi)이 있고, 주로 운동 시 힘의 원천으로 기능한다. 후자는 돌림근띠(rotator cuff)을 구성하는 근육군으로, 가시위근(supraspinatus), 가시아래근(infraspinatus), 작은원근(teres minor), 어깨밑근(subscapularis)이 포함되어 있다. 이들은 들어올릴 때 위팔뼈머리(head of humerus)를 관절테두리(glenoid labrum)에 밀어넣어 그 운동의 중심을 안정화시키는 중요한 역할을 한다. 따라서 이러한 근육의 기능부전은 위팔뼈머리의 운동을 불안정하게 만들어 만성적 스포츠상해의 원인이 된다.

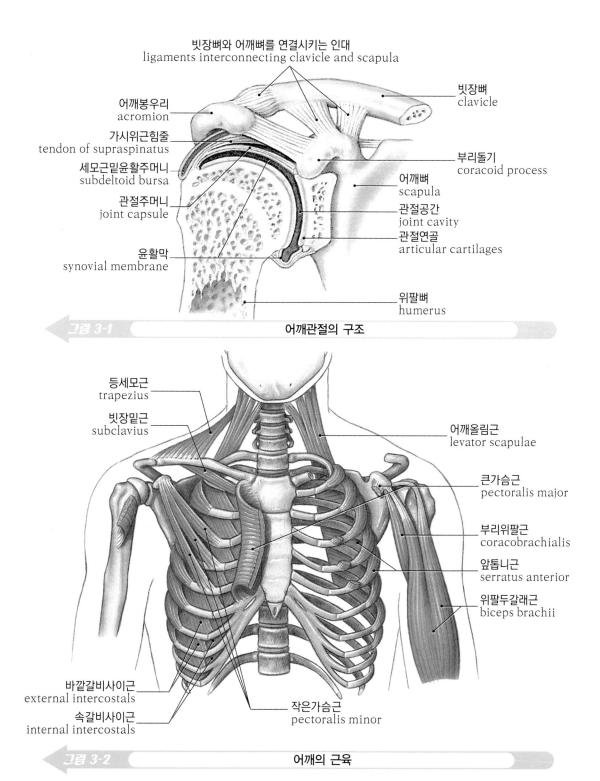

빗장뼈와 어깨뼈를 연결시키는 인대
ligaments interconnecting clavicle and scapula

빗장뼈
clavicle

어깨봉우리
acromion

가시위근힘줄
tendon of supraspinatus

세모근밑윤활주머니
subdeltoid bursa

관절주머니
joint capsule

부리돌기
coracoid process

어깨뼈
scapula

관절공간
joint cavity

관절연골
articular cartilages

윤활막
synovial membrane

위팔뼈
humerus

그림 3-1 어깨관절의 구조

등세모근
trapezius

빗장밑근
subclavius

어깨올림근
levator scapulae

큰가슴근
pectoralis major

부리위팔근
coracobrachialis

앞톱니근
serratus anterior

위팔두갈래근
biceps brachii

바깥갈비사이근
external intercostals

속갈비사이근
internal intercostals

작은가슴근
pectoralis minor

그림 3-2 어깨의 근육

▶ 어깨관절의 스포츠상해와 질환

◐ 어깨관절탈구, 반복성 어깨관절탈구

어깨위팔관절(scapulohumeral joint)은 인체에서 가동범위가 가장 크고 스포츠에서 중요한 관절이지만, 반대로 쉽게 탈구되는 특징이 있다. 또, 한 번 탈구되면 재발하기 쉽다. 이러한 병태를 반복성 어깨관절탈구(recurrent dislocation of shoulder)라고 한다. 한편 관절이완성 등의 선천적인 요인 때문에 탈구하는 경우에는 습관성 어깨관절탈구(habitual dislocation of shoulder)라고 한다.

어깨위팔관절은 한 번 탈구되면 뼈머리쪽에는 뒤가쪽뼈의 함몰(hill-sacks lesion), 관절테두리쪽에는 테두리 앞아래쪽의 손상(Bankart lesion)이 나타난다. 이것은 탈구를 반복할 때마다 커지고, 반복성이 된다.

치료로는 재활치료와 수술요법이 있는데, 먼저 재활치료를 실시하고, 그래도 탈구를 반복할 때에는 수술을 고려한다.

◐ 어깨관절아탈구

최근 관절경(arthroscope)의 발전에 따라 급속히 병태가 밝혀지고 있는 것이 완전한 탈구에 이르지 않은 여러 가지 상태의 아탈구(subluxation)이다. 특히 관절테두리(glenoid labrum)손상에는 여러 가지 정도가 있고, 본인의 자각증상이나 통증은 반드시 명확한 것이 아니므로 주의를 요한다. MRI화상도 참고가 되지만, 확정진단에는 관절경 검사가 필요한 경우가 적지 않다.

◐ 봉우리빗장관절손상

미식축구나 야구 등의 구기, 유도 등의 격투기에서 넘어질 때 어깨관절부터 바닥에 닿으면 봉우리빗장관절(acromioclavicular joint)이 손상될 수 있다. 손상의 정도에 따라 Ⅰ도에서 Ⅲ도까지 3단계로 분류된다(그림 3-3). Ⅰ도 또는 Ⅱ도는 비수술요법이 원

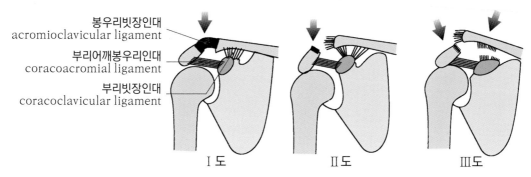

봉우리빗장인대
acromioclavicular ligament

부리어깨봉우리인대
coracoacromial ligament

부리빗장인대
coracoclavicular ligament

Ⅰ도　　　　　Ⅱ도　　　　　Ⅲ도

Ⅰ도 : 봉우리빗장인대의 부분손상
Ⅱ도 : 봉우리빗장인대의 완전파열
Ⅲ도 : Ⅱ도의 증상과 함께 부리빗장인대의 완전파열

그림 3-3　　　　　　　　　　봉우리빗장관절손상

칙이지만, Ⅲ도의 치료에서는 수술요법이나 재활치료 중 하나를 선택한다.

◑ 빗장뼈골절

스포츠에서 넘어질 때 어깨부터 바닥에 닿으면(사이클경기에서 넘어질 때 등) 자주 발생한다. 스포츠현장에서는 삼각수건 등으로 고정하지만, 심하게 다쳤을 경우에는 수술요법이 필요하다.

◑ 어깨관절충돌증후군

어깨관절충돌증후군은 봉우리(acromion), 봉우리밑주머니(subacromial bursa), 돌림근띠(rotator cuff) 등으로 구성된 기능적 관절인 어깨관절에 충돌(impingement)이 생김으로써 발생하는 상해이다. 위쪽의 봉우리와 아래쪽의 위팔뼈 사이에 있는 봉우리밑주머니염(subacromial bursitis)이나 그 주변조직에 염증이 생긴다.

돌림근띠는 연령에 따라 서서히 변성이 진행되고, 외상에 의한 반흔·비후 등이 생겨 스포츠활동기간이 길어질수록 상해가 발생하기 쉽다. 중요한 것은 젊은 사람에게서도 깊은층근육의 기능이 저하되면 표면층근육과의 근력 불균형이 생겨 충돌의 원인이 된다는 것이다. 충돌증후군의 임상증상은 위팔을 들어올릴 때의 통증인데(그림 3-4), 이러한 동작을 필요로 하는 여러 가지 스포츠종목을 할 때 지장이 생긴다.

재활치료는 특히 깊은층근육을 강화시키고, 스트레칭에 의해 어깨뼈의 유연성(가동성)을 확보해야 한다. 잘 낫지 않으면 수술요법으로 충돌이 생긴 부분을 절제한다(봉우리형성술).

또, 충돌에 의한 봉우리밑주머니염도 어깨관절주위염의 하나인데, 과도한 사용에 의해 위팔두갈래근긴갈래힘줄염 또는 힘줄윤활막염(tenosynovitis, 건초염) 등이 합병되면 굳은어깨(frozen shoulder)라고 부르는 중노년층의 어깨상해의 급성기와 거의 동일한 병태가 생긴다.

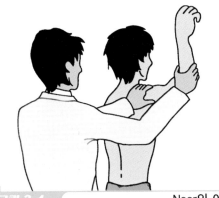

검사자는 피검자의 봉우리 위에 손을 대고 가볍게 아래쪽으로 압박하면서 다른 손으로 팔을 타동적으로 들어올린다. 도중에 봉우리 아래에 통증이 생기면 양성이라고 판정한다. 원래 통증이 생기기 쉬운 자세이므로 반드시 반대쪽과 비교하여 판단한다.

그림 3-4 **Neer의 어깨관절충돌증후군 검사**

팔

⇒ 팔의 구조

팔꿉관절(elbow joint)은 위팔뼈(humerus) · 노뼈(radius) · 자뼈(ulna)로 형성되어 있고, 위팔자관절(humeroulnar joint), 위팔노관절(humeroradial joint), 몸쪽노자관

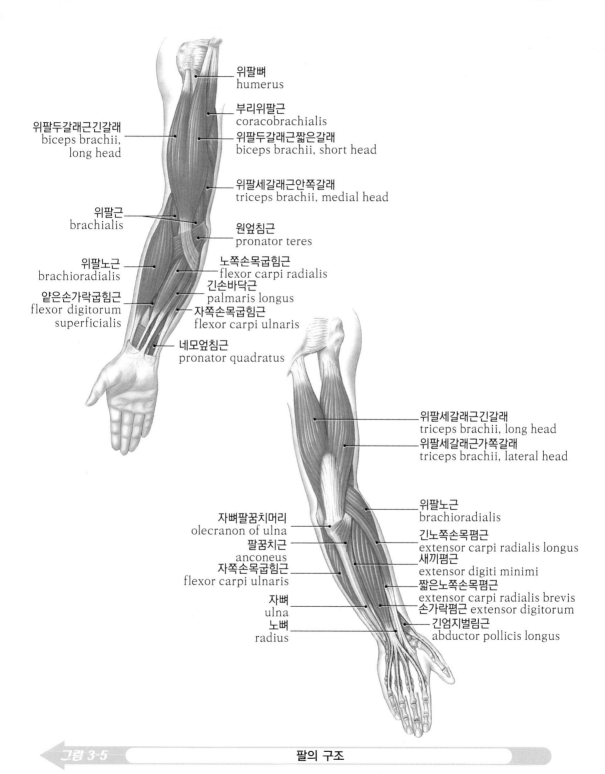

위팔뼈
humerus

부리위팔근
coracobrachialis

위팔두갈래근짧은갈래
biceps brachii, short head

위팔두갈래근긴갈래
biceps brachii,
long head

위팔세갈래근안쪽갈래
triceps brachii, medial head

위팔근
brachialis

원엎침근
pronator teres

위팔노근
brachioradialis

노쪽손목굽힘근
flexor carpi radialis

긴손바닥근
palmaris longus

얕은손가락굽힘근
flexor digitorum
superficialis

자쪽손목굽힘근
flexor carpi ulnaris

네모엎침근
pronator quadratus

위팔세갈래근긴갈래
triceps brachii, long head

위팔세갈래근가쪽갈래
triceps brachii, lateral head

위팔노근
brachioradialis

자뼈팔꿈치머리
olecranon of ulna

긴노쪽손목폄근
extensor carpi radialis longus

팔꿈치근
anconeus

새끼폄근
extensor digiti minimi

자쪽손목굽힘근
flexor carpi ulnaris

짧은노쪽손목폄근
extensor carpi radialis brevis

자뼈
ulna

손가락폄근 extensor digitorum

노뼈
radius

긴엄지벌림근
abductor pollicis longus

그림 3-5　　　팔의 구조

절(proximal radioulnar joint)의 3가지 관절로 이루어진 복합관절이다. 손부위는 8개의 손목뼈(carpal bones), 5개의 손허리뼈(metacarpal bones), 14개의 손가락뼈(phalanges)로 이루어져 있고, 그 이외에 종자뼈(sesamoid bones)가 있다(그림 3-5). 손관절(articulations of hand)은 손목관절, 먼쪽노자관절(distal radioulnar joint)로 이루어져 있다. 손목손허리관절(carpometacarpal joint)은 4개의 먼쪽손목뼈(distal carpal bone)와 5개의 손가락뼈로 이루어져 있다.

한편 팔의 근육은 팔꿈치를 굽힐 때 이용되는 팔꿉관절굽힘근군(elbow joint flexors), 팔꿈치를 펼 때 이용되는 팔꿉관절폄근군(elbow joint extensors), 아래팔을 안쪽으로 비트는 아래팔엎침근군(forearm pronators), 아래팔을 가쪽으로 비트는 아래팔뒤침근군(forearm supinators), 바닥쪽으로 굽혀서 손과 손가락을 굽히는 근육군, 등쪽으로 굽혀서 손과 손가락을 뻗는 근육군 등이 있다.

▷ 팔의 스포츠상해와 질환

◑ 야구골절

팔의 스포츠상해로는 야구골절이 많다. 이는 투구동작 시 갑자기 발증하고, 투구 직후 위팔에 격렬한 통증을 느낀다. 발생 시 골절소리를 들을 수 있는 경우도 있다. 투구 시의 가속기에 위팔뼈 몸쪽부분에는 근육에 의해 안쪽돌림힘이 작용하고, 먼쪽부분에는 관성으로 가쪽돌림힘이 작용하기 때문에 일어난다. 재활치료를 하지만, 신경마비 등과 같은 합병증이 있으면 수술요법이 사용된다.

◑ 야구팔꿈치

▣ 안쪽형 야구팔꿈치

야구팔꿈치는 안쪽위관절융기 주위에 많이 발생하는데, 이는 발육기에 자주 볼 수 있으며 안쪽위관절융기(medial epicondyle)의 단열이 동반된다. 이것은 투구 시 생기는

팔꿉관절을 바깥으로 굽히는 힘에 의해 안쪽곁인대(medial collateral ligament)에 견
인력이 작용하여 일어난다. 대부분 X선사진에서 작은 뼛조각만 발견된다. 이 뼛조각은
관절 바깥에 있으므로 관절쥐(joint mice ; 관절의 윤활주머니 속에 있는 섬유성 혹은
연골성 유리뼛조각)와는 구별된다.

이러한 상태로 장기간 야구를 하면 안쪽곁인대에 만성손상이 생긴다.

① 와인드업기   ② 코킹기   ③ 가속기   ④ 팔로스루기

그림 3-6 　투구동작의 분석

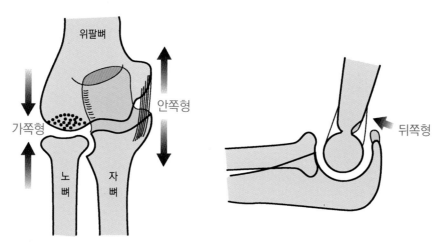

안쪽형 야구팔꿈치 : 안쪽관절융기의 파열, 안쪽곁인대의 손상 및 견인에 의한 손상
가쪽형 야구팔꿈치 : 분리성뼈연골염, 관절내유리체 압박에 의한 상해
뒤쪽형 야구팔꿈치 : 팔꿈치뼈돌기 및 팔꿈치오목뼈돌기 압박에 의한 상해

그림 3-7 　야구팔꿈치의 병태

▣ 가쪽형 야구팔꿈치

가쪽형 야구팔꿈치로 알려진 것은 발육기에 생기는 박리뼈연골염(osteochondritis dissecans, 이단성골연골염)이다. 위팔뼈작은머리(capitulum of humerus)와 노뼈머리(head of radius)의 물리적인 압박력이 가장 중요한 발생원인이다.

발육기에는 가끔 X선화상에 위팔뼈작은머리의 이상이 보이는데, 방치하면 더욱 진행이 되어 관절쥐라는 관절 속 유리뼛조각이 생긴다. 이때에는 적출수술이 필요하다.

▣ 뒤쪽형 야구팔꿈치

투수에게서 자주 볼 수 있는 상해로, 공이 손에서 떠난 후(팔꿈치를 펼 때)에 팔꿈치 뒤쪽에 통증이 생긴다. 원인은 위팔뼈의 팔꿈치머리(olecranon)와 자뼈의 팔꿈치머리에 뼈돌기(bony spur)가 생겨 그것이 투구 시에 충돌하기 때문이다. 경우에 따라 작은 뼛조각이 관절쥐가 되는 경우도 있다. 보통은 수술로 절제하거나 적출한다.

◑ 테니스팔꿈치

테니스팔꿈치는 위팔뼈의 안쪽 및 가쪽의 근육닿는곳에 생기는 염증이다. 보통은 재활치료로 완치된다.

▣ 가쪽형 테니스팔꿈치

손목을 손등쪽으로 굽히는 근육군, 특히 긴·짧은노쪽손목폄근(extensor carpi longus·brevis)은 팔꿈치 가쪽(위팔뼈 가쪽위관절융기)이 닿는 곳이다. 따라서 손목을 등쪽으로 굽히는 운동, 특히 라켓을 유지하고 백핸드로 타구할 때에는 팔꿈치 가쪽에 과도한 견인력이 걸린다. 그로 인해 가장 발생빈도가 높은 상해가 가쪽형 테니스팔꿈치이다.

▣ 안쪽형 테니스팔꿈치

손목을 손바닥쪽으로 굽히는 근육군이 닿는 곳은 팔꿈치 안쪽(위팔뼈안쪽위관절융기)이다. 따라서 손목을 손바닥쪽으로 굽히는 동작을 할 때 견인력이 안쪽에 작용하면 그 부위에 염증이 일어난다.

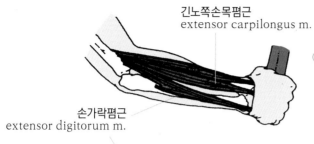

긴노쪽손목폄근
extensor carpilongus m.

손가락폄근
extensor digitorum m.

① 손목을 손바닥쪽으로 굽힌 상태에서 빠른 공을 맞아 강제적으로 손목이 더욱 손바닥쪽으로 굽혀져 아래팔폄근군이 강하게 늘어나 부담이 증대된다.

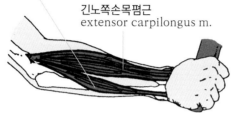

긴노쪽손목폄근
extensor carpilongus m.

② 펴진 아래팔폄근군이 급히 반전하여 단축성수축으로 변해 공을 치기 위해서는 부담이 과대해진다.

그림 3-8 가쪽형 테니스팔꿈치

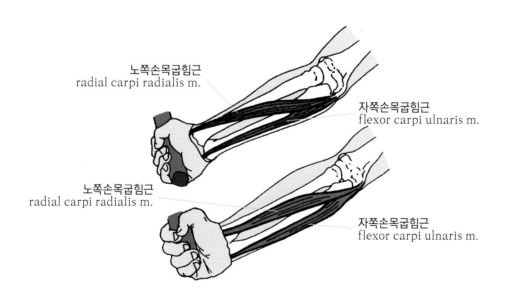

노쪽손목굽힘근
radial carpi radialis m.

자쪽손목굽힘근
flexor carpi ulnaris m.

노쪽손목굽힘근
radial carpi radialis m.

자쪽손목굽힘근
flexor carpi ulnaris m.

손목을 손등쪽으로 젖혀 손의 힘으로만 계속 치게 되면, 위팔뼈안쪽관절융기에 있는 굽힘근군 이는곳의 근육힘줄이음부와 힘줄에 미세단열이 생겨 팔꿈치의 안쪽과 굽힘근에 걸쳐 압통과 운동통이 나타난다.

그림 3-9 안쪽형 테니스팔꿈치

◖ 손가락탈구

손가락탈구는 공이나 용구가 손가락끝에 맞았을 때 일어나는 것으로, 병태가 반드시 일정하지 않다. 예를 들어 망치손가락(mallet finger)에는 끝마디뼈의 골절이나 폄근힘줄의 손상, 먼쪽손가락사이관절(distal interphalangeal joint)의 탈구 또는 아탈구 등이 포함된다.

먼쪽손가락사이관절의 등쪽탈구 시에는 먼쪽방향으로 견인하면 비교적 용이하게 정복된다. 그러나 망치손가락일 때 견인하면 동통이 증가하고 2차적인 손상이 가해질 수 있다. 따라서 명확히 진단되지 않는 한 쉽사리 견인을 해서는 안 된다.

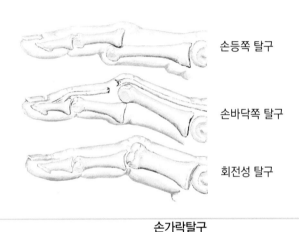

손등쪽 탈구

손바닥쪽 탈구

회전성 탈구

그림 3-10   손가락탈구

◖ 삼각섬유연골복합체상해

손관절자쪽의 손목뼈와 자뼈 사이에는 완충역할을 하는 삼각섬유연골복합체(TFCC : triangular fibrocartilage complex)가 있다. 여기에 상해가 발생하는 기전은 손관절 손등쪽굽힘 또는 강제엎침 때문인데, 골프 · 테니스 · 체조 · 야구선수에게서 자주 일어난다. 특히 아래팔을 돌리거나 자쪽으로 굽힐 때 통증을 호소한다.

병태에 따라 치료법이 다르므로 스포츠상해에 정통한 정형외과의사의 진단을 받는 것이 바람직하다.

◑ 손목뼈골절

손목뼈골절의 70%는 손배뼈골절(scaphoid fracture)이며, 스포츠에서 발생하는 모든 골절의 8%를 차지한다. 손배뼈골절은 진단이 어려울 뿐만 아니라 뼈가 붙기도 어려워 거짓관절증(pseudoarthrosis)을 남기기 쉽다.

넘어질 때 손을 짚으면 이 상해를 입기 쉽다. 손목뼈골절 시에는 손관절염좌로 진단하거나 초기에 증상이 가볍기 때문에 운동선수는 그대로 방치하는 경우가 많으므로 현장 트레이너의 주의를 요한다.

손관절염좌에서 통증이 오래 지속되거나 해부학적 코담배갑(anatomical snuff box, 그림 3-11)의 압통이 있으면 이 골절을 의심하여야 한다.

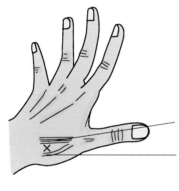

엄지를 힘차게 펴면 손관절 손등쪽의 긴엄지폄근힘줄집과 짧은엄지폄근힘줄 및 긴엄지벌림근힘줄로 둘러싸인 부위에 삼각형의 패임이 생기는데, 바로 그 깊은부위에는 손배뼈가 있다.

긴엄지폄근힘줄집
tendon sheath of extensor pollucis longus

짧은엄지폄근힘줄과 긴엄지벌림근힘줄
tendon of extensor pollicis brevis, tendon of abductor pollicis longus

그림 3-11   **해부학적 코담배갑**

◑ 드퀘르뱅힘줄윤활막염

손관절 등쪽에는 6개의 힘줄집(tendon sheath)이 나란히 있다. 이 중 긴엄지벌림근(abductor pollicis longus)과 짧은엄지폄근(extensor pollicis brevis)의 양쪽 힘줄이 포함된 제1구획에 발생하는 힘줄윤활막염(tenosynovitis)을 드퀘르뱅힘줄윤활막염(de Quervain's tensosynovitis)이다. 이것은 손관절을 많이 사용하는 운동종목에서 발생한다.

다리의 상해와 질환 〉 제 **4** 장

넙다리

◆▷ 넙다리의 구조

넙다리뼈(femur)는 인체에서 가장 길고 무거운 뼈이다. 넙다리뼈는 골반과 연결되어 엉덩관절(hip joint)을 구성하고, 정강뼈(tibia)와 연결되어 무릎관절(knee joint)을 구성한다.

넙다리의 근육은 앞면에 있는 폄근군(extensors), 안쪽에 있는 모음근군(adductors) 및 뒷면에 있는 굽힘근군(flexors)으로 나눌 수 있다.

폄근군은 넙다리곧은근(rectus femoris) · 안쪽넓은근(vastus medialis) · 가쪽넓은근(vastus lateralis) · 중간볼기근(gluteus medius)으로 이루어진 넙다리네갈래근(quadriceps femoris) 및 넙다리빗근(sartorius)이다.

모음근군은 얕은층에 있는 두덩근(pectineus) · 두덩정강근(Gracilis) · 긴모음근(adductor longus)과 중간층에 있는 짧은모음근(adductor brevis), 깊은층에 있는 큰모음근(adductor magnus) · 작은모음근(adductor minimus)으로 구성된다.

굽힘근군은 넙다리두갈래근(biceps femoris) 긴 · 짧은갈래(long · short head), 반힘줄모양근(semitendinosus), 반막모양근(semimembranosus)으로 이루어진다. 넙다

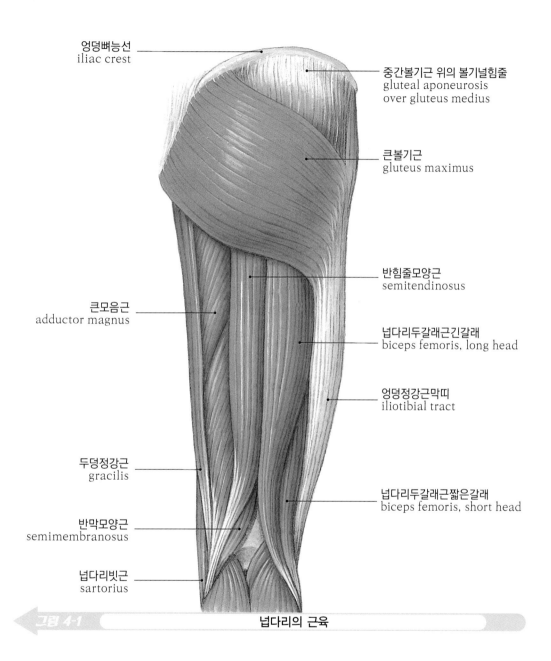

엉덩뼈능선
iliac crest

중간볼기근 위의 볼기널힘줄
gluteal aponeurosis
over gluteus medius

큰볼기근
gluteus maximus

반힘줄모양근
semitendinosus

큰모음근
adductor magnus

넙다리두갈래근긴갈래
biceps femoris, long head

엉덩정강근막띠
iliotibial tract

두덩정강근
gracilis

넙다리두갈래근짧은갈래
biceps femoris, short head

반막모양근
semimembranosus

넙다리빗근
sartorius

그림 4-1　　넙다리의 근육

리두갈래근과 반힘줄모양근, 반막모양근을 합쳐 햄스트링스(hamstrings)라고 한다.

이 외에 넙다리 가쪽에는 엉덩관절의 벌림운동이나 옆쪽의 안정성에 관여하는 중간볼기근(gluteus medius)과 넙다리근막긴장근(tensor fasciae latae)이 있다. 중간볼기근은 주로 엉덩관절을 편 자세에서 옆쪽안정성에 관여한다.

또, 넙다리근막긴장근은 엉덩관절을 약간 굽힌 자세에서 옆쪽안정성에 관여하고, 엉덩정강근막띠(iliotibial tract)가 되어 정강뼈에 닿는다. 이러한 근육군에는 넙다리곧은근과 햄스트링스로 대표되는 이관절근(2개의 관절에 걸쳐 있는 근육)이 많이 있다. 특히 넙다리곧은근과 햄스트링스는 무릎관절과 엉덩관절을 굽히고 펼 때 활동하는 이관절근이다.

넙다리의 상해와 질환

◑ 근육염좌

근육염좌(muscle sprain)란 근육이 파열된 것을 말하며, 달리기 · 점프 등의 스포츠활동에서 근육에 급격한 장력이 가해지거나 근육이 급격히 신장되어 근육의 일부에 어떠한 손상이 생긴 상태이다. 넙다리앞면에서는 넙다리네갈래근에서 많이 발생하고, 넙다리뒷면에서는 햄스트링스에 많이 발생한다.

넙다리네갈래근 근육염좌는 샅굴부위에서 넙다리 몸쪽까지 통증을 호소하는 경우가 많은 넙다리네갈래근 근육염좌와, 넙다리 가운데부분에 통증을 호소하는 경우가 많은 넙다리네갈래근 근육염좌로 나누어진다. 근육염좌의 재활치료에는 상해발생기전의 이해가 중요하며, 발증 시 아픈 근육의 수축형태와 길이를 이해하는 것이 필요하다.

▣ 상해발생기전

근육염좌의 발생원인은 유연성의 결여, 근력 및 근지구력의 저하, 협동근육군과의 동시활동부전, 불충분한 워밍업과 스트레칭으로 잘못된 달리기와 뛰기자세 등이다. 여기에서는 햄스트링스 근육염좌를 예로 들어 이관절근의 활동과 상해발생기전을 설명한다.

햄스트링스는 엉덩관절을 펴는 동시에 무릎관절을 굽히는 근육이다. 따라서 햄스트링스는 엉덩관절을 펴고 무릎관절을 굽힐 때는 구심성수축을 하고, 엉덩관절을 굽히고 무릎관절을 펼 때에는 그 제동역할인 원심성수축을 한다. 달리기와 점프 등의 스포츠활동에서는 엉덩관절과 무릎관절의 다양한 조합운동이 이루어지고, 급격한 수축이완이 반복된다. 즉 이관절근인 햄스트링스에는 무릎관절과 엉덩관절 양쪽에서 다른 수축양식을 강제하는 경우가 많이 있다.

또한 대시나 점프 시에는 앞쪽 또는 위쪽으로 강한 추진력을 필요로 하기 때문에 매우 강한 근력이 요구된다. 스포츠활동 중에 이관절근인 햄스트링스는 중추부분과 말초부분에서 다른 수축양식을 띠는 경우가 많고, 고강도의 근수축과 신장이 요구된다. 이러한 이관절근 특유의 활동양식과 함께 근육염좌 발생요인을 갖고 있으면 근육염좌가 자주 발생하게 된다.

▨ 재활치료

근육염좌 시의 재활치료에는 아픈 근육의 유연성 유지 내지 향상(스트레칭), 그리고 근력트레이닝이 중요하다. 스트레칭이나 근력유지 트레이닝은 손상된 근육섬유의 치유경과와 통증에 주의하면서 실시하여야 한다. 급성기에는 과도한 스트레칭이나 근력트레이닝을 피하고, 한랭요법을 주체로 한 가벼운 스트레칭을 실시한다. 급성기에 하는 과잉 스트레칭, 근육을 직접 압박하는 고강도의 마사지, 강한 부하의 근력트레이닝 등은 골화근육염(myositis ossificans)이나 근경축(muscular contracture)을 일으킬 수 있으므로 신중한 대응이 필요하다. 만성기에는 온열요법(핫팩, 초음파요법)이나 전기요법(저주파요법, SSP요법, 고전압요법)이 통증완화나 근수축능력의 개선에 효과가 있다. 만성기에는 통증에 주의하면서 스트레칭과 근력트레이닝을 실시한다. 근육염좌 시의 통증은 근육의 길이 변화에 의한 통증과 수축에 의한 통증으로 크게 나눌 수 있다(표 4-1).

근육염좌 시의 통증에서는 어떤 길이일 때 어떤 유형의 수축에 의해 통증이 생기는지를 이해하고, 통증이 나타나지 않도록 주의하면서 재활치료를 진행해나가야 한다. 경험적으로 근육염좌에서는 특정한 근육길이에서 특정한 수축양식에서만 통증이 생기는 경우가 많다. 통증이 발생하는 자세와 수축양식을 이해하고 그것을 피함으로써 통증을 동반하지 않는 적극적인 재활치료를 실시할 수 있다.

4-1 근육염좌 시의 통증

근길이의 변화에 의한 통증	단축통 : 근육의 이는곳과 닿는곳이 가까워짐으로써 생기는 통증
	신장통 : 근육의 이는곳과 닿는곳이 멀어짐으로써 생기는 통증 (견인통)
근수축에 의한 통증	안정 시 통증 : 근수축이 없는 상태에서 생기는 통증
	수축 시 통증 : 근수축에 기인하는 통증. 수축양식에 따라 3가지로 나눈다. ‣ 구심성수축에 의한 통증 ‣ 원심성수축에 의한 통증 ‣ 등척성수축에 의한 통증

◑ 넙다리네갈래근좌상

▣ 상해발생기전

넙다리네갈래근좌상(quadriceps femoris contusion)은 외력이 넙다리앞면에 직접 가해져 생긴다. 상해발생기전은 럭비, 미식축구, 축구에서의 태클 등 접촉 플레이나 상대의 무릎이 직접 넙다리앞면에 부딪쳐 일어나는 경우가 많다. 손상의 정도는 외력의 강도, 넙다리네갈래근의 수축상태, 넙다리네갈래근길이(무릎관절·고관절 각도) 등에 좌우된다. 가장 위중한 증상을 발생시키는 경우는 무릎관절을 편 자세에서 이완하고 있는 넙다리네갈래근에 매우 강한 외력이 가해졌을 때이다.

▣ 재활치료

넙다리네갈래근좌상일 때 급성기에 잘못 처치하면 골화근육염이나 근경축을 초래할 수 있으므로 급성기부터 특별히 신중한 대응이 필요하다. 근육염좌와 마찬가지로 급성기에는 과잉 스트레칭, 근육을 직접 압박하는 강한 마사지, 강한 부하의 근력트레이닝 등을 해서는 안 된다.

넙다리네갈래근좌상의 재활치료에서는 동통·종창의 경감과 넙다리네갈래근의 유연성유지와 향상이 중요하다.

급성기에는 종창을 줄이는 것이 중요하며, 물리요법과 가벼운 스트레칭이나 무릎관절을 가볍게 굽히는 운동이 효과가 있다. 물리요법으로서는 열감이 있을 때에는 한랭요법을 주로 하고, 열감이 사라지면 핫팩 등의 온열요법을 실시한다. 만성기에는 통증에 주의하면서 스트레칭과 근력트레이닝을 실시한다. 온열요법(핫팩, 초음파요법)이나 전기요법(저주파요법, SSP요법, 고전압요법)도 통증완화와 근육의 유연성유지 및 향상에 효과가 있다.

무릎관절

▶ 무릎관절의 구조

무릎관절(knee joint)은 넙다리뼈와 정강뼈로 구성된 정강넙다리관절(tibiofemoral joint)과 넙다리뼈와 무릎뼈로 구성된 무릎넙다리관절(patellofemoral joint)로 이루어져 있다. 정강뼈와 넙다리뼈의 관절면은 그 모양이 다르기 때문에 정강넙다리관절의 뼈 적합성은 매우 불안정하다. 이 때문에 안쪽반달(medial meniscus), 가쪽반달(lateral meniscus), 앞십자인대(anterior cruciate ligament), 뒤십자인대(posterior cruciate ligament), 안쪽곁인대(medial collateral ligament), 가쪽곁인대(lateral collateral ligament) 등이 정강넙다리관절의 기능을 보완하고 있다(그림 4-2).

2개의 반달은 정강뼈와 넙다리뼈 사이에 있으면서 완충작용과 무릎관절운동의 조절작용을 한다. 앞십자인대는 복잡한 섬유구조를 가지고 있으며, 무릎관절이 모든 각도로 움직일 때 긴장을 유지시킨다. 특히 앞십자인대는 종아리의 돌림을 제동할 때 효과적으로 기능한다. 뒤십자인대는 무릎관절을 굽힌 자세에서 긴장하고, 종아리의 뒤쪽움직임을 제동하는 기능이 있다.

안쪽곁인대는 무릎관절을 가쪽으로 돌리고, 종아리를 돌릴 때 가장 긴장하고, 가쪽곁인대는 무릎관절을 안쪽으로 돌릴 때 긴장한다. 무릎넙다리관절은 넙다리네갈래근-무릎뼈-무릎뼈인대-정강뼈로 이루어진 무릎폄기구를 이룬다. 무릎넙다리관절에서는 무릎의 굽힘각 증가와 넙다리네갈래근의 수축에 의해 무릎뼈가 넙다리뼈 사이로 밀려들어갈 때 상해가 발생하기 쉽다.

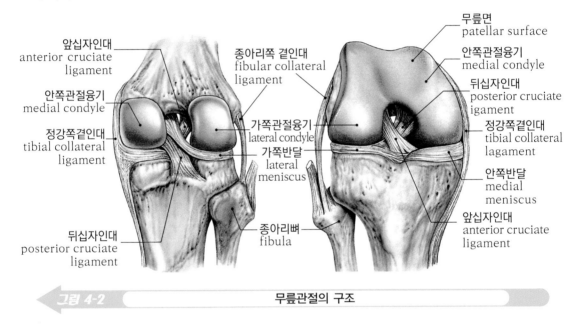

그림 4-2   무릎관절의 구조

➥ 무릎관절의 상해와 질환

◑ 엉덩정강근막띠증후군, 거위발윤활주머니염

■ 상해발생기전

엉덩정강근막띠증후군(iliotibial tract syndrome, 장견인대마찰증후군)과 거위발윤활주머니염(pes anserine bursitis, 아족염)은 과사용증후군의 일종이다. 다시 말해서 오래 동안 무릎관절에 견인력이 가해지면 거위발(pes anserinus)이나 엉덩정강근막띠의 연부조직에 염증이 일어나는 증상이다.

견인력의 발생원인은 무릎관절의 얼라인먼트이상에 의한 회선 스트레스를 첫째로 들수 있다. 종아리의 가쪽돌림(발끝이 바깥으로 향함)이나 안쪽돌림(발끝이 안쪽으로 향함), 또는 X다리나 O다리 상태에 의해 상대적으로 무릎관절에 스트레스가 가해진다. 거위발윤활주머니염의 원인이 되는 얼라인먼트이상은 무릎이 안을 향하고 발끝이 바깥을 향한 상태이고, 엉덩정강근막띠증후군의 원인이 되는 얼라인먼트이상은 거위발윤활주머니염과는 반대로 무릎이 바깥을 향하고 발끝이 안쪽을 향한 상태이다.

▣ 재활치료

급성기에는 환부에 한랭요법을 실시한다. 얼라인먼트이상의 원인은 발목관절 등쪽굽힘 가동범위 저하, 종아리세갈래근(triceps surae)의 근력저하, 엉덩관절의 안쪽돌림·가쪽돌림가동범위의 저하 등을 생각할 수 있으므로 무릎관절뿐만 아니라 인접관절에 대한 처치도 중요하다.

◗ 무릎뼈힘줄염

▣ 상해발생기전

무릎뼈힘줄염(patellar tendinitis, 슬개건염)은 점퍼무릎(jumper's knee)이라고도 하는 과사용증후군의 하나이다. 그것은 주로 넙다리네갈래근의 원심성수축을 자주 사용하는 동작, 예를 들면 점프경기의 도움닫기 시에 무릎힘줄(patellar tendon)에 큰 견인력이 여러 번 가해짐으로써 일어난다. 무릎뼈힘줄염에는 안쪽형과 가쪽형이 있고, 거위발윤활주머니염이나 엉덩정강근막띠증후군과 마찬가지로 무릎관절의 얼라인먼트에 영향을 받는다.

▣ 재활치료

급성기에는 환부에 대한 한랭요법이 효과가 있다. 동작 시의 중심이 항상 뒤쪽에 위치하는 경우에는 동작 시 종아리의 앞기울기가 불충분한 경우가 많다. 그 원인은 발목관절 등쪽굽힘 가동범위의 저하와 엄지발가락가쪽휨(hallux valgus, 무지외반), 편평족(flat foot) 등 때문이다. 이 경우에는 신발깔창을 사용하면 효과가 있으며, 만성기에는 무릎 힘줄을 압박하는 테이핑도 효과적이다.

무릎관절인대손상

상해발생기전

무릎관절인대손상은 선수끼리 부딪치거나 지면 등에 접촉하여 일어나는 접촉형과 접촉이 없는 정지동작에서 손상을 입는 비접촉형의 2종류가 있다. 앞십자인대는 주로 무릎관절이 강제로 돌려졌을 때 손상을 입는다. 즉 무릎을 비튼 상태에서 무릎의 가쪽 또는 안쪽에서 접촉되었을 때나 급격히 정지되었을 때 등 손상을 많이 입는다.

뒤십자인대는 주로 무릎관절의 뒤쪽으로 강제력이 발생되었을 때 손상을 입는다. 예를 들면 무릎을 지면이나 딱딱한 물체에 강하게 부딪쳤을 때 잘 발생한다. 안쪽곁인대는 돌림 및 가쪽굽힘 스트레스에 의해 상해를 입는다. 가쪽곁인대는 돌림 및 안쪽굽힘 스트레스에 의해 손상을 입는다. 이러한 각 인대는 단독으로 손상되는 경우도 있지만, 몇 개의 인대가 동시에 손상을 입는 경우도 있다(복합손상).

재활치료

무릎관절인대손상은 달리기 등의 동작을 바르게 수행하면 대부분 예방할 수 있다. 실제 치료는 손상의 정도와 부상기간 등을 고려하여 재활치료, 수술치료 중에서 하나를 선택한다. 재활치료에서는 손상인대의 치유과정과 근력이나 가동범위의 소견, 동작 시의 얼라인먼트를 고려하여 단계적으로 동작을 획득시켜가는 것이 중요하다.

무릎넙다리관절상해

상해발생기전

달리기, 점프, 댄스 등 하중부하가 큰 자세에서 무릎관절을 많이 굽히거나 펼 때, 수영의 윕킥과 같이 무릎에 가쪽굽힘 스트레스가 가해진 상태에서 굽히고 펴는 동작을 반복할 때 등의 경우에 자주 발생한다. 무릎넙다리관절상해의 발생에는 무릎뼈의 불안정성이 크게 관여하며, 무릎관절운동에 동반하는 무릎뼈의 기능이 과도하게 생기는 경우에 발생한다.

■ 재활치료

무릎넙다리관절상해의 재활치료는 통증에 대해 실시하는 것과 무릎뼈의 얼라인먼트이상에 대해 실시하는 것으로 나눌 수 있다.

무릎넙다리관절상해의 통증은 무릎연골에 기인하는 경우가 많다. 무릎연골의 통증에 대해서는 무릎연골의 얼라인먼트이상을 개선하기 위한 목적으로 가벼운 부하에 의한 자전거에르고미터타기나 초음파요법이 효과가 있다. 무릎뼈의 얼라인먼트이상에 대해서는 무릎뼈 가쪽편위를 억제하려는 목적으로 안쪽넓은근의 트레이닝이나 엉덩정강근막띠의 스트레칭이 효과가 있다.

종아리

⇒ 종아리의 구조

종아리근육은 앞면에 있는 폄근군과 바깥쪽에 있는 가쪽근육군, 그리고 뒷면에 있는 굽힘근군으로 나눌 수 있다.

▶ 폄근군은 어느 쪽이나 종아리뼈 또는 종아리뼈사이막(crural interosseous membrane)에서 일어나 다리의 뼈에 닿는다. 폄근군의 지배신경은 모두 깊은종아리신경(deep peroneal nerve)이다.

▶ 가쪽근육군은 종아리뼈에서 일어나 발허리뼈(metatarsal bone)에 닿는다. 가쪽근육군의 지배신경은 모두 표면종아리신경(superficial peroneal nerve)이다.

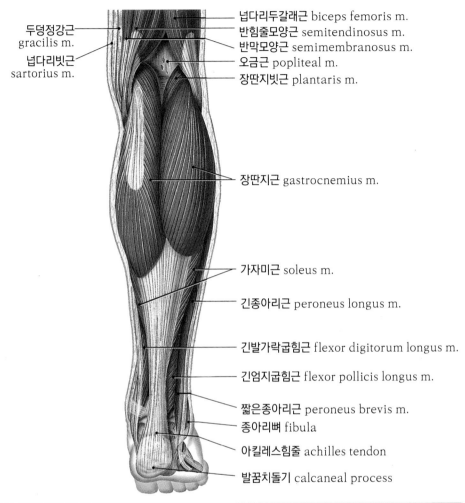

두덩정강근 gracilis m.
넙다리빗근 sartorius m.

넙다리두갈래근 biceps femoris m.
반힘줄모양근 semitendinosus m.
반막모양근 semimembranosus m.
오금근 popliteal m.
장딴지빗근 plantaris m.

장딴지근 gastrocnemius m.

가자미근 soleus m.
긴종아리근 peroneus longus m.
긴발가락굽힘근 flexor digitorum longus m.
긴엄지굽힘근 flexor pollicis longus m.
짧은종아리근 peroneus brevis m.
종아리뼈 fibula
아킬레스힘줄 achilles tendon
발꿈치돌기 calcaneal process

그림 4-3 종아리의 근육

▶ 굽힘근군은 표면층근육과 깊은층근육으로 나누어지는데, 표면층근육은 넙다리뼈에서 일어나 종아리뼈 또는 발꿈치뼈에 닿고, 깊은층근육은 종아리뼈나 종아리뼈사이막에서 일어나 발허리뼈 또는 발가락뼈에 닿는다. 굽힘근군은 모두 정강신경(tibial nerve)의 지배를 받는다.

종아리근막(crural fascia)은 종아리의 근육을 둘러싸지만, 정강뼈 안쪽면에서는 이것이 빠진다. 이 근막은 근육사이막을 만든다. 그 가운데 앞종아리근육사이막(anterior crural intermuscular septum)은 긴발가락폄근(extensor digitorum longus)과 긴 종아리근(peroneus longus) 사이에 있고, 뒤종아리근육사이막(posterior crural intermuscular septum)은 긴종아리근과 넙다리세갈래근(가자미근) 사이에 있어서 종 아리의 근육을 3군으로 나눈다. 또, 이 근막은 종아리 뒷면에서 표면층과 깊은층으로 나 누어지고, 넙다리세갈래근과 그 힘줄인 발꿈치힘줄(calcaneal tendon, 아킬레스힘줄)을 둘러싸고 있다.

더욱이 이 근막은 종아리 폄쪽의 가쪽복사(Lateral malleolus)와 안쪽복사(medial malleolus)의 윗부분에서 두꺼워지고, 위폄근지지띠(superior extensor retinaculum) 를 만든다. 또한 안쪽복사 및 가쪽복사에서 발등을 비스듬하게 넘어 발바닥의 양쪽 모서 리에 퍼져 아래폄근지지띠(inferior extensor retinaculum)를 만들어 종아리폄근의 힘 줄을 덮는다.

◆▷ 종아리의 상해와 질환

◑ 종아리골절

종아리골절(lower leg fracture)은 스키를 비롯한 여러 가지 스포츠종목에서 발생한 다. 현장에서 응급처치를 할 때에는 발목관절과 무릎관절을 고정시켜야 한다.

가볍게 넘어져서 다쳤을 경우에는 관절을 지지하는 재활요법이 좋지만, 크게 넘어져 서 정복이 어려운 경우에는 여러 가지 내고정수술(internal fixation)을 실시한다.

◑ 신스플린트

신스플린트(shin splint)는 얼마 동안 운동을 중단하였다가 다시 시작했거나 전혀 운 동을 하지 않다가 처음으로 운동을 시작한 사람에게서 자주 발생하는 상해이다.

종아리 가운데와 먼쪽 각 1/3의 안쪽경계부분을 중심으로 통증이 생긴다. 임상적으로 강한 압통이 있으면 얼음찜질 등으로 컨디셔닝을 실시하면서 스포츠활동을 계속하는 것이 좋다. 운동 시 통증이 진행되면 피로골절의 가능성도 있으므로 스포츠활동을 중단하고 전문의의 진단을 받도록 한다.

◑ 정강뼈피로골절

정강뼈(tibia)는 피로골절이 자주 발생하는 부위이다. 정강뼈의 피로골절(stress fracture)에는 질주형 피로골절과 도약형 피로골절의 2가지 형태가 있는데, 이들 각각의 특징을 이해하여 둘 필요가 있다(표 4-2).

4-2 종아리의 동통성 스포츠상해와 그 부위에 따른 감별

	근위 1/3	중앙 1/3	원위 1/3
앞쪽	정강뼈피로골절 (질주형)	정강뼈피로골절 (도약형)	
안쪽	정강뼈피로골절 (질주형)	← 신스플린트 → 구획증후군 (깊은층구획)	정강뼈피로골절 (질주형)
뒤쪽		종아리근염	아킬레스힘줄염
바깥쪽		구획증후군 (바깥쪽구획)	정강뼈피로골절

4-3 정강뼈피로골절의 2가지 형태

	질주형 피로골절	도약형 피로골절
빈도	많다.	비교적 적다.
원인이 되는 스포츠동작	달리기	점프
부위	정강뼈 부위	뼈몸통 중앙앞쪽
단순X선화상	거짓뼈 형성	뼈조직의 변화
완전골절	드물다.	흔하다.
수술요법	가능성이 있다.	필요한 경우가 많다. 예방적 수술도 할 수 있다.
예후	비교적 양호	매우 난치성

질주형 피로골절은 예후가 양호하고, 1~2개월 또는 적어도 3개월 정도 지나면 스포츠에 복귀할 수 있지만, 도약형 피로골절은 난치성으로 스포츠에 완전히 복귀하기 어렵다. 도약형 피로골절의 경우에 스포츠활동을 계속하면 완전골절의 위험성이 항상 존재한다. 경우에 따라서는 예방적 수술도 고려해야 한다.

◑ 종아리구획증후군

스포츠활동을 하면 종아리가 과도하게 사용되어 종아리에는 4가지 근육구획의 내압이 상승하는데, 이것을 종아리구획증후군(leg compartment syndrome)이라고 한다.

이것은 앞쪽구획에 가장 많이 발생하는데, 임상진단에는 앞정강근(tibialis anterior)의 등장성 수축 테스트와 등척성 수축 테스트가 많이 사용된다. 그러나 확정진단에는 부하 전후의 구획내압을 측정하고, 이상내압이나 이상패턴을 증명하여야 한다. 재활치료를 하여도 재발을 반복하면 근막절개술을 고려하여야 한다.

발

◆▷ 발의 구조

발은 7개의 발목뼈(tarsal bones), 5개의 발허리뼈(metatarsal bones), 14개의 발가락뼈(phalanges, toes)로 이루어져 있고, 이 이외에 종자뼈(sesamoid bones)가 있다(그림 4-4). 협의의 발목관절(talocrural joint, ankle joint)은 정강뼈(tibia)·종아리뼈(fibula)·목말뼈(talus)로 이루어져 있다. 목말밑관절(subtalar joint)은 목말뼈·발꿈치뼈(calcaneus)·발배뼈(navicular bone)로 이루어져 있다. 가로발목뼈관절(transverse

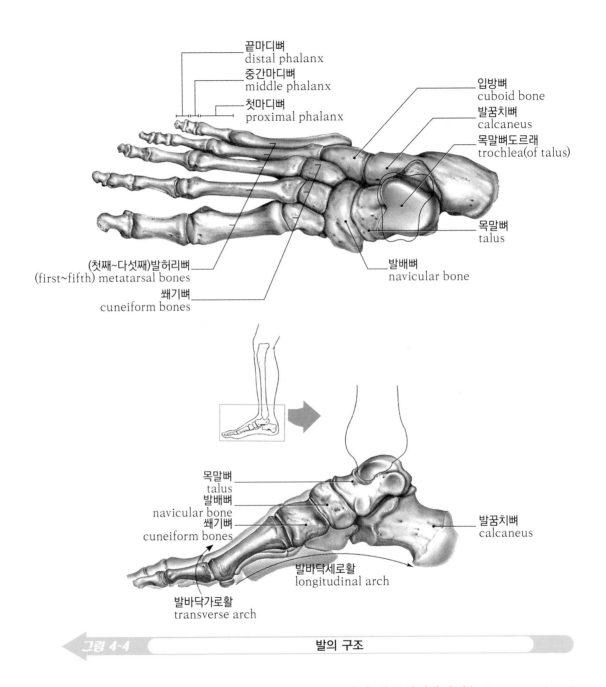

끝마디뼈
distal phalanx

중간마디뼈
middle phalanx

첫마디뼈
proximal phalanx

입방뼈
cuboid bone

발꿈치뼈
calcaneus

목말뼈도르래
trochlea(of talus)

목말뼈
talus

(첫째~다섯째)발허리뼈
(first~fifth) metatarsal bones

쐐기뼈
cuneiform bones

발배뼈
navicular bone

목말뼈
talus

발배뼈
navicular bone

쐐기뼈
cuneiform bones

발꿈치뼈
calcaneus

발바닥세로활
longitudinal arch

발바닥가로활
transverse arch

그림 4-4　　　　　　　　　　　발의 구조

tarsal joint)은 목말발배관절(talonavicular joint)과 발꿈치입방관절(calcaneocuboid joint)로 이루어져 있다. 발목발허리관절(tarsometatarsal joints)은 3개의 쐐기뼈 (cuneiform bone), 입방뼈(cuboid bone), 5개의 발허리뼈로 이루어져 있다. 또한 5

개의 발허리뼈와 5개의 첫마디뼈로 이루어진 발허리발가락관절(metatarsophalangeal joint)이 있다.

이렇게 발에서 많은 관절을 형성하는 각각의 뼈는 인대로 연결되어 있다.

발목관절에는 정강뼈와 종아리뼈를 연결하는 앞정강종아리인대(anterior tibiofibular ligament) · 뒤정강종아리인대(posterior tibiofibular ligament), 안쪽에는 앞목말정강인대(anterior talotibial ligament), 정강발배인대(tibionavicular ligament), 정강발꿈치인대(tibiocalcaneal ligament), 뒤목말정강인대(posterior talotibial ligament)로 이루어진 세모인대(triangular ligament), 가쪽에는 앞목말종아리인대(anterior talofibular ligament), 발꿈치종아리인대(calcaneofibular ligament), 뒤목말종아리인대(posterior talofibular ligament)로 이루어진 가쪽인대가 있다.

목말밑관절에는 발목뼈굴(tarsal sinus) 전체에 걸친 뼈사이목말발꿈치인대(interosseous talocalcaneal ligament)가 있고, 발목뼈굴의 가쪽에는 가쪽목말발꿈치인대(lateral talocalcaneal ligament), 정강종아리인대(tibiofibular ligament)가 있다.

발목관절과 발의 근육으로는 종아리에서 발로 연결되는 외재근(extrinsic muscle)과 발에만 있는 발고유근이 있다.

발목관절과 발은 3가지 아치구조로 되어 있다. 이들 아치는 스프링 역할을 하여 충격을 흡수하고, 보행을 부드럽게 한다.

▶ 가로아치 : 첫째~셋째쐐기뼈, 입방뼈에 의한 발허리아치와 첫째~다섯째발허리뼈에 의한 앞발아치가 있다. 전자는 긴종아리근(peroneus longus)이 관여하고, 후자는 엄지모음근(adductor hallucis)이 아치형성에 관여한다.

▶ 세로안쪽아치 : 발꿈치뼈, 종아리뼈, 발배뼈, 첫째쐐기뼈, 첫째발허리뼈에 의해 형성된다. 뒤정강근, 앞정강근, 긴엄지굽힘근, 긴발가락굽힘근, 엄지벌림근이 아치형성에 관여한다.

▶ 세로가쪽아치 : 발꿈치뼈, 입방뼈, 다섯째발허리뼈에 의해 형성된다. 긴 · 짧은종아리근이 아치형성에 관여한다.

발목관절 및 발의 상해와 질환

발목관절염좌, 인대손상

이것은 스포츠상해의 대표격으로 가장 자주 경험하는 외상이다. 대부분이 안쪽번짐염좌인데, 이때 앞목말종아리인대와 발꿈치종아리인대가 주로 손상된다. 중증도에 따라 1도(인대의 불완전손상), 2도(인대의 부분단열), 3도(인대의 완전단열)의 3가지로 분류된다. 3도의 경우 지금까지는 수술치료를 하였지만, 최근에는 재활치료를 통해서도 좋은 성과를 얻을 수 있다.

통증이 없는 범위에서 발목관절을 발바닥쪽으로 굽혔다 젖히는 운동을 초기부터 적극적으로 실시한다. 다만 재발되지 않도록 하기 위해 테이핑이나 보장구를 사용한다.

스포츠현장에서는 발목관절염좌 후의 통증이 장기화되는 경우도 적지 않다. 보통 상해발생 후 6주 이상 경과하여도 통증이 사라지지 않으면 여러 가지 가능성을 염두에 두고 그 원인을 찾아보는 것이 필요하다.

아킬레스힘줄파열

아킬레스힘줄파열은 자체의 변성이 진행되는 중·노년기에 많이 발생하는데, 젊은 운동선수에서도 발생한다. 스포츠종목에서는 테니스·검도·배드민턴 등에서 많이 발생한다.

스포츠현장에서 아킬레스힘줄파열이 의심되면 선수를 엎드리게 하고, 무릎을 90° 굽혀서 종아리세갈래근을 잡는다(squeeze test, 그림 4-5). 파열되었으면 발끝이 전혀 움직이지 않거나 조금만 움직인다. 파열되지 않았으면 잡을 때마다 발끝이 움직인다. 파열이 의심되는 경우에는 병원으로 후송한다.

최근 들어 깁스와 보장구에 의한 고정술만으로 치료를 하고 있으며 반드시 수술을 해야 하는 것은 아니다.

 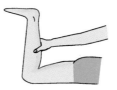

정상 : 발끝이 위로 향한다.   파열 : 발부위가 수평이 된다.

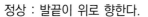

그림 4-5   아킬레스힘줄파열의 진단을 위한 squeeze test

스퀴즈(squeeze)는 강하게 쥔다는 의미인데, 스퀴즈테스트는 엎드린 자세에서 종아리 근육을 쥐는 것이다. 정상이라면 발가락끝이 움직인다. 파열이 되었다면 전혀 움직이지 않는다. 이 기술은 Thompson 테스트, Simmons 테스트라고도 부른다.

◗ 아킬레스힘줄염, 아킬레스힘줄주위염

이것은 장거리달리기선수에게서 자주 발견되는 상해이다. 달릴 때 아킬레스힘줄에 통증을 발생시킨다. 보통 부종이 일어나며, 압통도 있다. 아킬레스힘줄 그 자체의 염증이나 주위의 염증은 임상적으로 구별하기가 어렵다. 또한 아킬레스힘줄주위의 윤활주머니(아킬레스힘줄 피부밑주머니와 발꿈치뼈주머니)의 염증에도 주의해야 한다.

아킬레스힘줄염이나 아킬레스힘줄주위염이 발생하면 운동량을 낮추고, 얼음찜질이나 스트레칭, 깔창을 처방한다. 난치성인 경우 국소에 주사를 놓는다.

제 **4** 편

신체계통별 질환과 운동

심장혈관계통질환과 운동

고혈압

혈압이란

심장은 안정시에는 1분간 60~80회 수축과 확장을 반복하면서 심실에서 혈액을 동맥으로 내보낸다. 이때 혈액이 동맥벽을 누르는 힘을 혈압(blood pressure)이라고 한다. 심장은 수축과 확장을 반복하기 때문에 혈액은 박동으로 인해 동맥 속을 흘러간다. 즉 심장이 수축될 때에는 혈류가 많아져서 동맥벽을 누르는 힘(혈압)이 커지고, 확장될 때에는 혈류가 적어져 혈압도 낮아진다.

동맥 속에 가는 튜브를 넣어 혈압을 직접 측정해보면 그림 1-1과 같은 동맥의 압력곡선(실선)이 나타난다. 심장의 수축기에 혈압은 최고가 되며, 확장기에는 최저로 된다. 이것을 각각 수축기혈압, 확장기혈압이라고 한다.

그림 1-1에서 점선은 심실압력곡선이다. 심실압은 심장수축기에는 동맥압과 같지만, 확장기에는 거의 제로까지 저하된다. 그러나 동맥압은 확장기에도 약간 저하할 뿐 제로가 되지는 않는다. 그 이유는 동맥은 탄력성이 있는 관이므로 혈압이 높은 수축기에 동맥벽이 펴지고, 혈압이 낮아지는 확장기에는 동맥벽이 수축하여 혈압이 급격이 떨어지는 것을 방지하고 있기 때문이다. 이 메커니즘은 그림 1-2에 나타냈다.

혈압은 심장에서 1분간 구출되는 혈액의 양(심박출량이라고 한다)과 혈액이 말초조직을 흐를 때 혈관저항(총말초혈관저항)의 2가지 인자에 의해 결정되며, 다음 식으로 표시된다.

$$혈압 = 심박출량 \times 총말초혈관저항$$

즉 심장에서 내보내는 혈액량이 많을수록, 또한 말초혈관저항이 클수록 혈압은 높아진다.

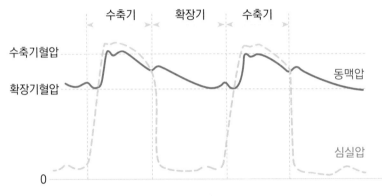

그림 1-1   **동맥압(실선)과 심실압(점선)**

◆▷ 고혈압의 판정

고혈압은 혈압이 정상 이상으로 상승한 상태를 말한다. 그러나 혈압은 일일변동(오후에는 높고 야간에는 낮다)이나 계절변동(봄부터 여름까지는 낮고, 가을부터 겨울까지는 높다) 외에도 연령·성·개인차 등 여러 가지 인자에 의해 변동하기 때문에 정상값과 이상값을 확실하게 구별하기가 쉽지 않다. 예를 들면 정상인 건강한 사람이라도 1일 24시간의 혈압치는 수십 mmHg 변동하며, 가정에서의 측정치는 병원에서의 측정치보다 낮은 값이 되기도 한다.

혈압은 인종·기후·환경·식생활 등에 따라 각각 다르며, 하루의 생활 중에서도 컨디션에 따라 수없이 달라지기 때문에 일정한 한계를 정할 수는 없다.

국제고혈압학회나 유럽고혈압학회에서는 혈압을 적정, 정상, 높은 정상, 제1단계 고혈압, 제2단계 고혈압, 제3단계 고혈압, 그리고 수축기고혈압으로 분류하고 있다. 여기에서의 적정혈압은 대한고혈압학회가 정의한 정상과 같고, 정상과 높은 정상은 대한고혈압학회가 정한 고혈압 전단계와 같다. 고혈압의 3단계는 수축기혈압이 160mmHg 이상이거나 확장기혈압이 110mmHg 이상인 경우로 정의하고 있다.

1-1   성인의 혈압분류

혈압분류	수축기혈압(mmHg)		확장기혈압(mmHg)
정상(narmal)	<120	그리고	<80
고혈압 전단계(prehypertension)	120~139	또는	80~89
제1기 고혈압(stage 1 hypertension)	140~159	또는	90~99
제2기 고혈압(stage 2 hypertension)	≥160	또는	≥100

▶▷ 고혈압의 원인

고혈압에는 원인이 불명확한 것(본태고혈압증이라고 한다)과 어떠한 질환이 있어서 그 질환이 원인이 되어 고혈압이 된 것(이차고혈압증이라고 한다)이 있다.

본태고혈압은 현대의학으로는 그 원인을 해명할 수 없는 고혈압증이다. 따라서 본태고혈압으로 진단하기 위해서는 고혈압증을 초래하는 모든 질환에 대해서 조사하고 그것들의 존재를 부정한 다음에 판단할 필요가 있다. 본태고혈압의 발생원인은 밝혀지지 않았다. 그러나 유전인자, 생활환경, 식습관 등이 큰 영향을 미친다고 볼 수 있다. 예를 들면 비만인이나 식염을 과다섭취하는 사람이 고혈압이 되기 쉽다는 것은 잘 알려진 사실이다.

이차고혈압증을 초래하는 주요질환은 콩팥질환, 내분비계통질환, 심장대동맥질환, 중추신경질환 등이다.

◆▷ 혈압측정법

혈압은 수은혈압계에 의한 측정이 표준적이다. 위팔에 압박대(manchette)를 감고 수축기압보다 높은 압을 걸어 동맥을 차단하고, 그다음 압박대의 압을 천천히 내려 팔꿈치 안쪽에 댄 청진기로 맥박음(korotkoff음)을 듣는다. 음이 들리기 시작할 때의 압이 수축기혈압, 들리지 않게 되었을 때의 압이 확장기혈압이다. 최근에는 가정용 혈압계나 손가락으로 재는 혈압계도 나와 있으나 수은혈압계보다 정밀도는 떨어진다.

한편 최근에는 24시간 낮이나 수면 중에도 13~30분 간격으로 혈압을 측정할 수 있는 연속측정장비도 시판되고 있어 일일혈압변동을 아는 데 유용한 수단이 되고 있다.

◆▷ 고혈압증의 운동요법

자각증상이 없는 가벼운 증상의 고혈압환자가 많다. 자각증상이 없기 때문에 치료가 어렵고, 방치하고 있는 사이에 중간강도부터 심각한 정도의 고혈압으로 이행해가기도 한다. 중간강도 이상의 고혈압환자에게는 혈압강하제 등의 약물요법이 사용되지만, 최근 경증고혈압환자에게는 운동요법이 유효하다는 것이 밝혀졌다.

혈압은 운동에 의해 일시적으로 상승한다. 그러나 약한 강도의 적당한 운동으로는 혈압상승은 적으며, 매일 지속적으로 운동을 하면 혈압이 저하된다고 알려져 있다. 적당한 강도의 운동은 그 사람의 최대산소섭취량(VO_2max)의 50% 정도이다. 구체적으로는 50대 남성 고혈압환자의 경우 맥박이 100박/min 정도 되는 운동을 1일 1시간 격일로 하거나, 같은 강도의 운동을 매일 30분 하는 것이 좋다.

운동요법은 적절히 하면 혈압을 떨어뜨리는 효과가 있지만, 부적절한 과도한 운동은 효과가 없을 뿐만 아니라 극단적인 혈압상승을 일으킬 수 있기 때문에 위험하다. 운동 중 돌연사 등 생각지 못한 사고를 피하기 위해서라도 사전에 반드시 순환계통을 중심으로 검사(심전도, 심에코 등)를 받은 다음, 적절한 강도의 운동을 실시하는 것이 중요하다.

▶ 운동의 효과와 그 메커니즘

운동에 의한 혈압강하의 메커니즘에 관해서는 최근 왕성하게 연구되어 많은 성과가 보고되었다. 그 결과 효과발현의 메커니즘은 여러 방면에 걸쳐 매우 복잡하다는 것이 밝혀지고 있다. 여러 방면에 걸쳐 있다는 것은 아직 해명되지 않은 부분이 있기 때문이기도 하지만, 본태고혈압은 하나의 병인에 의한 것이 아니라 복합요인의 질환이라는 것을 반영하고 있다고도 볼 수 있다.

혈압저하를 가져오는 요인은 혈행역학적으로 보면 ① 심박출량의 감소, ② 총말초혈관 저항의 저하, ③ 심장혈관계통의 탄력성증대 중 하나의 요인 또는 여러 요인의 조합이다.

이러한 3요소에는 다음과 같은 생리학적·병리학적 요인이 그 배경이 되고 있다.

◑ 교감신경의 긴장저하

운동에 의한 혈압강하의 메커니즘으로서 우선 들 수 있는 것이 교감신경계통 긴장의 저하이다. 트레이닝은 안정시 교감신경 긴장을 저하시키고, 나아가 혈장카테콜아민 농도를 저하시킨다. 이 때문에 말초혈관저항이 감소하고, 동시에 심박수와 심장근육수축성도 저하하기 때문에 심박출량이 감소하게 된다. 또한 말초혈관저항이 감소하고 심박출량이 감소하면 혈압이 저하된다.

◑ 체지방의 감소

비만인은 혈압이 상승하기 쉬우며, 반대로 비만을 해소하면 상승되었던 혈압이 원래대로 돌아가는 것을 기대할 수 있다. 이러한 점에서 보면, 운동에 의해 혈압이 저하되는 원인은 체지방의 감소에 있을 가능성이 있다. 실제로 트레이닝을 하면 체지방이 감소하고 혈압은 저하되는 경우가 많다. 그중에는 운동에 의해 체중이 감소하여도 혈압이 저하하지 않는 예와 체중은 감소하지 않지만 혈압이 저하되는 예도 있고, 비만해소와 혈압저하 사이의 인과관계에 의문을 품는 학자도 있다. 이 점에 관련하여 인슐린농도의 저하가 논의되고 있다.

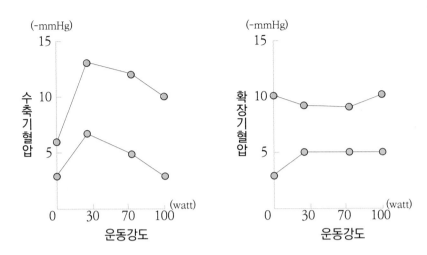

트레이닝에 의해 얻어진 점증부하테스트 시의 혈압저하도를 나타낸다.
인슐린농도가 높은 그룹(◎)이 낮은 그룹(◎)보다 운동의 효과가 현저하다.

그림 1-2   **혈압에 대한 트레이닝효과-인슐린농도의 관계**

Krotkiewski, M. et al.(1979). Effects of long-term physical training on body fat, metabolism and blood pressure in obesity. *Metabolism*, 28.

    Krotkiewski에 의하면, 첫인슐린농도가 높았던 사람은 운동에 의해 혈압이 확실히 저하되지만, 인슐린농도가 낮았던 사람은 운동의 효과가 별로 없었다고 한다(그림 1-2). 즉 비활동적이고 혈압이 높은 비만인은 혈장인슐린농도가 높고, 고인슐린혈증은 교감신경활동을 높이며, 콩팥에서의 나트륨재흡수를 촉진시킴으로써 혈장량을 증가시킨다는 것이다. 교감신경활동의 항진이나 혈장량의 증가 모두 혈압을 높이는 작용을 한다. 운동을 하면 혈장인슐린농도가 저하되므로, 위에서 말한 반대의 과정에 의해 혈압이 저하된다고 생각할 수 있다.

◗ 순환혈장량의 감소

    지구력 트레이닝을 실시하면 순환혈장량이 감소하는 경우가 있다. 혈장량이 감소하면 심실의 부하가 저하되고, Starling의 법칙에 따라 심박출량이 감소한다. 심박출량의 감소는 수축기혈압을 저하시킨다. 따라서 운동에 의한 혈압강하작용에 혈장량의 감소가 어느 정도 공헌한다는 가능성이 있다. 그러나 혈장량은 트레이닝에 의해 증가한다는 보고도 있고, 가벼운 운동에서는 증가하지만 강한 운동에서는 감소할 수도 있으므로 검토의 여지가 있다고 하겠다.

◗ 압반사의 억제

지구력 운동에 의한 트레이닝은 고압의 압반사를 억제한다. Bedford 등에 의하면, 이것은 목동맥팽대(carotid sinus, 경동맥동) 등을 매개로 하는 압반사의 교감신경성분의 응답이 억제되기 때문이다. 그 결과 저혈압에 대한 혈압상승반응이 약해지므로 혈압조절의 설정값이 낮아지고, 안정시혈압이 저하된다.

운동선수 중에는 체위변화(누운 자세에서 일어섰을 때 등)나 원심력부하에 대한 저항성이 약하기 때문에 저혈압을 일으키기 쉬운 사람도 있다. 이것도 지구력스포츠에 의해서 압반사기능이 억제되는 하나의 요인이다.

◗ 동맥의 탄력성증대

운동을 하면 동맥의 탄력성이 증대하여 잘 확장될 수 있다. 대동맥의 맥파전파속도는 운동에 의해 저하되지만, 이것은 대동맥의 탄력성이 증대되었다는 것을 의미한다. 대동맥의 탄력성이 증대하면 Windkessel효과에 의해 혈압(특히 수축기혈압)이 저하된다.

또한 지구력운동을 하면 말초동맥의 속공간은 매우 확대되지만, 속공간벽의 두께에는 그다지 변화가 없기 때문에 벽두께/안지름의 비율은 감소하고, 그 결과 탄력성은 증대한다. 이것도 혈압을 저하시키는 작용을 한다.

◗ 체액성요인의 관여

체액성요인도 혈압에 관련된다. 그중 가장 유력한 것이 운동에 의한 레닌-안지오텐신계의 혈압상승작용에 대한 억제효과이다. 나트륨과 칼슘 등의 혈장무기질이나 혈장량이 운동에 의해 변화하는 것이 혈압에 대한 운동의 효과와 관련하여 여러 가지가 알려져 있다. 또한 혈압상승물질에서도 프로스타클란딘 E가 혈중에서 증가한다는 보고도 있다.

◑ 체력의 강화

운동 시의 혈압상승은 그 사람의 체력을 기준으로 한 상대적 운동강도에 비례하는 경향이 있다. 따라서 트레이닝으로 체력을 강화하면 어떤 특정한 운동의 상대강도는 낮아지므로, 그 운동을 했을 때의 혈압은 트레이닝 전보다 낮아진다. 예를 들면 일정한 무게의 물건을 들어올릴 때나 기침 또는 배변을 할 때의 혈압상승이 트레이닝에 의해 경감되는 것처럼 트레이닝은 일상생활에서 혈압이 극단적으로 상승하는 것을 방지하는 역할도 한다.

그림 1-3은 운동에 의한 혈압강하의 메커니즘을 정리한 것이다.

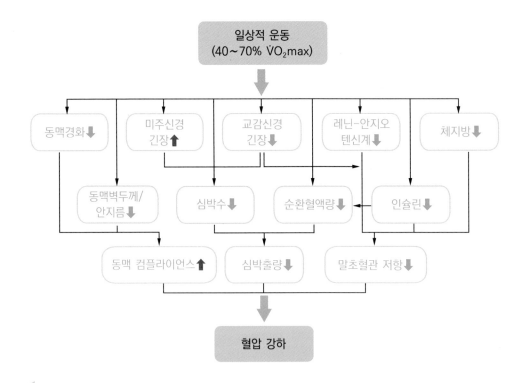

그림 1-3　일상운동에 의한 혈압강하의 메커니즘

부정맥

부정맥이란

심장의 수축은 오른쪽끝에 있는 굴심방결절(sinus node, 동결절)에 심장의 기전력이 생기면, 그 전기적 흥분이 굴심방결절→심방(결절간경로)→방실결절(atrioventricular node)→히스다발→오른방실다발갈래 및 왼방실다발갈래→푸르킨예섬유(Purkinje fiber)→심실근육으로 이어지는 자극전도계(그림 1-4)를 따라 일어난다.

부정맥(irregular pulse, 불규칙맥박)이란 자극전도계이상에 의해 심박수가 정상심박수(60~100/min)보다 빨라지거나 느려지거나, 혹은 규칙적인 심박리듬이 무너지는 것을 말한다. 부정맥을 나타내는 기초질환은 허혈심장질환(ischemic heart disease)·심장근육증(heart muscle disease)·심장근육염(heart muscle phlegmasia)·심장판막염(cardiovalvulitis)·선천심장질환(congenital heart disease) 등이다. 심장 이외에서 부정맥을 나타내는 기초질환은 전해질불균형(electrolyte imbalance)·갑상샘기능이상과 같은 내분비계통질환, 미주신경(부교감신경)긴장, 탈수, 체온이상 등이다.

부정맥의 분류

부정맥이 혈행동태에 미치는 영향은 빠른부정맥 및 느린부정맥의 2가지로 분류할 수 있다. 빠르거나 느린부정맥에서 순환동태의 문제점을 표 1-2에 나타냈다.

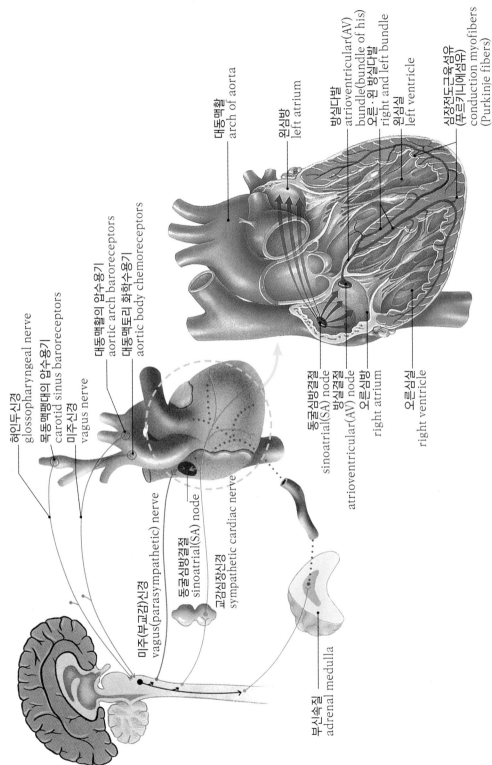

그림 1-4 심장의 자극전도계

혀인두신경
glossopharyngeal nerve

목동맥팽대의 압수용기
carotid sinus baroreceptors

미주신경
vagus nerve

대동맥활의 압수용기
aortic arch baroreceptors

대동맥토리 화학수용기
aortic body chemoreceptors

미주(부교감)신경
vagus(parasympathetic) nerve

동굴심방결절
sinoatrial(SA) node

교감심장신경
sympathetic cardiac nerve

부신속질
adrenal medulla

대동맥활
arch of aorta

왼심방
left atrium

방실다발
atrioventricular(AV)
bundle(bundle of his)
오른·왼 방실다발
right and left bundle

왼심실
left ventricle

심장전도근육섬유
(푸르키니에섬유)
conduction myofibers
(Purkinje fibers)

동굴심방결절(SA) node
sinoatrial(SA) node

방실결절
atrioventricular(AV) node

오른심방
right atrium

오른심실
right ventricle

1-2 빠른부정맥과 느린부정맥의 문제점

빠른부정맥(tachyarrhythmia, 빈맥성부정맥)	느린부정맥(bradyarrhythmia, 서맥성부정맥)
▸ 확장기 시간의 단축에 의해 심실혈액충만량이 줄고, 심박출량이 저하된다. ▸ 확장기 시간의 단축에 의해 심장동맥혈류량이 저하되어 심장근육 허혈상태가 된다. ▸ 심박수 증가로 심장근육의 산소소비량이 증가되어 심장근육이 피로해진다.	▸ 심박수 저하로 심박출량이 저하된다. ▸ 확장기 시간의 연장에 의해 심실 안의 잔류혈액량이 증가하고 왼심실의 확장기압이 상승한다.

◑ 빠른부정맥

▣ 굴빠른맥(sinus tachycardia, 동성빈맥)

굴심방결절의 자극빈도가 어떤 원인에 의해 100/min 이상이 되는 경우이다. 일반적으로 운동 시나 흥분했을 때에 나타난다.

▣ 발작성심실위빠른맥(paroxysmal supraventricular tachycardia, 발작성상심실빈맥)

심박수가 갑자기 150~250/min로 증가하여 일정기간이 지속된 후 갑자기 정상으로 복귀하는 것이 특징이다. 원인은 ① 자극전도계 이외의 덧전도로(accessory pathway, 부전도로)를 거쳐 전기적 흥분이 선회를 반복하는 상태(reentry라고 부른다), ② 심방의 자발성(automaticity, 자동능)이상에 의한 상태 등이다.

▣ 심방잔떨림(atrial fibrillation, 심방세동)

심방의 각 부위가 무질서하게 흥분하여 빨라져서(300 이상/min의 빈도) 불규칙적인 리듬을 형성하는 상태이다. 심방은 전체적으로 수축하지 않고, 심실수축도 불규칙하여 규칙성을 읽을 수 없는 절대성부정맥의 형태를 취한다.

▣ 심방된떨림(atrial flutter, 심방조동)

심방이 250~350/min의 빈도로 율동적으로 흥분하여 박동하는 상태이다. 심방 안의 전기적 흥분의 선회에 의해 발생한다는 설이 많다.

▣ 주기외수축(extrasystole, 기외수축)

심장이 정상리듬으로 박동하고 있을 때 예상되는 타이밍보다도 조기에 일어나는 것을 주기외수축이라고 부른다. 이것은 굴심방결절 이외의 딴곳(ectopic, 이소성)자극이 발생

① 굴빠른맥

② 발작성심실위빠른맥

③ 심방잔떨림

④ 심방된떨림

⑤ 주기외수축(심실위)   주기외수축(심실)

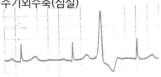
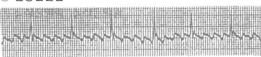

⑥ 심실빠른맥

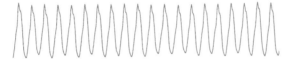

⑦ 심실잔떨림   심실된떨림

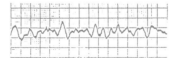
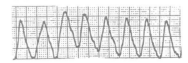

그림 1-5   빠른부정맥의 심전도

하여 심장이 수축하는 것이다. 딴곳자극의 발생부위에 의해 심실위와 심실로 나뉜다. 단한 번뿐인 주기외수축은 혈행동태에는 거의 영향은 미치지 않는다.

▣ 심실빠른맥(ventricular tachycardia, 심실성빈맥)

심실주기외수축이 연속해서 일어나고 있는 상태이다. 지속되면 심박수는 100~150/min가 된다. 치료가 늦어지면 심실잔떨림으로 이행할 가능성이 있는 위험한 부정맥이다.

▣ 심실잔떨림(ventricular fibrillation), 심실된떨림(ventricular flutter)

심실잔떨림(심실세동)은 심실근육이 무질서하게 혹은 매우 빠르게 전기적으로 흥분한 상태이다. 주기성은 전혀 없으며, 심장 전체로 보면 유효한 수축은 아니다. 심실잔떨림 출현 후 3~5초간 지속되면 의식이 없어지며, 나아가 3분 이상 지속되면 뇌기능은 회복되지 않는다. 일반적으로 치사성부정맥(mortality arrhythmia)이라고 한다. 한편 심실된떨림은 심실잔떨림과 혈행동태적으로 마찬가지라고 볼 수 있다.

◑ 느린부정맥

▣ 굴느린맥(sinus bradycardia, 동성서맥)

굴심방결절에서 자극생성빈도가 60/min 이하가 되기 때문에 생기는 느린맥이다.

▣ 방실차단(auriculoventricular block, 방실블럭)

심방의 흥분에 의해 심실전도가 장애를 입은 상태를 말한다. 방실 사이의 전도장애 정도에 따라 크게 다음의 3가지로 분류된다.

▨ 1도방실차단

방실전도시간이 일정한 길이로 연장된 상태인데, 이때 심방의 흥분은 모든 심실로 전달된다. 혈행동태에 영향을 미치지 않으므로 치료할 필요는 없다.

▨ 2도방실차단

방실전도가 때때로 단절될 정도의 차단으로, 2가지 유형으로 나뉜다.

▶ Wenckebach형 : 방실전도시간이 서서히 연장되어 심실수축이 탈락하는 상태

▶ Mobitz형 : 방실전도시간은 연장되지 않고 갑자기 심실수축이 탈락하는 상태

▨ **3도방실차단**

완전방실차단이라고도 하며, 방실 간의 전도가 완전히 단절된 상태를 말한다. 즉 심방 흥분과 심실흥분은 전혀 관계없이 출현한다. 고도의 느린맥이 되어 실신발작(Adams-Stokes syndrome이라고 부른다)을 일으키기도 하며, 심실잔떨림과 마찬가지로 치사성부정맥이다.

▣ **굴기능부전증후군**

단독의 느린부정맥이 아니라, 굴심방결절이상에 의해 현저한 굴느린맥(동성서맥), 굴(동)정지 혹은 굴심방차단(sinoatrial block), 느린맥빠른맥증후군(빠른맥심실위부정맥을 합병한다) 느린맥 등의 3가지 병태를 말한다.

➡▷ 운동선수의 부정맥

운동선수에게서 부정맥이 발견되면 그것이 운동·트레이닝에 의해 생긴 생리적 변화인지, 운동과는 관계없는 병적 변화인지를 감별해야 한다. 이를 위해서는 운동선수에게 어떤 유형의 생리적 부정맥이 많은지를 알아야 한다. 운동선수는 일반인보다 느린부정맥의 발생빈도가 높다. 운동선수는 트레이닝의 영향으로 미주신경긴장과 교감신경억제가 생기는데, 이 때문에 운동선수에게 느린부정맥이 많다. 또한 조기흥분증후군(주로 발작성심실위빠른맥) 및 심방잔떨림의 발생빈도는 일반인과 마찬가지로 운동선수에게 특이성은 없는 것으로 나타났다.

➡▷ 스포츠현장에서 부정맥의 처치

스포츠 중 돌연사의 원인은 어떤 종류의 중증부정맥인 경우가 많다. 따라서 스포츠 중에 부정맥을 의심할 수 있는 증상(실신, 어지러움, 휘청거리는 느낌, 두근거림, 가슴통

증 등)을 나타낸 운동선수는 신속히 스포츠를 중지시키고 주의깊게 관찰해야 한다. 나아가 중증감을 나타내거나 안정해도 증상이 지속되면 의사의 진찰을 받게 한다. 또, 그러한 상태가 되지 않더라도 증상이 있는 선수에게는 장시간 연속기록심전도(홀터심전도), 운동부하심전도, 심에코검사 등을 실시하여 기질성심장질환의 유무나 앞으로의 스포츠 참가 가능 여부에 대해 판정할 필요가 있다.

허혈심장질환

➡️ 심장근육허혈이란

심장으로부터 박출된 혈액량의 약 5%(안정 시에는 250ml/min)는 심장동맥(그림 1-6)을 거쳐 심장 자신에게 공급되는데, 이것을 관류(perfusion, 관혈류)라고 한다. 본래 건강한 심장은 심장근육에서의 산소수요와 관류에 의한 산소공급이 밸런스를 유지한다. 예를 들면 운동 시는 심장근육의 산소수요증가에 따라 관류는 안정 시의 4~5배까지 증가할 수 있다. 그러나 이 밸런스가 무너지면 심장근육허혈(myocardial ischemia)이 발생한다. 산소공급감소에 의한 경우에는 심장동맥경화가 주요한 원인이 된다.

심장동맥경화란 동맥의 벽이 병적으로 굳어지거나 부어올라 탄력성을 잃어버린 상태이다. 나아가 굳어버린 지질, 마크로퍼지, T림프구 등의 염증세포가 한 덩어리가 되어 얇은 섬유피막(fibrous capsule)으로 덮여 있는 플라크(plaque)가 점점 관류에 악영향을 미치기도 한다(그림 1-7). 이 동맥경화의 발생이나 진전에 영향을 미치는 것을 총칭하여 동맥경화위험인자라고 부른다. 대표적인 인자로는 고지질혈증, 고혈압, 흡연, 당뇨병, 비만 등이 있다. 또한 심장동맥이 일시적으로 이상수축하는 상태에 의한 기능적 협착이라도 심장근육허혈의 원인이 된다. 이 경우에는 자율신경이 관여되고 있으며, 특히

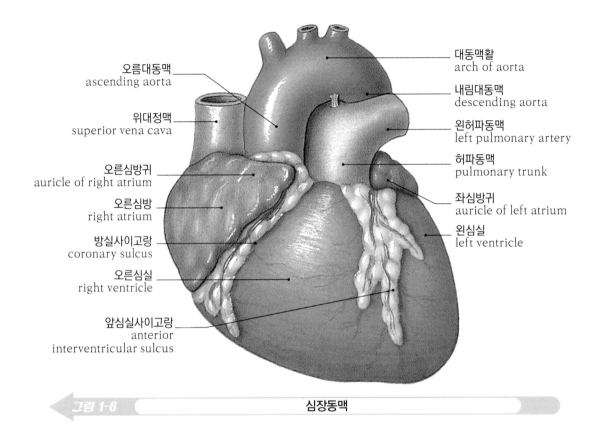

오름대동맥
ascending aorta

위대정맥
superior vena cava

오른심방귀
auricle of right atrium

오른심방
right atrium

방실사이고랑
coronary sulcus

오른심실
right ventricle

앞심실사이고랑
anterior
interventricular sulcus

대동맥활
arch of aorta

내림대동맥
descending aorta

왼허파동맥
left pulmonary artery

허파동맥
pulmonary trunk

좌심방귀
auricle of left atrium

왼심실
left ventricle

그림 1-6   심장동맥

자율신경의 밸런스가 무너지기 쉬운 이른 아침에 많이 나타난다.

한편 산소수요증가에 따른 심장근육허혈의 원인에는 격렬한 운동, 빈혈, 발열, 저혈압, 빠른부정맥, 갑상샘기능항진증 등이 있다. 실제로 허혈심장질환은 관류장애가 합병된 경우가 많다.

▶ 허혈심장질환

허혈심장질환(ischemic heart disease)이란 심장근육허혈이 일시적으로 회복된 후에 심장근육세포에 기질적 장애를 남기지 않는 협심증(angina)과 심장근육허혈이 지연되어 괴사된 심장근육세포가 생겨 기질적 장애가 남는 심장근육경색(cardiac infarction)을 총칭하는 말이다.

◑ 협심증

협심증이란 협심통증(angina pain)이라고 하는 특유의 가슴증상을 주로 하는 증후군이다. 협심통증의 대부분은 복장뼈(sternum, 흉골) 뒷면이나 앞가슴 전체에 퍼지는 압박감, 교액감(죄어드는 느낌), 폐색감(occlusion, 막힘) 등이다. 왼쪽어깨, 왼팔, 아래턱, 치아 등으로 방산하는 경우도 있다. 협심증은 증상을 주의 깊게 들어보면 협심증인지 아닌지를 판단할 수 있다. 협심통증 출현 시에는 특징적인 심전도변화(그림 1-8)를 읽기 위해 병원에서는 협심증의 진단에 심전도 소견도 중시한다.

협심증의 병태나 중증도는 다음과 같이 분류할 수 있다.

▣ 증상발생의 원인에 대한 분류

▶ 운동협심증 : 운동, 보행 등에 의해 유발된다. 심장동맥경화증상이 있는 경우가 많다.

▶ 안정시협심증 : 발생원인이 명확하지 않고, 안정 시에 출현한다. 심장동맥이 심하게 협착되어 있어서 안정 시에도 증상이 발생하는 중증인 경우와 심장동맥의 연축(spasm)에 의한 증상으로 나눌 수 있다.

▣ 증상의 경과에 의한 분류

▶ 안정협심증 : 일정한 운동 시에 협심통증을 보이고, 안정을 취하면 몇 분 사이에 가슴통증이 사라지거나, 그 상태가 지속되어 변화가 없다. 안정협심증에서는 심장동맥의 플라크는 비교적 안정되어 있다(그림 1-7).

▶ 불안정협심증 : 일반적으로 다음 3가지 징후 중에서 어떤 것이든 나타나면 불안정협심증(unstable angina)이라고 한다.

  ▶ 새로운 증상이 없었거나 6개월 이상 발작이 없었던 것이 재발한 운동협심증

  ▶ 발작빈도의 증가, 지속시간의 연장, 가벼운 운동에서 출현 등 중증화하는 운동협심증

  ▶ 신규(특히 48시간 이내)로 시작된 안정협심증

이 불안정협심증은 심장동맥의 플라크가 파탄되어 있는 경우가 많다(그림 1-7). 이는

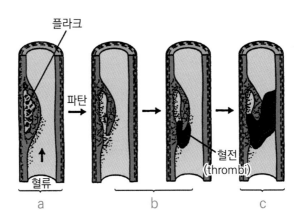

a : 플라크가 안정된 상태 : 안정협심증(stable angina), 운동협심증(effort angina)
b : 플라크파탄, 혈전부착에 의한 준완전폐색 : 불안정협심증(unstable angina)
c : 플라크파탄, 혈전부착에 의한 완전폐색 : 급성심장근육경색(acute cardiac infarction)

그림 1-7 　　　　　　　　　**심장동맥 속의 플라크변화에 따른 변화**

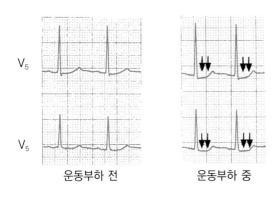

운동부하심전도에 의해 나타나는 운동협심증의 심전도 변화인데, 부하 전과 중의 심전도를 비교해보면 부하 중의 심전도는 ST부분(화살표)이 저하되어 있다.

그림 1-8 　　　　　　　　　**협심증의 심전도변화**

급사 또는 금성심장근육경색으로 이행할 위험성이 있기 때문에 적절한 치료를 필요로 한다.

◑ 심장근육경색

동맥경화에 의해 형성된 심장동맥의 플라크가 파탄되면 혈소판응집에 의해 혈전의 형성과 심장동맥의 연축이 합병되어 심장동맥이 막힌다(그림 1-7). 그 결과 심장동맥의 혈류가 단절되어 심장근육이 괴사하게 된다. 이러한 일련의 경과를 아울러 심장근육경색이라고 한다.

심장근육경색의 진단은 전형적 가슴증상, 심전도변화(표 1-3, 그림 1-9), 혈액생화학검사 등으로 이루어진다. 심장근육경색도 협심증과 마찬가지로 협심통증을 보이는데, 이때에는 보통의 협심증보다 통증이 심하고 지속시간도 길다(표 1-4). 심장근육경색의 약 40%는 병원에 가기 전에 사망한다. 사망원인의 대부분은 심장근육경색에 합병된 중증 부정맥이나 심장성쇼크(cardiogenic shock) 등이다. 따라서 심장근육경색이 의심되면 신속하게 병원으로 가는 것이 중요하다.

🔍 1-3 심장근육경색의 심전도변화

제1기	초급성기	1. 광폭의 T파가 높아짐 2. ST 상승 3. R파의 진폭이 낮아짐
제2기	심장근육경색이 완성되는 시기	1. 이상Q파 혹은 QS파 2. ST 상승 3. 역전되어 앞이 뾰족해진 T파
제3기	만성기	1. 이상Q파 혹은 QS파 2. 만성심장동맥부전이 동반되는 ST-T파의 변화

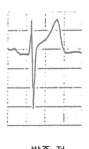
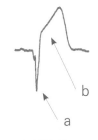

심장근육경색발증 후의 심전도에서 QS파(화살표 a)와 ST파(화살표 b)의 상승이 보인다.

발증 전　　　　　발증 후

그림 1-9　　　　　심장근육경색의 심전도변화

1-4 급성심장근육경색과 안정협심증의 감별법

증상	안정협심증	급성심장근육경색
발작지속시간	약 3~5분 길어야 15분 이내	30분 이상 몇 시간 지속되기도 한다.
통증의 강도	비교적 약함. 참을 수 있다.	보통 심함. 공포감이 동반된다.
안정 혹은 니트로글리세린 사용	보통 개선된다.	효과 없음. 개선되지 않는다.
욕지기(nausea, 오심) · 구토	드물다.	자주 나타난다.
식은땀 · 얼굴색 창백	드물다.	자주 나타난다.
호흡곤란	드물다.	자주 나타난다.
의식장애	대부분 나타나지 않는다.	나타난다.

▷ 운동선수의 허혈심장질환

스포츠 중 돌연사에서 허혈심장질환이 차지하는 비율은 전체적으로 약 20%이며, 40세 이상으로 한정하면 40%에 달한다는 보고가 있다. 경기인구의 차이도 있지만, 스포츠 종목으로는 달리기, 골프, 수영의 순으로 많다고 한다.

지구력운동이나 장시간에 걸친 스포츠에서 돌연사가 많이 발생하는 이유는 다음과 같다.

▶ 심박수 및 심박출량의 증가에 의한 심장동맥플라크의 물리적 스트레스

▶ 교감신경작동물질인 카테콜아민 분비증가에 의한 심장근육연축 및 혈전 형성

▶ 발한 · 탈수에 의한 혈액응고능력의 항진

한편 허혈심장질환이 있는 운동선수가 가진 인자는 중노년에서는 같은 세대의 일반인과 마찬가지로 심장동맥의 경화가 주체가 된다. 그러나 30세 이하의 젊은이들에서는 동맥경화는 적으며, 선천심장동맥기형이나 가와사키병에 의한 심장동맥류형성 등에 의한 심장혈류장애가 원인인 경우가 많다.

스포츠현장에서의 허혈심장질환

스포츠현장에서 운동 중에 나타나는 가슴증상은 허혈심장질환으로 판단하여 조속하게 대응해야 한다. 그러나 가장 중요한 것은 운동 전에 건강검진을 실시하여 허혈심장질환의 가능성을 파악하는 것이다. 나아가 선택할 스포츠의 강도를 알고, 그에 맞게 검사를 시행하는 것도 필요하다. 예를 들면 복싱·보트·스피드스케이트처럼 운동강도가 높은 종목에서는 문진이나 일반검사에 덧붙여 운동부하심전도나 심장초음파검사를 실시하여 확실하게 허혈심장질환의 유무를 확인할 필요가 있다.

허혈심장질환과 운동

심장근육경색에 좋은 운동은 심장근육산소수요의 감소, 심장근육산소공급능력의 개선, 심장근육경색의 여러 위험요소(비만, 고지질혈증, 고혈압, 스트레스 등)를 해소시킬 수 있는 운동이어야 하고, 동시에 안전성이 또 하나의 필요조건이다. 심장근육경색의 예방과 치료에 필요한 운동을 한마디로 말하면 '장기간에 걸친 중간강도의 유산소운동'이라고 할 수 있다.

특별한 건강상의 문제가 없는 사람이 심장근육경색의 예방을 목적으로 하여 운동을 할 때와 이미 심장발작을 경험한 사람이나 심장근육허혈의 소견을 갖고 있는 환자가 치료와 재발방지를 목적으로 운동을 할 때는 큰 차이가 있기 때문에 양쪽을 나누어 생각할 필요가 있다. 어떠한 경우라도 기본적으로는 개인의 신체조건에 따라 안전하고 효과 높은 운동을 수행해야 한다는 점은 공통적이지만, 환자의 경우에는 안전성에 특별한 배려가 필요하다.

◑ 운동종목

운동은 크게 유산소운동과 무산소운동으로 분류되며, 그 특징은 표 1-5와 같다. 여기

1-5 **유산소운동과 무산소운동의 특징**

항 목	유산소운동	무산소운동
산소소비	많 다	적 다
젖산축적	적 다	많 다
아시도시스(acidosis)	없 다	있 다
지속시간	길다(수분~수시간)	짧다(1~2분 이내)
에너지원	당과 지방	당
소비칼로리	많 다	적 다
심장부담	적당(용량부하)	강하다(압력부하)
유산소능력증강	대단히 효과 있음	효과 없음
무산소능력증강	효과 있음	대단히 효과 있음
심장예비능력개선 효과	대단히 효과 있음	효과 있음
심장근육경색에 대한 효과	대단히 효과 있음	효과 없음
비만에 대한 효과	대단히 효과 있음	효과 없음
당뇨병에 대한 효과	대단히 효과 있음	효과 있음
혈압저하	효과 있음	효과 없음
심박수저하	대단히 효과 있음	효과 있음
젖산내성	효과 있음	대단히 효과 있음

에서 알 수 있듯이 유산소운동은 심장근육경색의 예방과 치료에 필요한 요건을 대부분 갖고 있지만, 무산소운동은 반대로 대부분 갖고 있지 않다. 따라서 심장근육경색의 예방과 치료를 위해서는 유산소운동이어야 한다.

그러나 같은 유산소운동이라도 종류에 따라서 특징이 다르다. 보행·조깅·사이클 등(A그룹 운동)은 특별히 연습하지 않아도 누구라도 할 수 있고, 강도를 일정하게 유지하기도 쉬우며, 효율에 개인차가 적다는 특징이 있다. 속도(물리적 운동강도)를 정하면 에너지소비량(생리적 운동강도)이 결정되므로 신체에 가해지는 부담도의 조절이 용이하다. 이에 비해 수영·스키·스케이트(B그룹 운동)는 기술수준에 따라서 효율이 달라지므로 속도는 같아도 생리적 강도에 큰 차이가 생기며, 부담도의 조절도 어렵다. 또한 에어로빅스·테니스·구기종목(C그룹 운동)은 손쉽게 할 수 있는 점은 좋지만, 강도가 시간에 따라 변화하므로, 정상운동이 성립되기 어렵고 부담도의 조절이 어렵다는 문제가 있다.

따라서 A그룹 운동에서 시작하는 것이 안전하며, 신체가 운동에 익숙해지고 운동내성능력이 높아진 단계에 이른 다음에 B그룹이나 C그룹 운동을 고려하는 것이 좋다.

◑ 운동강도

건강한 사람에게 중요한 것은 어느 개인에게서 유일한 최적운동강도가 있는 것이 아니라 운동의 시간조건과 빈도조건의 조합에 따라 달라진다는 것이다. 따라서 운동처방의 원칙에 맞는다면 너무 작은 것에 구애받지 말고 탄력적으로 운용할 필요가 있다. 이에 비해 환자의 경우에는 중증일수록 안전한계와 유효한계가 근접해 있기 때문에 너무 탄력적으로 생각하면 위험하며, 적당한 운동강도를 설정한 후 그대로 실행하는 방침이 바람직하다.

▣ 건강한 사람의 운동강도

심장의 펌프기능과 최대산소섭취량 등의 향상을 목적으로 할 때에는 가벼운 운동으로는 효과가 적고, 50% 이상의 강도가 필요하다. 그러나 운동강도가 강할수록 심장에 가해지는 부담도 증대하고 위험성도 높아지기 때문에 안전성 확보를 위해서는 상한(上限)강도를 설정하는 것이 필수이다. 상한 강도의 설정 시에 고려해야 할 중요한 요건은 연령과 유산소능력이다.

최대산소섭취량을 기준으로 하여 무산소역치(AT : anaerobic threshold)를 상대강도(%)로 나타내면 운동선수에게서는 높은 경향이 있다. 특히 장거리선수는 70~80%까지 달하지만, 일반인은 50~60%이고 환자는 그 이하이다. 일반인의 경우 AT수준의 운동일 때의 심박수 및 수축기혈압은 각각 130~150박/분, 140~160mmHg의 범위 내에 있는 경우가 많다. 이것은 안정시수치(7~8)의 2~3배이며, 일반적으로 건강한 사람이 무리없이 견딜 수 있는 부하강도이다.

그러므로 AT수준의 운동은 중간강도라고 할 수 있고, 순환계통 등에 특별한 이상이 없는 사람에게서는 무리가 없고 안전성이 높은 강도이며, 적당한 운동강도라고 생각해도 좋다. 그러나 AT 이상 강도의 운동이 모두 부적당한 것은 아니다. 젊고 건강한 사람의 경우에는 AT 이상이더라도 매우 강한 운동이 아닌 이상 특별히 문제가 되지 않는다.

젊고 건강한 사람에 대한 운동한계의 지표로서 젖산축적개시점(OBLA : onset of blood lactate accumulation)이 이용된다. OBLA는 운동을 지속하여도 젖산의 생산과 소비가 균형이 잡혀 혈중젖산이 어느 수치 이상으로 축적되지 않는 운동강도를 말하며, 점증부하테스트에서 젖산이 $4mmol/\ell$ 가 되는 운동이다. 대부분의 사람에게서 OBLA는 $80\%VO_2max$의 강도에 해당한다.

이와 같이 심장의 펌프기능과 최대산소섭취량의 향상을 목표로 운동을 할 때에는 유효한계는 나이에 관계없이 현재의 최대산소섭취량의 약 50%이다. 이때 안전한계는 40세 미만의 젊은 사람은 80%, 40~50대는 70%, 60세 이상은 60%를 기준으로 삼는 것이 좋다.

▣ 환자의 운동강도

같은 환자라고 하더라도 매우 강한 운동이 가능하고 일상생활에 충분히 견딜 수 있는 사람부터 몸을 움직이면 병이 악화되는 사람까지 매우 다양하다. 따라서 운동처방을 할 때에는 환자의 병상태의 질과 양을 정확하게 파악하는 것이 건강한 사람의 경우보다 더욱 중요하다.

제1단계는 운동을 시작하기 전에 판단하는 것이다. 이때 표 1-6에 나타난 운동금기 기준에 해당하는 환자는 제외한다. 제2단계에서는 점증적 최대운동부하검사가 포함된 건강검진을 실시하고, 운동내성능력을 측정한다. 운동내성능력이란 완전탈진에 빠지기 직전의 운동강도를 가리킨다. 제3단계에서는 자각적 · 타각적으로 중요한 증상의 출현이 없이 안전하고 충분히 견딜 수 있는 강도로 운동요법을 시작한다.

환자에 대한 운동처방은 중증도에 따라 다음과 같은 형태를 취하는 것이 좋다.

▶ 입원환자 : 의료시설에서 1대1로 의사의 감시하에 매우 신중하게 운동요법을 실시한다.

▶ 외래환자 : 운동은 특정한 운동지도시설 등에서 자격이 있는 운동지도사의 지도와 감시하에 집단적으로 실시한다. 가정에서 개인적으로 운동을 할 때에는 정기적으로 통원하여 의사와 밀접하게 연락을 하는 것이 좋다.

▶ 스포츠참가 : 의사의 직접 지도를 받을 필요가 없어질 정도로 회복된 환자는 사회적인 운동시설 등에서 자격이 있는 운동지도사의 지도하에 매우 강한 운동이나 취미스포츠를 즐길 수 있다. 다만 마라톤경기와 같은 격렬한 경기에 참가하여서는 안 된다.

 1-6 운동프로그램 금기기준에 해당되는 환자

다음과 같은 조건이 있을 때에는 운동프로그램에 참가해서는 안 된다.
▸ 불안정협심증
▸ 안정 시의 수축기혈압이 200mmHg 이상이거나 확장기혈압이 100mmHg 이상일 때
▸ 기립 시 혈압저하가 20mmHg 이상
▸ 중간강도 내지 중증의 대동맥판 협착
▸ 급성의 전신질환과 발열
▸ 컨트롤되지 않는 부정맥
▸ 컨트롤되지 않는 120박 이상의 빠른맥박
▸ 컨트롤되지 않는 울혈심부전
▸ 3도의 방실블록
▸ 활동성 심장근육염증
▸ 최근의 색전증(embolism)
▸ 혈정성정맥염
▸ 안정 시의 ST저하(3mm 이상)
▸ 컨트롤되지 않는 당뇨병
▸ 운동에 지장이 있는 정형외과적 질환

◑ 운동시간

필요한 운동시간에는 여러 가지 조건이 영향을 미치지만, 특히 운동강도 · 빈도 · 신체조건 등에 따라 다르다. 일정한 효과를 올리기 위해서는 강도가 강할수록 단시간에 끝나

고, 일정강도이더라도 빈도가 많을수록 시간이 짧아진다. 또, 운동에 익숙지 않은 사람일수록 운동시간을 줄여야 한다.

환자는 낮은 강도와 짧은 시간에 할 수 있는 운동부터 운동 중과 운동 후의 심박수·심전도·자각증상·타각증상 등을 고려하면서 시간과 강도를 천천히 증가해가는 것이 원칙이다.

◑ 운동빈도

1시간에 1회의 운동으로는 충분한 효과를 얻을 수 없을 뿐만 아니라 신체가 운동에 익숙지 않기 때문에 오히려 사고를 당할 수도 있다. 매일 운동을 하면 효과는 높아지겠지만, 피로의 축적 때문에 사고가 날 수도 있다. 따라서 바람직한 빈도는 3~6회/주이다. 처음에는 격일로 운동을 하고, 익숙해질수록 빈도를 높여 5~6회/주를 목표로 하는 것이 일반적이다.

스포츠심장

장기간 격렬한 트레이닝을 지속해온 운동선수에게서 가끔 커다란 심장이 발견되는데, 이러한 심장을 스포츠심장(sport heart)라고 한다. 이것은 이미 오래 전부터 알려져 있었으나, Henschen이 1899년에 스키선수에게서 커다란 심장을 발견하고 생리적 적응의 결과 생겼다는 보고가 최초의 과학적 보고였다. 그 이후 약 1세기 동안 스포츠심장에 관한 연구는 착실히 진행되어 많은 지식이 축적되어 왔다.

스포츠심장의 생리학적·의학적 의미에 관하여는 다음과 같은 2가지 해석이 대립적으로 존재하고 있다.

▶ 스포츠심장은 운동에 의해 순환계통에 강한 자극이 반복적으로 가해진 결과 생긴 생리적 적응현상이고, 기능적으로 우수한 상태라는 견해이다. 다시 말해서 격렬한 스포츠를 과도하게 한 결과 생긴 것으로, 병리학적 과정의 시작이며 위험한 징조라는 생각으로 볼 수 있다.

▶ 일반적으로 임상의학에서 심비대는 판막증이나 고혈압증 등의 병으로 보는 경우가 많으므로 '심비대는 병'이라는 선입관이 있는데, 이것을 스포츠심장은 병이라고 생각하게 된 배경으로 볼 수 있다.

지금까지 스포츠심장의 의미에 관한 견해는 이러한 2가지로 대표되는 개념 사이에서 혼란스러웠지만, 점차 첫번째 해석이 널리 받아들여지게 되었다.

스포츠심장의 특징은 ① 심실의 비대와 확대, ② 느린맥박으로 대표되는 미주신경활동의 항진, ③ 탁월한 펌프기능, ④ 심전도이상 등의 4가지 점으로 요약된다. 이 중에서 ①, ②, ④는 병적 심비대에서도 보이는 증상이며, 스포츠심장 고유의 특징은 ③이다.

스포츠심장의 형태적 특징

Henschen은 타진법에 의해 심장의 크기를 판정했는데, 후에 X선검사가 보급되면서 스포츠심장의 형태학적 검사가 본격적으로 이루어졌다. 최근에는 심에코법이 도입되어 X선검사법에서 할 수 없는 심실과 중격의 벽두께·심실안지름 등의 계측이 가능해져 스포츠심장의 형태학적 특징에 관한 지식은 질적·양적으로 충실해졌다.

심실의 비대·확장의 의의

라플레이스(Laplace)의 정리

심실이 비대 또는 확장되면 어떤 장점과 단점이 있는가? 심실의 비대·확장의 의의를 이해하기 위해서는 라플레이스(Laplace)의 정리에 기반하여 생각하는 것이 좋다.

심실을 구형으로 간주하고 반지름을 R, 벽두께를 d라고 하면, 심실이 수축하여 내압을 P까지 올릴 때 심장근육조직에 작용하는 응력(T)은 다음과 같다.

$$T = \frac{P \times R}{2 \times d} \quad \cdots\cdots\cdots\text{①}$$

즉 응력은 내압과 반지름에 비례하고 벽두께에 반비례한다.

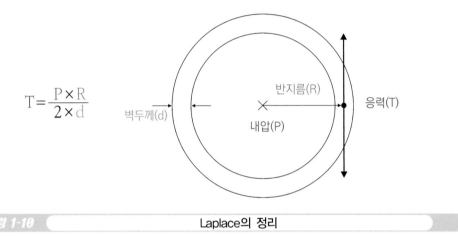

그림 1-10   Laplace의 정리

▣ 용량부하에 의한 스포츠심장

장거리달리기나 장거리수영 등의 동적운동 또는 지구력운동에서는 근육의 산소수요량이 많기 때문에 운동능력을 높이려면 산소공급능력을 크게 할 필요가 있다. 그리고 산소공급능력은 심박출능력에 크게 의존하고 있기 때문에 산소공급능력을 높이기 위해서는 심박출량을 늘리는 것이 중요하다. 심박출량(Q̇)은 심박수(HR)와 일회박출량(SV)의 곱이기 때문에 Q̇를 늘리기 위해서는 심박수 또는 일회박출량 중 하나를 늘려야 한다. 그러나 트레이닝을 하여도 최대심박수는 거의 증가하지 않기 때문에 결국 최대심박출량을 증가시키는 유일한 방법은 일회박출량을 늘리는 것이다.

$$\text{심박출량(Q)} = \text{1회박출량(SV)} \times \text{심박수(HR)} \quad \cdots\cdots\cdots\text{②}$$

그런데 동적운동에서는 팔다리근육의 리드미컬한 수축·이완에 의해 말초혈액을 심장방향으로 되돌리는 작용(근펌프작용)이 효과적으로 작동되어 정맥환류량이 많아지고, 확장기에 대량의 혈액이 심실에 유입되어 확장말기의 용량이 커진다. 이러한 상태를 심장에 '용량부하가 가해졌다'고 한다. 용량부하가 늘어나면 스탈링(Starling)의 원리에 의해 심장근육의 수축력이 높아지고 일회박출량이 증대하므로 결국 심박출량이 증대하고, 산소공급능력이 높아지게 된다. 따라서 동적운동에 대하여 심장이 심실안지름의 확대로 대응하는 것은 합리적인 현상이다.

Starling의 원리

확장기에 심실에 다량의 혈액이 유입되어 확장말기용량이 커지는 것이 용량부하의 증대이다. 용량부하가 증대하면(심장근육이 늘어난 상태), 심장근육의 수축력이 좋아지고 일회박출량이 커진다. 이 현상을 Starling의 원리라고 한다.

한편 식 ①에서 반지름(R)을 크게 하면 응력(T)도 높아진다. 응력이 현저히 상승하면 심장근육에 과도한 부담을 주므로 바람직하지 않다. 그렇지만 반지름을 늘리면서 벽두께(d)를 반지름의 증대와 동일한 비율로 두껍게 하면 반지름을 크게 하여도 응력의 상승을 방지할 수 있다. 달리기나 수영 등의 동적운동에 의해 생기는 스포츠심장에서는 심실안지름의 확장과 함께 가끔 심실벽의 비대를 볼 수 있다. 이러한 비대를 원심성비대라고 한다(그림 1-11). 이처럼 동적운동에 의해 생기는 원심성비대는 운동선수의 탁월한 지구성의 원천이자 매우 합리적이며 자연스러운 적응의 결과로 볼 수 있다.

▣ 압력부하에 의한 스포츠심장

역도와 같은 강한 정적운동에서는 근수축에 의해 국소의 말초혈관이 지속적으로 압박받아 혈관저항이 높아지고, 또 호흡을 멈춘 발살바동작(valsalva maneuver)을 하기 때문에 혈압이 비정상적으로 항진한다. 이 높은 혈압에 대응하여 혈액을 구출하려면 심실안의 압력도 높아져야 한다. 즉 식 ①에서 P를 매우 높여야 한다. 이때 심장에는 '압력부

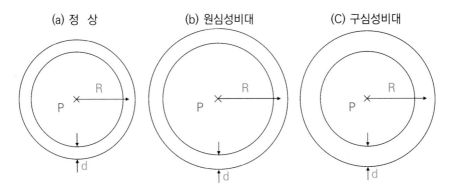

(a) 정 상　　　　　(b) 원심성비대　　　　　(C) 구심성비대

P : 내압, R : 반지름, d : 벽두께

(a) 정상심장
(b) 원심성비대 : 안지름이 확대되고, 그에 따른 벽두께가 비대된다.
(c) 구심성비대 : 안지름은 변화가 없거나 오히려 축소하고, 벽두께가 비대된다.

그림 1-11　　　　스포츠에 의한 심비대의 2가지 형태

하가 가해졌다'고 한다. 파워형 스포츠에서도 마찬가지로 심장에 압력부하가 가해진다. P가 높아지면 필연적으로 T(응력)도 높아진다. 응력이 비정상적인 상승을 하면 심장근육에는 무리한 부담이 되므로 바람직하지 않다. 그것을 방지하기 위해서는 반지름(R)을 축소하거나 벽두께(d)를 증가시켜야 한다.

정적운동을 많이 포함하고 있는 유도선수나 역도선수의 심장이 안지름의 크기에 비해 벽두께가 매우 비대한 이유가 여기에 있다. 이러한 비대를 구심성비대라고 한다.

벽두께/안지름의 비는 구심성비대에서는 증대하고, 원심성비대에서는 오히려 감소한다. 이 비율의 증가는 한편으로 심장근육수축 시의 내적 일량을 증대시키므로 심장의 효율을 저하시키고 심장근육의 산소수요를 높인다. 또한 벽두께/안지름의 비가 증가하면 심실의 탄력성을 저하시키므로 확장과정이 지연되고, 심박수가 많을 때에는 심실충만을 제한하여 펌프능력을 저하시키는 경향을 낳는다. 이 경향은 강한 운동에 의해 심박수가 증가했을 때 특히 현저하게 나타나므로, 이러한 심장을 가진 사람은 지구력이 약하여 강한 운동을 지속하기가 곤란하다. 정적운동 또는 파워형 운동종목의 선수가 일반적으로 지구력이 약한 원인이 여기에 있다.

이와 같이 용량부하가 가해지는 지구성운동에서는 원심성비대가 생기고, 압력부하가 가해지는 정적운동에서는 구심성비대가 생긴다. 심장질환이 있으면 심장에 매우 큰 부하가 가해지는 경우가 많다. 질환의 종류에 따라 용량부하가 강한 경우와 압력부하가 강한 경우가 있는데, 이를 정리하면 표 1-7과 같다.

 1-7 **심장에 가해지는 2종류의 부하**

	유산소운동	무산소운동
스포츠	장거리달리기 조깅 수영 사이클	역도 레슬링 근력트레이닝 유도
질 병	대동맥판폐쇄부전증 승모판폐쇄부전증 심실중격결손증	대동맥판협착증 대동맥협착증 고혈압

◐ 심비대의 메커니즘

운동에 의한 심비대의 메커니즘으로 들 수 있는 주된 요인은 다음의 2가지이다.

▣ 카테콜아민의 작용

중간강도 이상의 운동을 하면 교감신경의 긴장이 높아지고, 혈중카테콜아민이 증가한다. 특히 노아드레날린의 증가가 현저해진다. 이러한 것들이 증가하면 심장근육에서 단백질합성이 왕성해지고, 근육섬유가 비대해진다.

카테콜아민의 심장근육비대작용은 β 수용기를 매개로 하여 이루어진다고 생각되어왔지만, β 차단제를 투여하여 운동을 하여도 비대가 일어나는 경우가 있어서 이러한 생각이 의문시되었다. 심프슨(Simpson)은 비대의 정보는 카테콜아민의 α_1 수용기를 매개로 하여 전달된다고 하였다. 이에 비해 심장근육의 수축에는 β 와 α_1 의 양쪽 수용기가 관여하고 있다고 하였다.

▣ 심장의 기계적 자극

압력부하 또는 용량부하에 의해 심장에 가해지는 기계적 긴장이 단백질대사를 항진시킨다. 교감신경을 절제하거나 수용체를 약리학적으로 차단하여도 압력자극과 신전자극에 의해 비대가 일어난다.

⟶ 스포츠심장의 기능적 특징

스포츠심장의 특징은 형태적으로 크고 기능적으로 우수하다는 점에 있다. 그리고 기능적 특징은 느린맥박화와 펌프능력을 높인다는 점으로 요약된다.

◑ 느린맥박

운동선수의 안정시심박수는 일반적으로 낮은 경향이 있는데, 특히 지구력운동선수에게서는 그 경향이 강하다. 예를 들면 마라톤선수나 크로스컨트리스키선수는 50박/분 이하인 사람이 많고, 그중에서는 40박/분 이하인 사람도 발견된다. 트레이닝을 지속함에 따라 안정시심박수가 감소하는 것은 일상적으로 볼 수 있는 현상이다.

한편 일정 강도의 최대하운동 시의 심박수는 지구력운동선수는 낮고, 트레이닝을 함에 따라 낮아지는 경향이 있다. 이에 비해 최대심박수는 트레이닝의 영향을 잘 받지 않아서 운동선수도 일반인과 거의 차이가 없다.

$$심박예비 = 최대심박수 - 안정시심박수 \quad \cdots\cdots\cdots\cdots\cdots ③$$

$$\%심박예비 = \frac{운동시심박수 - 안정시심박수}{최대심박수 - 안정시심박수} \times 100 \cdots\cdots\cdots\cdots ④$$

최대심박수가 변하지 않고 안정시심박수가 저하되는 것은 심박예비(식 ③)의 증대, 즉 운동내성능력의 증대를 의미한다. 최대하운동 시 심박수의 저하는 %심박예비(식 ④)의 저하를 의미하는데, 이는 모두 일정 조건의 운동을 했을 때 심장부하도가 가벼워진다는 것을 의미한다. 이렇게 운동선수에게서 보이는 느린맥박은 운동에 대한 적응의 결과 생긴 심장펌프능력의 향상심을 의미하는 것으로 병적인 현상으로 생각할 수는 없다.

스포츠심장에서 볼 수 있는 느린맥박은 주로 확장기의 연장에 의해 일어나는 현상으로 수축기에는 별로 연장되지 않는다. 일반적으로 운동을 급하게 시작하면 심박수가 급하게 증가하기 시작하는데, 이때 확장기의 단축은 매우 신속히 일어나지만 수축기의 단축은 완만하게 일어난다. 수축기에 일어나는 심실안지름의 단축은 비교적 느리게 일어나고, 수축기의 시간을 대부분 여기에 쏟는다. 이에 비해 확장기에 일어나는 심실안지름의 확장은 급속하게 일어나고, 확장기 초기에 거의 종료된다. 그러므로 수축기에는 휴식시간이 없지만, 확장기의 대부분은 기능적으로 휴식상태에 있다고 할 수 있다. 그러므로 운동을 할 때 심박수를 급격히 증가시킬 필요가 있다면 확장기의 시간(휴식시간)을 희생시키면서 대응해야 한다.

따라서 스포츠심장에서 확장기가 길어짐으로써 운동개시 시의 심박수가 더 급격히 올라가는 것을 가능하게 하고, 이에 따라 운동 초기에 생기는 산소부족의 발생을 줄일 수 있다.

◑ 심장의 펌프기능

심장의 역할은 혈액의 박출, 즉 펌프기능이다. 일반인의 심장은 안정 시에 약 5ℓ/분의 혈액을 박출하고, 운동 시에는 최대 20~25ℓ/분 전후의 혈액을 박출한다. 이에 비해 운동선수의 심박출량은 안정 시에 약 4.5ℓ/분으로 오히려 적지만, 최대치는 커서 40ℓ/분에 달하는 사람도 있다. 심박출량은 산소운반능력 및 산소섭취량과 관계가 깊은데, 그 관계는 다음의 식으로 표시된다.

$$\dot{V}O_2 = \dot{Q} \cdot (Cao_2 - CVO_2) \quad \cdots\cdots\cdots\cdots\cdots ⑤$$

$\dot{V}O_2$: 산소섭취량(ℓ/분), $\dot{Q}$: 심박출량(ℓ/분)
Cao_2 : 동맥혈산소함유량(ℓ/ℓ), CVO_2 : 정맥혈산소함유량(ℓ/ℓ)

위 식의 괄호 안은 운동선수나 일반인 모두 차이가 없기 때문에 최대산소섭취량을 좌우하는 주요인자는 심박출량(Q)이 된다. 운동선수, 특히 지구력운동선수는 최대산소섭취량이 많고 지구력도 높은데, 이것은 일회박출량이 크기 때문에 최대심박출량이 크다는 사실에 의해 알 수 있다. 일반인과 운동선수의 실제 측정치를 비교해 보아도 운동선수의 우수한 심장의 펌프기능은 일회박출량의 증대에 의해 일어난다는 것을 알 수 있다.

지구력운동선수의 심장에서 볼 수 있는 일회박출량의 증대는 심실이 크다는 것이 주요 원인이지만, 그 외에도 심장의 탄력성이 크기 때문에 확장과정이 빠르기도 하다. 따라서 심실로 들어가는 혈액의 유입이 빠르다는 것, 심장근육의 수축성이 우수하기 때문에 심실의 구출분획(일회박출량/좌실확장말기용량)이 커지는 것 등이 관련되어 있다.

결국 지구력운동에 의해 생기는 원심성비대를 동반하는 스포츠심장은 일회박출량을 증대시킴으로써 높은 펌프능력을 발휘하게 된다. 이것이 인간의 지구적 활동능력의 원천인 유산소능력을 높이는 것과 연결된다고 할 수 있다.

이에 비해 역도 등 순발적인 힘을 많이 쓰는 스포츠에 의해 생기는 구심성비대형의 스포츠심장은 다음의 이유 때문에 구출분획이 커질 수 없다.

▶ 심실안지름이 비교적 작다.
▶ 심실벽의 비대 때문에 탄력성이 적고, 확장기의 심실충만에 시간이 걸리기 때문에 심박수가 많을 때에는 심실충만이 불충분하다.
▶ 수축 시에 심실벽안쪽에 조직압력이 현저히 높아진다.
　이 때문에 구심성비대형의 스포츠심장은 심박출량이 증대하지 않아서 유산소능력의 향상에 크게 공헌하지 못하게 된다.

➡️ 스포츠심장과 병적 심비대의 차이

고혈압증이나 심장판막증 등의 질환에서도 심장은 비대 또는 확장된다. 스포츠심장과 이러한 병적 심비대는 다음과 같은 점에서 차이가 난다.

◑ 형태적인 차이

동적운동에서는 용량부하가 심장에 가해지고, 정적운동에서는 압력부하가 심장에 가해진다. 어떠한 경우라도 부하는 심장의 한쪽에만 편향되어 가해지는 것이 아니라, 좌우에 모두 가해진다. 따라서 스포츠심장에서는 좌우 양쪽에 비대·확장현상이 일어나는 경우가 많다. 그러나 심장판막증이나 고혈압증은 병태생리에 따라 부하의 종류와 국재성이 다르기 때문에 비대가 심장의 일부에 편향되어 일어나는 경향이 있다.

스포츠심장은 중격과 자유벽이 거의 균등하게 비대하는 경향이 있는 데 반하여, 비대형 심장근육증에서는 중격과 자유벽의 비대에 불균등성이 보인다는 것이 특징이다. 미시적으로 보면 병적심비대에서는 심장근육세포의 두께와 배열이 고르지 못하고, 결합조직이 차지하는 면적의 비율이 많으며 심장근육의 변성이나 사이질의 섬유화가 현저하다.

한편 스포츠심장에서 볼 수 있는 비대는 그다지 현저한 것은 아니고, 안전한 비대의 역치인 500g(체중당 7.5g/kg)을 넘지 않는 경우가 대부분이다. 이에 비해 병에 의한 심비대에서는 현저히 커져서 600g 또는 700g 이상에 달하는 경우도 있다.

부하의 지속에 관하여 생각해 본다면, 스포츠에서는 부하가 가해지는 시간이 하루에 겨우 몇 시간에 불과하고 나머지 대부분의 시간은 혈압과 심박수가 일반인에 비해 오히려 낮고, 심장에 가해지는 부담은 오히려 가볍다. 이에 비해 병에 의한 심비대에서는 부하가 24시간 가해지고, 그것이 쉬는 날 없이 매일 지속된다. 이러한 것이 양쪽의 비대정도에 차이가 생기게 하는 원인이다.

◑ 기능적인 차이

스포츠심장과 병적 심비대의 본질적 차이는 기능에 있다. 병적 심비대는 대부분 펌프기능이 정상보다 떨어지고 예비력이 적다. 따라서 운동내성능력이 적고, 운동 후의 순환기능회복도 느리며, 운동부하에 의해 심전도나 증상이 악화되는 경우가 많다.

이에 비해 스포츠심장(특히 원심성심비대를 동반하는 경우)은 펌프기능이 정상 이상으로 높고, 예비력이 크고, 운동내성능력도 높으며, 회복도 빠르다. 또한 안정 시에 보이는 심전도이상소견이 운동부하에 의해 소실되는 경우도 많다. 다만 구심성심비대를 동반하는 스포츠심장은 기능적으로 우수하다고는 할 수 없다.

대부분의 스포츠심장에서는 확장말기의 용량이 크다. 이때에는 강한 수축력으로 구출하기 때문에 구출분획이 크며, 일회박출량이 크다. 병적 심비대에서는 확장말기의 용량은 크지만, 구출분획이 작고 일회박출량이 작다. 이때 최대심박수는 양쪽이 차이가 없기 때문에 일회박출량의 차이가 최대심박출량의 차이를 만드는데, 이것이 운동내성능력의 차이가 생기는 이유이다. 따라서 운동에 대한 순환계통의 대응은 양쪽의 감별에 유력

1-9 스포츠심장과 병적 심비대의 비교

	스포츠심장	병적 심비대
비대	원심성비대 또는 구심성비대이다. 경도~중간강도인 경우가 많고, 500g 이하이며, 고도비대는 드물다.	기초질환에 의해 특이한 비대패턴을 보인다. 병태에 따라서는 500 이상의 고도비대가 일어날 수 있다.
조직학적 소견	심장근육세포가 비교적 균일하고, 모세혈관이 많다.	심장근육세포가 불균일하고 배열의 혼란과 변성 등이 많다. 모세혈관이 반드시 많지 않다.
안정시심박수	적다	많다
일회박출량	많다	적다
최대박출량	많다	적다
구출분획	크다	작다
최대산소맥	크다	작다
심전도이상	대부분은 양성으로 운동에 의해 소실된다.	대부분은 악성으로 운동에 의해 악화되는 경향이 있다.
임상증상	없다	기초질환에 따라 여러 가지 증상을 동반한다.
운동내성능력	높다	낮다

한 수단을 제공하여준다. 예를 들면 라인델(Reindell, H.)은 최대산소맥이 정상 이상인지 이하인지에 따라 양쪽을 감별할 수 있다고 하였다. 표 1-9에 스포츠심장과 병에 의한 심비대의 차이를 정리하였다.

◗ 임상증상

병적 심비대에서는 기초질환의 종류에 따라 각각 특이적인 심잡음을 청취할 수 있는 경우가 많고, 병상태에 따라 호흡곤란 · 부종 · 시아노제 · 간부종 · 가슴통증 등의 증상을 동반하는 경우가 많다. 심장기능검사에서도 기초질환에 따라 질환특유의 병적소견을 보인다. 이에 비해 스포츠심장에서는 잡음이 거의 없다. 또한 스포츠심장은 병적 심비대와 달리 검사결과도 거의 정상이다.

이상과 같이 스포츠심장과 병적 심비대는 명백하게 구별할 수 있다. 그러나 운동선수 중에서 가끔 병적 심비대와 감별이 어려운 심장을 갖고 있는 사람도 있으므로, 기능검사 결과를 고려하여 사안별로 신중한 검토가 필요하다.

빈혈

➥ 빈혈이란

적혈구에 포함된 헤모글로빈(Hb : hemoglobin, 혈색소)의 양이 정상보다 감소한 상태를 빈혈(anemia)이라고 한다. 혈액이 순환하는 가장 중요한 목적은 영양소를 말초의 장기로 공급하고, 말초의 장기에서 생성되는 여러 노폐물을 콩팥이나 허파로 보내 배설시키는 데 있다. 그중에서 산소운반이 가장 중요한데, 이 산소운반을 담당하는 것이 적혈구이다. 적혈구에서는 헤모글로빈이 산소와 결합되어 산소를 말초의 장기로 운반하게 된다.

혈액이 허파를 순환하고 있는 사이에 헤모글로빈은 산소와 결합하여 산화헤모글로빈(oxyhemoglobin, $O_2 \cdot Hb$)이 된다. 혈액은 왼심실을 거쳐 여러 장기에 도달하고, 거기에서 헤모글로빈은 산소를 방출하여 장기나 조직에 산소를 공급한다. 산소를 방출한 환원헤모글로빈(reduced hemoglobin)은 심장을 거쳐 다시 허파로부터 산소를 섭취하고 장기나 조직에 산소를 보낸다. 즉 헤모글로빈의 역할은 허파에서 받아들인 산소를 인체의 여러 장기나 조직으로 운반하는 것이다(그림 1-12).

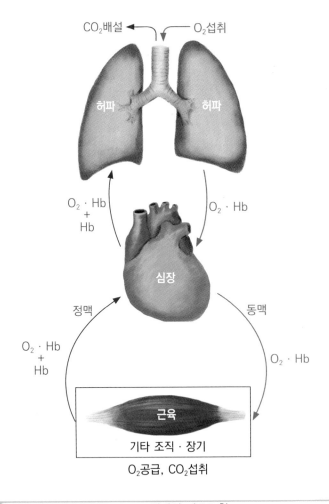

그림 1-12 체내의 가스교환

헤모글로빈의 감소에 의한 빈혈에서는 당연히 장기나 조직으로 운반되는 산소의 양이 감소한다. 헤모글로빈의 정상치는 사람에 따라 다르지만, 성인남자는 13~17g/dl이고, 성인여자는 12~15g/dl이다. WHO(세계보건기구)에서는 성인남자는 13g/dl 이하, 성인 여자는 12g/dl 이하, 소아 및 임산부는 11g/dl 이하를 빈혈이라고 정의하고 있다.

▷ 빈혈의 증상

빈혈의 일반적인 자각증상은 일어날 때 현기증, 어지러움, 두근거림(palpitation, 동계, 심계항진), 숨참, 쉽게 피곤해짐 등이다. 타각증상은 피부의 창백, 눈꺼풀의 빨간 부분이 얇아짐 등이다. 또, 운동을 하면 빈혈이 있는 사람은 건강한 사람보다 맥박이나 호흡이 빨라지기 쉽다.

운동선수의 경우에는 빈혈에 의해 경기력이 현저히 저하한다. 운동에는 에너지가 필요하며, 그 에너지가 발휘되려면 반드시 산소가 공급되어야 한다. 그러나 빈혈 때문에 산소공급이 충분하지 못하게 되면 지구력이나 경기능력이 저하하게 된다. 원인불명의 경기력저하 시에는 우선 빈혈유무를 검사해보아야 한다.

▷ 빈혈의 원인

빈혈의 원인에는 만성적인 출혈, 헤모글로빈 합성장애 등이 있다. 그러나 우리나라 사람의 빈혈원인 중에서 가장 많은 것은 철결핍빈혈(iron deficiency anemia)로, 운동선수의 빈혈도 대부분 이 빈혈이다. 헤모글로빈의 헴합성에는 철(Fe)이 필요한데, 인체에 철분이 부족하면 헤모글로빈이 감소하여 철결핍빈혈이 된다.

운동선수의 철결핍빈혈은 대부분 철분섭취량부족 때문에 발증한다. 이 이외에도 운동선수는 트레이닝이나 경기 중에 많은 땀을 흘리기 때문에 빈혈이 될 수도 있다. 이 땀에는 미량이지만 철분이 포함되어 있어서 땀을 많이 흘리면 철이 부족해질 수 있다. 따라서 운동선수는 일반인이라면 충분하다고 여겨질 철분을 섭취했더라도 부족할 수도 있다.

운동선수에게는 드물게 적혈구가 파괴되어 생기는 용혈빈혈(hemolytic anemia)도 있다. 대부분 발바닥에 강한 충격이 반복되는 경기, 예를 들면 장거리달리기ㆍ검도ㆍ배구ㆍ농구 등의 선수에게서 나타난다. 이것은 발바닥의 혈관에 가해진 충격이 적혈구 일부를 손상시켜 헤모글로빈이 혈구 밖으로 나와버리기 때문에 생기는 빈혈이다.

혈구 밖으로 나온 헤모글로빈은 합토글로빈(haptoglobin)과 결합하여 간에서 처리되는데, 일부가 소변에 섞여 배설되기도 한다. 이 경우에는 격렬한 운동을 한 다음에 일과성으로 암적색 소변을 배설한다(운동성혈색소혈증이라고 한다). 다만 대부분 증상이 없으며, 빈혈의 정도도 약하고, 특별한 처치를 요하지 않는다.

➠ 빈혈의 예방과 치료

빈혈예방의 첫 번째는 필요하면서도 충분한 식사의 섭취인데, 특히 철ㆍ비타민 Cㆍ단백질의 섭취가 중요하다. 운동선수의 철결핍빈혈의 예방에 필요한 일일철섭취량을 표 1-10에 나타냈다.

식이요법은 빈혈예방에는 유효하지만, 많은 육류를 장기간 섭취하지 않으면 치료효과가 없다. 따라서 철분제복용이 가장 효과적이다. 경구철분제를 1일 100mg 복용한다. 복용 후 1~2주 사이에 헤모글로빈치가 상승되며, 2~3개월 사이에 정상치로 회복된다.

 1-10 **철결핍빈혈 예방을 위한 식사**

단백질 : 20g/체중 1kg 당 이상
철분 : 25~30mg
비타민 C
      250mg : 트레이닝 시작 5~7일간 및 경기 전
      200mg : 경기 후 3~4일간
      150mg : 포화상태가 된 다음의 트레이닝기간

◆▷ 빈혈의 운동효과

트레이닝을 지속하면 적혈구의 파괴가 항진되지만, 조혈도 왕성해져서 적혈구수와 헤마토크리트치가 정상보다 약간 낮은 상태를 유지하게 된다. 이러한 상태에서는 적혈구의 순환율이 왕성하고, 그물적혈구(reticulocyte)도 많으며, 새로운 적혈구가 많이 생성된다. 적혈구가 오래되면 헤모글로빈과 산소의 친화성이 높아지고 해리곡선이 좌우로 이동하여 조직에서의 산소방출이 나빠져서 결과적으로 산소운반효율이 저하된다. 따라서 운동에 의해 적혈구가 교체된다는 것은 해리곡선의 변화로 생각해 본다면 산소운반에 좋은 영향을 주는 것이고, 건강상으로도 바람직하다.

고지에 체재하면 산소분압저하에 대한 적응으로서 조혈이 왕성해지고, 적혈구와 헤모글로빈이 증가한다. 거기에 운동을 가미하면 조혈작용은 더욱 왕성해진다. 빈혈환자는 고지에서의 운동은 적당하지 않기 때문에 운동을 함으로써 일시적으로 컨디션부조가 생길 수도 있다. 그러나 고지나 운동조건을 잘 연구하면 빈혈환자의 조혈작용을 높이고 빈혈을 개선할 수 있는 효과를 기대할 수도 있다.

출혈쇼크

◆▷ 출혈쇼크란

출혈쇼크(hemorrhagic shock)는 갑자기 많은 혈액이 손실되었을 때 나타나는 현상으로, 혈압이 급속히 저하되어 중요장기의 기능을 유지하기 위한 혈액순환이 충분하지 않은 상태, 즉 순환부전상태이다.

출혈쇼크의 증상과 원인

출혈쇼크는 기본적으로는 순환부전, 즉 저혈압에 의해 일어난다. 일반적으로 저혈압이란 수축기혈압이 90mmHg 이하를 말한다.

출혈쇼크의 증상

쇼크의 주요증상을 나타내는 영어의 머릿글자가 P이므로, 쇼크의 5P's라고 한다.

▶ Pallor(창백) : 피부, 점막(mucosa), 눈꺼풀결막(palpebral conjunctive, 안검결막) 등이 창백해지는 상태

▶ Prostration(허탈) : 전신의 무기력, 탈력상태

▶ Perspiration(땀남, 발한) : 팔다리먼쪽의 냉감각(cold sense)과 흥건하면서도 차가운 땀이 남

▶ Pulselessness(맥박촉지불능) : 맥박이 약하고 빠른맥, 혹은 전혀 맥박은 느낄 수 없는 상태

1-11 출혈쇼크에 의한 전신증상

출혈쇼크 중증도	출혈량 (㎖)	맥박수 (min)	수축기혈압 (mmHg)	소변량 (㎖/h)	증상
증상 없음	15%까지 (750 이하)	100 이하	정상	약간 감소 (40~50)	증상 없음, 불안감, 피부 냉감각
경증	15~30% (750~1,500)	100~120	80~90	감소 (30~40)	팔다리냉감각, 땀남(발한), 창백, 갈증
중간정도	30~45% (1,500~2,500)	120 이상	60~80	소변결핍 (10~20)	불온, 의식혼탁, 가쁜호흡, 허탈감, 시아노겐
중증	40% 이상 (2,500 이상)	느낄 수 없음	60 이하	소변 없음	혼수, 허탈감, 아래턱호흡

▶ Pulmonary Deficiency(호흡부전) : 호흡이 이상해져 산소를 충분히 흡입하지 못하는 상태

그밖의 증상으로는 의식장애 · 소변량감소 · 저산소증에 의한 시아노겐(cyanogen) 등이 있는데, 이러한 것도 저혈압이 원인이 된다. 의식장애는 초기에는 불온 · 흥분상태와 같은 형태로 발현하고, 좀 더 진행되면 반응이 둔해지면서 의식이 혼탁해지고 혼수에 이르게 된다. 출혈량에 의한 혈압 · 맥박 등 전신적인 변화는 표 1-11과 같다.

◑ 출혈쇼크의 원인

출혈쇼크의 원인은 교통사고, 스포츠상해, 식도정맥류파열, 샘창자궤양출혈과 같은 소화관출혈, 배(복부)대동맥류파열 등이다.

외상에 동반된 쇼크는 대부분 출혈쇼크이며, 몸 밖으로 출혈하는 외출혈과 배안이나 가슴안에서 혈관 혹은 장기가 손상되어 생겨 몸 밖으로는 출혈하지 않고 체강(body cavity) 안에서 출혈하는 내출혈이 있다. 외출혈인 경우에는 쇼크의 원인이 출혈과 바로 연결되지만, 그밖에 외출혈이 나타나지 않는 배나 가슴의 타박에서는 내출혈의 가능성을 고려해야 한다.

◑ 쇼크의 중증도

출혈쇼크를 포함하여 쇼크의 중증도를 판단하는 방법은 다양하다. 출혈쇼크를 대상으로 한 쇼크지수는 표 1-12와 같은데, 출혈량이 증가하면 수축기혈압이 저하하여 맥박수가 증가하는 것을 이용하여 그 비율(맥박수/수축기혈압)로 중증도를 판정한다. 정상은 0.5이고, 출혈량이 증가하면 증가하여 수축기혈압이 맥박수의 반이 되면 지수는 2이다. 이때의 출혈량은 전체의 50~70%로 추측된다.

1-12 **쇼크지수**

쇼크지수	0.5	1.0	1.5	2.0
맥박수(min)/수축기혈압(mHg)	70/140	100/100	120/80	140/70
출혈량(%)	0	10~30	30~50	50~70

출혈쇼크를 포함한 쇼크 전반에 대한 평가법으로는 다음의 5가지 항목을 조합시킨 쇼크지수가 있다.

▶ 수축기혈압

▶ 맥박수

▶ 혈액은 보통 pH7.4로 약간 알칼리성인데, 그것이 어느 정도 산성으로 기울어져 있는가의 지수(base excess)

▶ 소변량

▶ 의식상태

◆▷ 출혈쇼크의 병태생리

출혈에 의해 순환혈액량이 급격히 감소하고, 상하대정맥을 거쳐 심장으로 돌아오는 혈류(환류정맥)량이 감소한다. 이 때문에 심박출량이 감소하고, 혈압이 저하되어 쇼크상태에 빠진다. 이 출혈에 의해 혈압이 저하되면 이것을 보상하기 위해 혈압을 유지하려는 기전이 작동한다.

혈압은 말초혈관저항과 심박출량의 곱이고, 심박출량은 심박수와 일회심박출량의 곱이다. 여기에서 뇌줄기의 순환중추가 작용하여 교감신경을 항진시켜 심박수증가(일회박출량감소를 횟수로 보충한다), 심장수축항진, 말초혈관수축(말초혈관저항을 높여 순환혈류량 감소를 보충한다) 등을 일으킨다. 또한 골격근과 피부의 말초혈관을 보다 세게 수축시켜 혈류를 감소시켜 뇌ㆍ심장 등 주요장기의 혈류를 유지하는 혈류재분배도 생긴다.

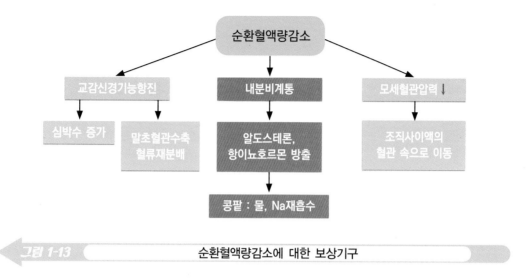

그림 1-13 순환혈액량감소에 대한 보상기구

　내분비계통의 작용에 의해 콩팥에서는 레닌·안지오텐신·알도스테론·항이뇨호르몬 등이 작용하여 나트륨이나 수분을 유지시키고, 소변을 농축하여 소변량을 감소시키고, 순환혈액량을 유지하게 한다. 나아가 출혈에 의해 모세혈관내압이 저하되면 조직사이액이 혈관으로 이행되어 순환혈액량을 유지하게 된다. 그리고 출혈량이 늘어나서 이러한 순환혈액량의 감소를 보상할 수 없게 되면 혈압이 저하되어 쇼크증상이 나타난다.

➡▷ 출혈쇼크의 치료

　출혈쇼크의 근본적인 치료는 쇼크의 원인이 되는 출혈원을 밝혀내어 출혈을 멈추는 것이다. 그와 병행하여 순환혈액량의 감소와 아시도시스(acidosis, 산성혈증)는 젖산링거액 등으로 세포외액(Na^+, Cl^-가 주가 되는 세포외액과 침투압이 거의 같은 투여액)을 보충하거나, 수혈을 하여 순환혈액량을 정상화시켜주어야 한다.

　또한 쇼크에 의한 순환부전으로 생기는 조직과 장기의 산소결핍을 호흡관리에 의해 교정하는 것도 중요하다. 더욱이 복합장기부전(허파, 콩팥, 간 등의 중요장기에 기능부전이 중복된 상태)의 예방도 필요하다.

근육·골격계통질환과 운동 〉제**2**장

골절

▷ 골절이란

골절(fracture)이란 뼈의 연속성이 끊어진 상태를 말한다. 외상에 의한 골절은 1회의 외력이 직접 혹은 간접적으로 한 부위에 가해져 골절을 일으키는 것으로 교통사고, 노동재해, 자연재해, 스포츠 등에 의해 생긴다.

▷ 골절의 종류

골절은 많은 종류가 있는데, 여기에서는 자주 발생하는 골절을 설명한다.

피로골절(fatigue fracture)은 반복되는 동작이 뼈의 특정부위에 왜곡이나 비틀리는 힘을 줌으로써 일으키는 골절이다. 피로골절이 되면 완전골절(complete fracture)이 아닌 불완전골절(incomplete fracture)인 시점에서 의사를 찾아가는 사람이 많다.

병적골절(pathologic fracture)은 뼈종양처럼 원래부터 병변이 있어 허약해진 뼈에 경미한 외력이 직접 혹은 간접적으로 가해져 발생하는 골절이다. 병적골절에서 뼈병변이 크고 뼈강도가 약하면 외력이 가해지지 않아도 골절될 수 있다.

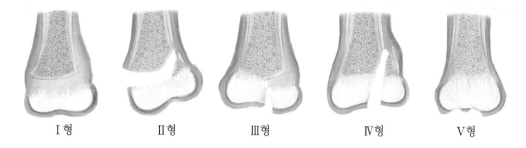

I형   II형   III형   IV형   V형

I형 : 뼈끝분리(epiphyseal diastasis, 골단이개)
II형 : 뼈끝선(epiphyseal line)의 골절과 분리
III형 : 뼈끝부위골절
IV형 : 뼈끝부위의 뼈끝선을 포함한 골절
V형 : 뼈끝선으깸(epiphysealine crush, 골단선압좌)

그림 2-1   **살터(Salter)와 해리스(Harris)의 뼈끝선손상의 분류**

출처 : Salter, R.B. et al(1963). *J. Bone Joint Surg*, 45-A : 587.

어린이의 골절에서 뼈끝선(epiphyseal line, 골단선)손상은 손상부위에 따라 이어지는 뼈성장에 장애를 준다(그림 2-1).

골절부와 피부의 관계에 의한 분류로는 개방골절(compound fracture)과 폐쇄골절(closed fracture)이 있다. 개방골절은 복잡골절이라고 하지만, 부러진 방법이 복잡하다는 의미는 아니다. 개방골절은 골절부위가 외부와 교통하기 때문에 붙여진 이름이다. 골절이 되어 골절된 뼈끝이 한 번 피부를 뚫고 밖으로 나가 다시 원래 위치로 돌아오는 경우에도 피부의 구멍과 골절부가 교통하고 있으므로 개방골절이 된다. 개방골절 시에 골절부가 감염되어 골수염을 일으키면 치료가 어렵기 때문에 즉시 병원에 가야 한다.

◈▷ 골절의 증상과 관찰 포인트

골절이 일어나면 골절부에 통증, 부기(종창), 변형, 비빔소리(crepitation, 염발음, 알력음), 피하출혈 등이 나타난다. 완전골절이 되면 체중을 지지하는 뼈가 하중을 부하할 수 없는 것이 보통이다. 골절이 되면 골절부위에서 출혈이 일어나기도 한다. 넙다리뼈 등 혈류가 풍부하고 굵은 뼈가 골절되면 출혈쇼크를 일으키기도 한다. 골절 시에 기분이 나빠지거나 식은 땀이 나고 안면이 창백해지면서 맥박이 약해지거나 빨라지면 쇼크도 염두해두고 처치할 필요가 있다.

골절이 되면 골절된 뼈끝이나 뼛조각이 주위조직을 손상시킬 수 있다. 특히 동맥이 손상되면 대량출혈, 전신상태의 악화 등을 초래하므로 개방골절 시에는 출혈상태를 관찰해야 한다. 골절부가 신경을 손상시키면 신경이 단열되어 운동마비나 지각장애를 초래할 수도 있으므로 이러한 점도 잘 관찰해야 한다.

골절에 의해 출혈이나 염증이 근육의 구획에 미쳐 근육을 붓게 하는 구획증후군을 초래하는 경우도 있다. 외상 후의 급성 구획증후군은 방치하면 근괴사를 일으켜 중대한 기능장애를 초래한다. 구획증후군은 경우에 따라서는 근막절개라고 하는 긴급수술이 필요할 수도 있다. 따라서 병원에서 골절처치를 받은 후 집으로 돌아가도 통증이 심해지거나, 골절부 이외 부위의 운동장애·지각장애가 악화되면 다시 검진을 받아야 한다.

➡ 골절의 응급처치

골절이 되면 치료의 최우선은 고정이다. 이때에는 아래위의 두 관절을 고정시키는 것이 원칙이다. 골절에 의한 통증은 골절부위를 고정시키면 약간 경감되지만, 반대로 골절부위를 움직이면 격렬한 통증이 찾아온다. 통증에 의해 쇼크증상이 올 수도 있으므로 골절이 의심되면 즉시 병원에 가야 한다. 긴급한 경우에는 테이핑테이프, 막대기, 골판지, 잡지 등을 이용하여 고정시킨다.

개방골절 시에 대량출혈이 되면 압박지혈을 해야 한다. 팔다리의 큰동맥이 손상된 경우 다리라면 넙다리의 윗부분을, 팔이라면 위팔 윗쪽을 묶어 지혈한다. 이때 묶은 시간이 길어지면 말초의 혈류장애가 일어나므로 응급구조대원이나 의사에게 묶은 시간을 정확하게 알려준다.

신경마비는 부어오른 것이 신경을 압박하거나 뼛조각에 의한 신경손상의 신호이므로 놓치지 않도록 한다. 신경손상에 의해 마비되면 골절에 동반된 손상인지, 처치나 이송 시의 문제인지를 확실히 해야 하므로 최초의 처치 때 상세히 관찰해야 한다.

골절의 치유와 스포츠복귀

골절 후 적절하게 치료하면 일정한 기간 내에 치유된다. 그러나 골절이 되면 여러 가지 요인으로 골절부의 치유가 늦어질 수도 있다. 경우에 따라서는 6개월이 지나도 뼈가 유합되지 않은 거짓관절을 만들어내기도 한다. 통상 일반성인의 골유합(synostosis, 뼈붙음)은 표 2-1과 같은 기간을 요한다. 골절이 되면 최저 이 기간은 어떠한 연습도 해서는 안 된다. 다만 이 기간은 개인차가 있고, 운동재개는 운동양식, 임상증상, X선 사진 등으로 판단해야 한다. 이것은 일반적인 기준이며, 스포츠복귀시기는 반드시 의사의 지시에 따른다.

골절이 되면 장기간 환부안정이 필요하므로 심장허파지구력과 환부 이외의 근력이 저하될 수도 있다. 연습을 중지한 동안은 이러한 능력들의 저하에 주의하여 재활치료를 해야 한다.

한편 골절치료 시에는 대부분 관절을 고정시키므로 고정된 관절의 가동범위 저하, 경축, 관절주위 근력의 저하 등을 초래한다. 이 때문에 고정이 풀리면 의사의 지시에 따라 관절가동범위 회복훈련, 근력회복훈련 등을 실시한다. 이때 회복훈련을 게을리 하면 운동능력에 현저한 장애를 초래할 수도 있다.

2-1 골절부위별 치유기간

골절부위	치유기간(주)
손가락	3~5
손	6
손목관절	10~12
아래팔	10~12
위팔	
아래쪽	8
중앙	8~12
빗장뼈	6~10
척주	16
골반	6
엉덩관절	10~12
넙다리	
중앙	18
아래쪽	12~15
종아리	12~15
위쪽	8~10
중앙	14~20
아래쪽	6
발꿈치	12~16
발	6
발가락	3

탈구

◆▷ 탈구란

탈구(dislocation, luxation)는 관절을 구성하는 관절주머니나 인대가 외력에 의해 손상을 입어 관절을 이루는 뼈 상호간의 적합성이 완전히 상실된 상태를 말한다. 또, 관절면이 완전히 적합성을 잃지 않은 경우와, 어느 정도 적합성을 유지하고 있는 경우를 아탈구(semiluxation, subluxation)라고 한다.

그런데 탈구라는 용어는 뼈의 관절면 적합성에 관해서만 사용되는 말이 아니다. 힘줄이 원래 활동해야할 뼈의 고랑(groove, 구)에서 벗어나거나, 신경이 본래 존재해야할 뼈의 고랑에서 벗어날 때에도 탈구라고 말한다. 이때 전자를 힘줄탈구(tendon dislocation), 후자를 신경탈구(nerve dislocation)라고 표현한다.

◆▷ 탈구의 증상과 관찰 포인트

관절탈구(joint dislocation) 시에는 통증과 함께 탈구된 관절부위가 변형된다. 탈구뿐만 아니라 신경·혈관손상을 동반하기도 하고, 골절을 동반하는 경우도 있다. 탈구골절(dislocation fracture) 시에는 관절부뿐만 아니라 골절부에도 변형이 나타나며, 골절부의 출혈로 피부밑출혈반점을 나타내는 경우도 있다.

자격을 갖춘 사람 이외에는 탈구치료를 해서는 안 된다. 다시 말해서 아무나 정복(reduction, 맞춤, 교정)해서는 안 된다. 탈구는 치료를 받으면 통증의 경감과 동시에 위화감이 줄어들고, 관절의 적합성이 돌아왔다고 느끼게 되며, 전신상태도 급속히 개선된다. 탈구 시에는 신경마비와 혈행장애의 유무를 반드시 체크해야 한다. 특히 어깨관절탈구 시에는 겨드랑신경(axillary nerve, 액와신경)이 마비될 수도 있으므로 삼각

근부분의 지각장애 유무를 체크한다. 저림이나 마비증상이 있으면 개방정복술(open reduction ; 골절부위를 절개하여 골절은 복원하는 것)이 필요할 수도 있으므로 가급적 빨리 병원으로 이송한다.

탈구도 골절과 마찬가지로 통증에 의해 쇼크를 초래할 수도 있으므로 반드시 전신상태를 관찰한다. 어깨관절이 반복아탈구를 반복하면 자가치료를 할 수도 있다.

▷ 탈구의 응급처치

어깨관절이나 봉우리빗장관절(acromioclavicular joint, 견봉쇄골관절)이 탈구되면 삼각수건이나 보자기를 이용하고, 팔꿈관절이 탈구되면 부목으로 고정한 다음 삼각수건을 이용하여 목에 매단다. 무릎이나 손가락이 탈구되면 부목으로 고정하는 것이 좋다. 고정 후에는 얼음찜질을 한다. 이송 시 진동에 의해 통증이 심해질 수도 있으므로 주의해야 한다.

▷ 스포츠상해에 의한 탈구의 특징과 스포츠복귀

스포츠활동 시 어깨관절은 자주 탈구되지만, 치료 후 통증이 빨리 사라지기 때문에 고정기구를 바로 떼어버리는 사람이 많다. 처음으로 어깨관절이 탈구되면 기본적으로는 3주 정도는 고정한 다음에 어깨관절가동범위 회복훈련을 해야 된다. 탈구 후 어깨관절주위근육의 근력트레이닝을 할 때에는 어깨관절의 적합성을 좋게 하기 위해 돌림근띠(rotator cuff)의 근력훈련은 반드시 해야 한다. 적절한 고정과 재활치료를 게을리하면 어깨관절이 반복적으로 탈구될 수도 있다.

어깨관절은 태클 등 어깨관절의 벌림·가쪽돌림자세에서 어깨에 무리한 힘이 가해지거나 전락·추락·전도 등으로 어깨를 강하게 부딪쳤을 때에 탈구되기 쉽다. 전도나 타박 시에는 어깨관절뿐만 아니라 봉우리빗장관절·빗장뼈·복장빗장관절도 손상될 수 있으므로 이러한 부위도 충분히 관찰해야 한다.

봉우리빗장관절이 탈구되면 후유증으로 통증이 남아 스포츠활동에 지장을 초래하기도 한다. 이 때문에 초기치료가 중요하다. 초기치료를 잘못하면 스포츠로 복귀한 후 스포츠활동이 어려워져 수술을 요하는 경우가 있다. 그렇기 때문에 병원치료가 필요하다.

팔꿉관절탈구 시에는 골절이나 인대손상이 동반된 경우가 많다. 그 자리에서 정복(reduction, 맞춤, 교정)·고정했더라도 병원에 가야 한다.

무릎뼈탈구(그림 2-2)는 무릎이 바깥굽은자세나 가쪽돌림을 강제당했을 때 일어난다. 특히 무릎뼈가 많이 이완되어 있고, Q각이 크며, 넙다리뼈 가쪽관절융기의 형성부전인 사람은 자주 발생한다. 또한 다리의 얼라인먼트이상이 상해의 원인이 되기도 한다.

종아리근힘줄(peroneal tendon)은 발목관절이 안쪽번짐자세에서 염좌가 되면 종아리근힘줄지지띠가 끊어져 종아리근힘줄이 뼈의 고랑에서 튀어나와 탈구된다(그림 2-3).

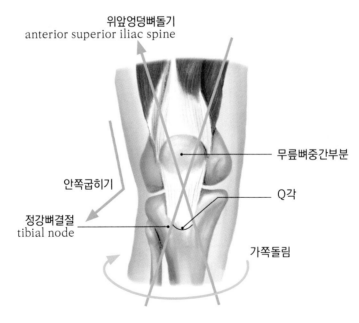

위앞엉덩뼈돌기에서 무릎뼈(patella) 중앙까지 그은 직선과 정강뼈결절(tibial node)에서 무릎뼈 중간부분까지 그은 직선이 만나는 점이 만드는 각을 Q각이라고 한다. Q각이 크면 무릎뼈가 가쪽으로 많이 굽어져 돌아간 상태이어서 가쪽으로 움직이게 된다.

그림 2-2　　　　　　　　　　　무릎뼈탈구의 기전

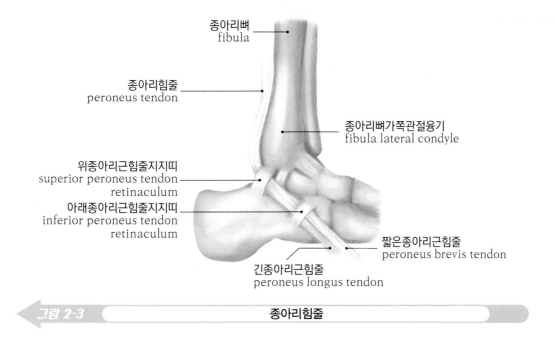

종아리뼈
fibula

종아리힘줄
peroneus tendon

종아리뼈가쪽관절융기
fibula lateral condyle

위종아리근힘줄지지띠
superior peroneus tendon
retinaculum

아래종아리근힘줄지지띠
inferior peroneus tendon
retinaculum

짧은종아리근힘줄
peroneus brevis tendon

긴종아리근힘줄
peroneus longus tendon

그림 2-3 　　　　　　　　종아리힘줄

종아리근힘줄탈구(peroneal tendon luxation)가 잘 치료되지 않으면 수술이 필요할 수도 있다. 손가락관절이 탈구되면 손가락잡아당김에 의해 이차적으로 다른 조직을 손상시키므로 즉시 고정시킨 후 병원에 간다.

근파열

➡▷ 근파열이란

근육에 예상치 못한 힘이 가해지거나 늘어났거나 피로가 쌓인 상태에서 무리를 하면 근육 자신의 수축력으로 근육섬유의 일부가 단열되거나 근막이 파열되는 증상이 근파열(myorrhexis, muscle rupture)이다. 즉 근육섬유의 완전단열을 근파열이라고 한다.

◆▷ 근파열의 증상

근육이 파열되면 운동 중에 갑자기 심한 통증이 생겨 운동을 계속 수행할 수 없게 된다. '뚝'하는 소리가 나거나 근육이 끊어진 감촉이 있는 경우도 있다. 증상이 심하면 근파열을 일으킨 부위의 근육이 단열되어 생긴 움푹 들어간 곳이 만져지는 동시에 강한 통증과 동시에 피부밑에 출혈도 있다.

◆▷ 근파열의 원인

육상경기의 대시·점프, 축구의 킥, 체조경기의 착지 등에서 근육이 파열되기 쉽다. 즉 단거리달리기에서는 넙다리뒷면의 햄스트링스에, 체조경기의 다리벌리기에서는 넙다리모음근에 근파열이 생기는 것처럼 스포츠종목에 따라 근파열을 일으키기 쉬운 근육이 있다(그림 2-4, 표 2-2). 테니스·장거리달리기에서는 장딴지근이 파열되기 쉽다. 이것은 근육힘줄이음부(myotendinal junction, 근건접합부)에서 자주 발생한다. 장딴지근 육안쪽의 근육힘줄이음부에 생기는 근파열은 Tennis Leg라고 한다.

근파열은 근파열을 일으킨 근육과 반대작용을 하는 근육(길항근)의 근력이 상대적으로 강하기 때문에 일어난다.

2-2 근파열 빈발부위

부위	근육	스포츠 종목
넙다리	넙다리네갈래근(넙다리곧은근, 안쪽넓은근, 가쪽넓은근, 중간넓은근)	배구, 농구, 축구
	모음근	기계체조
	햄스트링스(넙다리두갈래근, 반막모양근, 반힘줄모양근)	단거리달리기, 축구, 럭비
종아리	장딴지근	테니스, 스쿼시, 배구, 농구
배	배곧은근	배구

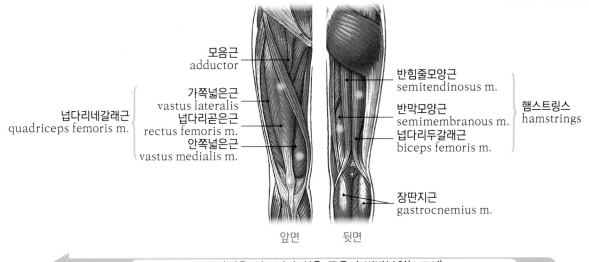

모음근
adductor

가쪽넓은근
vastus lateralis

넙다리네갈래근
quadriceps femoris m.

넙다리곧은근
rectus femoris m.

안쪽넓은근
vastus medialis m.

반힘줄모양근
semitendinosus m.

반막모양근
semimembranous m.

넙다리두갈래근
biceps femoris m.

햄스트링스
hamstrings

장딴지근
gastrocnemius m.

앞면   뒷면

그림 2-4 근파열을 일으키기 쉬운 근육과 빈발부위(O표시)

근파열의 진단

근파열은 상해발생상황, 통증정도, 통증부위, 상해부위가 튀어나오거나 움푹 패인 곳이 있는지의 여부 등으로 진단할 수 있다. 검사방법에는 상해부위의 초음파단층검사, 자기공명화상(MRI : magnetic resonance imaging) 등이 있다.

근파열의 응급처치

근파열 직후 현장에서 응급처치를 할 때에는 RICE 원칙에 따라야 한다. 즉 안정(rest), 얼음찜질(icing), 압박(compression), 들어올림(elevation)이다. 근파열 후 3일간은 샤워만 하고, 염증이 심해지지 않도록 하기 위해 목욕은 금지한다.

근파열 시에는 대부분 외과적 처치를 필요로 하지 않고, 소염제·근이완제 등의 복용에 의한 보존적 치료와 적절한 재활치료로 회복이 가능하다. 상해부위 근육 속의 혈관이 손상되어 출혈이 많고 혈종이 큰 증상이라면 주사기로 혈종내용물을 흡입하면 회복을 앞당길 수도 있다. 초음파단층검사나 MRI검사에 의해 근육의 실질에 파열이 명확하게 보이면 근파열부를 봉합수술하거나 혈종을 제거한다.

근파열의 재활치료

근파열 시에는 기본적으로 최저 2주간은 근력을 100% 발휘하는 운동을 해서는 안 된다. 적어도 2일간은 얼음찜질과 압박, 그 이후에는 통증의 정도를 보아가면서 걷기를 시작하고, 1~2주 경과 후에는 통증을 느끼지 않을 정도로 등장성 근육트레이닝, 스트레칭 등을 시작한다. 그 후 조깅을 하고, 순조롭게 진행되면 4주후부터 달리는 스피드를 서서히 올린다. 6주 이후에는 손상부위가 완전히 원래상태로 돌아가므로 본격적인 경기복귀를 목표로 한다.

경기복귀의 기준은 근파열을 일으키지 않은 쪽(건강한 쪽)의 70~80% 이상되는 근력이 근파열된 근육에서 발생하는가이다. 근육의 유연성은 건강한 쪽과 비슷해야 한다. 근력의 밸런스로서는 굽힘근력이 폄근력의 70%를 넘는 것이 바람직하다. 손상부위의 치료가 불충분한 상태에서 경기에 복귀하면 반흔이 남아 재발이 반복되어 만성화될 수 있다.

2-3 근파열 시의 재활치료

상해발생 2일간	3일째 이후	1~2주간	2주 이후	4주 이후	6주 이후
얼음찜질, 압박	통증의 정도에 따라 보행 시작	등장성 근육트레이닝, 스트레칭	조깅	달리는 스피드를 서서히 올린다.	본격적인 트레이닝

염좌

염좌란

관절에는 각각 생리적으로 움직일 수 있는 관절가동범위(ROM : range of motion)

가 있는데, 이 가동범위가 외력에 의해 정상범위 이상으로 움직임이 강제될 때 염좌 (sprain, 삠)가 발생한다. 염좌가 되면 관절지지조직이 손상되어 외력에 의해 관절면의 상호관계가 일순간 끊어지지만 순식간에 원래위치로 돌아간다. 발목관절·무릎관절이 발생빈도가 높다.

염좌의 병태생리

관절은 뼈·인대(뼈와 뼈를 잇는 인대의 결합조직)·관절주머니로 구성된다. 가해진 외력 때문에 뼈에 부착된 인대가 과다폄, 부분파열, 나아가 완전파열이 될 수 있다. 이 때 혈관이 손상되어 출혈과 함께 부기(swelling, 종창)가 나타낸다.

발목관절의 손상은 대부분 안쪽에 운동이 강제될 때 생긴다. 그 결과 가쪽인대인 앞목말종아리인대(lig. talofibulare anterius, 전거비인대)가 과다하게 펴져 손상된다. 여기에 다시 강한 힘이 가해지면 발꿈치종아리인대(lig. calcaneofibulare, 종비인대)도 손상된다(그림 2-5). 무릎관절은 손상형태에 따라 관절 밖에도 영향을 미치며, 관절 안의 인대가 단독 혹은 복합손상된다(그림 2-6). 관절 안의 앞십자인대(anterior cruciate lig.)가 많이 손상되는데, 그 대부분은 관절에 혈종을 형성한다.

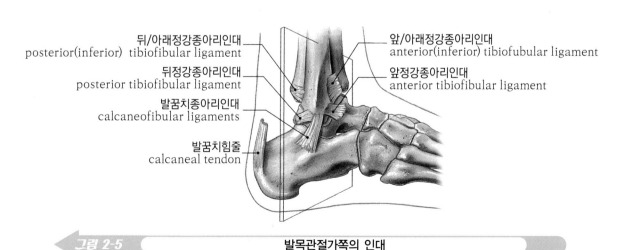

뒤/아래정강종아리인대
posterior(inferior) tibiofibular ligament

뒤정강종아리인대
posterior tibiofibular ligament

발꿈치종아리인대
calcaneofibular ligaments

발꿈치힘줄
calcaneal tendon

앞/아래정강종아리인대
anterior(inferior) tibiofubular ligament

앞정강종아리인대
anterior tibiofibular ligament

그림 2-5 | **발목관절가쪽의 인대**

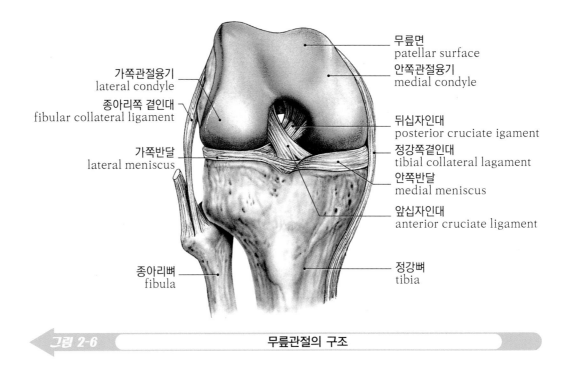

가쪽관절융기
lateral condyle

종아리쪽 곁인대
fibular collateral ligament

가쪽반달
lateral meniscus

종아리뼈
fibula

무릎면
patellar surface

안쪽관절융기
medial condyle

뒤십자인대
posterior cruciate igament

정강쪽곁인대
tibial collateral lagament

안쪽반달
medial meniscus

앞십자인대
anterior cruciate ligament

정강뼈
tibia

그림 2-6 　　　　　　　　　　**무릎관절의 구조**

◆▷ 염좌의 발생원인

　염좌(sprain)란 주로 관절을 지지해주는 인대가 외부의 충격에 의해 늘어나거나 일부 찢어지는 것을 뜻하지만, 근육이 충격에 의해 늘어나거나 일부 찢어지는 경우도 염좌(strain)라고 한다. 영어로는 전자를 sprain, 후자를 strain으로 구분하여 부른다. 그러나 인대나 근육의 일부나 전체가 끊어지는 것은 파열(rupture)이라고 한다.

　발목관절염좌는 배구·농구에서 점프 후 다른 선수의 발 위에 착지할 때 많이 발생한다. 야구·소프트볼에서는 슬라이딩 때 발생빈도가 높은데, 대부분 기술미숙 때문이다. 스키·스케이트에서 부드럽고 발목이 짧은 신발을 신고 넘어졌을 때 발목관절염좌가 되기 쉽다.

　무릎관절염좌는 점프동작이 많은 스포츠에서 발생한다. 농구에서는 리바운드볼을 잡고 착지할 때, 순간적으로 방향을 전환할 때, 급한 감속동작을 강제로 했을 때 많이 발생한다. 축구에서는 킥을 위해 발을 댈 때도 많이 발생한다. 스키에서 전방이나 후방으로 넘어질 때 축이 되는 다리가 아닌 쪽의 스키엣지가 설면에 걸리면 앞십자인대가 상해를 입는다.

염좌의 증상

염좌는 상해발생 시에 '뚝'하고 무언가가 끊어지는 느낌이 있는 경우가 많다. 상해부위의 부기(종창), 손상된 인대의 통증, 운동통, 체중을 가했을 때의 하중통 등을 나타낸다. 관절주머니나 인대가 파열되면 동요(swing)하고, 피부밑출혈이 나타난다.

염좌의 응급처치

염좌가 발생하면 먼저 RICE처치를 실시한다. 손상부위가 관절이기 때문에 안정 시에는 탄력붕대, 깁스부목, 보장구 등을 이용하여 고정시킨다. 발목염좌인 경우에는 스포츠현장에서 테이핑을 하거나, 탄성붕대로 감는다. 무릎관절염좌의 경우에는 이동 시 그 중증도에 관계없이 지팡이를 짚고 걷게 한다. 얼음찜질은 부기가 빠질 때까지 얼음찜질 20분, 온찜질 20분을 교대로 실시한다.

무릎관절염좌가 의심되면 급성기에 정형외과에 가서 진찰을 받는다. 중증도의 판정과 그에 따른 치료는 조기부터 필요하다. 특히 중증인 혈종에 의한 부기가 확실하면 주사기로 혈액을 흡입하여 통증을 완화하고 관절가동범위를 유지한다. 또, 골절의 감별진단도 필요하다.

타박상

▶ 타박상이란

타박상(bruise, contusion, 멍)은 스포츠경기 중 외인성상해로 발생하는 경우가 많다. 개인경기에서는 굴러떨어짐·넘어짐에 의해, 접촉 스포츠에서는 충돌·태클·반칙행위 등에 의해 많이 발생한다. 타박상은 외력에 의한 열린상처(open wound, 개방창)를 동반하지 않는 연부조직의 손상으로, 주요 손상부위는 근육과 피부조직인 탓에 전신의 모든 부위에 일어날 수 있다.

피하조직과 근육에는 그 형태·기능을 유지하기 위해 신경이 분포되어 있다. 또, 산소공급로인 혈관과 운동기관·감각기관의 전도로에도 신경이 분포되어 있다. 직접 접촉에 의해 연부조직이 손상을 입으면 당연히 조직에 분포된 혈관·신경도 손상을 입는다.

▶ 타박상의 병태생리

외력이 주는 충격파는 피부 → 피부밑조직 → 근육조직의 표면층에서부터 깊은부위로 전달되어 뼈에 도달한다. 이때 근육·피부밑조직이 충격파를 흡수하면서 손상을 받게 된다. 상처받은 조직은 손상 후 수복의 메커니즘이 작동하여 수복에 필요한 에너지를 얻기 위해 산소나 여러 가지 물질의 공급이 증가하게 된다. 이때에는 평상시 이상으로 혈류가 증가한다. 이에 부응하여 조직의 수분도 증가하고, 부기(swelling, 종창)·발적(rubor, 조홍)·열감이 나타나 염증을 초래한다.

▶ 타박상의 증상

타박상의 증상은 혈관·신경의 손상, 조직의 염증 등이다. 조직이나 혈관의 손상을 파탄(rhexis, 파열, 붕괴)이라고 하는데, 이때 상처받은 부위에서 출혈이 되어 피부밑·근육 내·근육 사이에 혈종(hematoma)을 형성한다. 조직 자체의 부기(종창)와는 별도로 외견상 혈류증가에 의한 적색이나 출혈에 의한 암자색을 나타내며 부어오른다. 부기가 있으면 신경을 압박하고, 통증이나 경련·냉감각 등의 지각이상이나 운동마비를 나타내기도 한다.

◆▷ 타박상의 합병증

타박상의 합병증으로는 ① 구획증후군(compartment syndrome)과 ② 외상뼈되기근육염(traumatic myositis ossificans, 외상골화근육염)이 있다.

◑ 구획증후군

구획증후군(compartment syndrome)은 일종의 과사용상해이다. 그러나 정강뼈(tibia)의 골절, 근육의 완전파열(complete rupture), 축구를 하다가 입은 타박상(좌상, strain) 등과 같은 급성상해에 의한 근육 속의 출혈에 의해서도 일어날 수 있다. 이러한 경우에는 구획 안에서 근육군이 급격하게 부어올라 신경이나 혈관을 강하게 압박하면 근육이 경직되어 경련·욱신거림을 호소하게 된다. 이러한 상태는 외과적 응급처치가 필요하다. 왜냐하면 급성구획증후군은 아픈 쪽 다리에 장기간 심한 기능장애를 남기는 경우가 있기 때문이다.

수술은 통상적으로 근막을 개방(근막절개)한다. 이 방법은 구획을 나누는 근막을 절개함으로써 내부조직에 가해진 압박을 경감시키는 것이 목적이다(그림 2-7).

◑ 외상뼈되기근육염

외상뼈되기근육염(traumatic myositis ossificans, 외상골화근육염)은 외상에 의해 장관골(넙다리뼈, 위팔뼈) 근방의 깊은부위근육의 내출혈이 흡수가 되지 않아 국부성뼈되

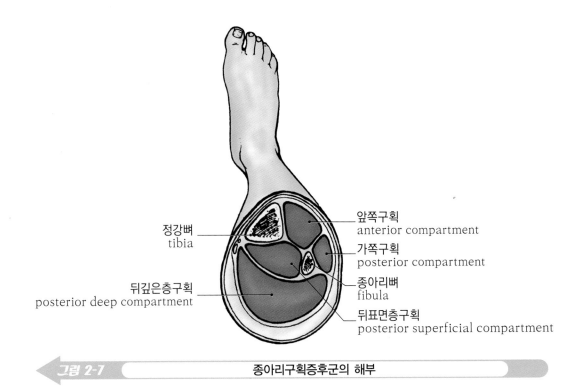

정강뼈
tibia

앞쪽구획
anterior compartment

가쪽구획
posterior compartment

뒤깊은층구획
posterior deep compartment

종아리뼈
fibula

뒤표면층구획
posterior superficial compartment

그림 2-7 종아리구획증후군의 해부

기(골화)가 되는 증상이다. 이때 근육을 지속적으로 자극하면 통증·근력저하가 초래된다. 관절가동범위제한 등 기능장애가 가벼우면 재활치료로 스포츠복귀가 가능하다. 이때 재발예방을 위해 손상부위를 패드 등으로 보호하는 것이 좋다.

➡▷ 타박상의 응급처치

스포츠상해의 초기치료는 RICE 처치가 주체가 된다. 이것을 적절히 실시하면 후유증을 감소시키고, 경기·연습의 조기복귀를 기대할 수 있다. RICE처치는 다음과 같다.

▶ R : rest(안정) : 통증완화, 재출혈예방

▶ I : icing(얼음찜질) : 피부온도를 낮춰 신경전달속도를 저하시켜 통각전도를 차단하므로 진통효과가 있다. 나아가 얼음찜질을 하면 혈관이 연축(spasm)되어 혈류가 감소하므로 지혈효과가 있다.

▶ C : compression(압박) : 혈관을 압박하여 지혈효과를 높이고, 부기·통증을 완화한다.

▶ E : elevation(들어올림) : 손상부위를 심장보다 높게 하여 인위적으로 압력차이를 만들면 정맥환류를 촉진시키고 손상부위의 혈액량을 감소시키므로 지혈효과가 있다.

운동기관질환

▶ 운동기관질환이란

운동기관(locomotorium)은 뼈·근육·힘줄 등과 같이 운동에 관련된 기관을 말한다. 운동기관에 발생하는 스포츠상해는 이른바 부상에 의한 외상 및 과사용에 의한 장애로 크게 나뉜다. 이러한 관점에서 보면 운동기관질환은 스포츠상해에 해당된다.

그러나 외상과 장애가 서로 발생의 계기가 되는 사례도 종종 경험한다. 예를 들면 발목관절인대손상과 같이 외상 때문에 관절에 불안정함을 주는 후유증이 남아 염좌(sprain)가 반복되고, 발목관절을 구성하는 정강뼈(tibia)와 목말뼈(talus)가 서로 부딪혀 생긴 뼈돌기(bony spur, 골극) 때문에 통증을 일으키는 경우를 생각해보자.

이 뼈돌기의 형성은 느슨해진 관절에 무리한 힘이 몇 번이고 가해져 생겼으므로 장애로 분류되지만, 뼈돌기형성의 계기는 명확히 인대손상에 의한 외상이다. 이러한 사례처럼 스포츠상해의 원인을 명확하게 외상과 그렇지 않은 것으로 구별할 수 없는 경우도 있다.

◆▷ 주요 운동기관에 나타나는 질환

◐ 근육

근육에 발생하는 스포츠상해는 이른바 근육아픔(muscle soreness)으로 대표되는 운동 후 몇 시간부터 하루 정도 지나 일어나는 근육통(myalgia)이다. 여기에는 장딴지의 근육경련에 의한 통증(ache, 동통, 아픔), 운동에 의해 산소수요가 증가된 근육세포 내에서 무산소당대사에 의해 생기는 젖산축적에 의한 탈력감을 동반한 근육피로와 통증, 운동부하에 의한 근육내압 상승에 의한 구획증후군, 격렬한 운동으로 근육세포가 파괴되는 가로무늬근용해(rhabdomyolysis)에 의한 장애 등이 있다(표 2-4).

근육에 통증이 있으면 발증원인을 파악하여 그것을 없애기 위한 노력을 해야 한다. 왜냐하면 운동부하를 억제하면 증상은 일시적으로 경감되지만, 원인을 제거하지 않으면 반드시 재발하기 때문이다. 이러한 근육에 일어나는 모든 상해를 예방하려면 본운동 전후에 근육스트레칭을 해야 한다. 이는 근육의 신장반사를 억제시키고 유연성을 높여 사전에 근혈류량을 증가시키고, 축적된 피로물질(젖산 등)을 빨리 대사시킨다.

2-4 근육에 발생하는 주요한 스포츠상해

질 환	병 태
근육아픔(muscle soreness)	오래 운동을 한 다음에 나타나는 근육통
근경련(cramp)	장딴지에 많다. 스트레치 부족, 탈수, 추위 등으로 인한 혈류장애가 원인으로 지적된다.
열경련(heat cramp)	열사병(heat stroke, 열중증)의 하나. 염분을 포함한 수분섭취가 필요하다.
돌림근띠증후군 (rotator cuff syndrome)	던지는 스포츠에서 많이 발생한다. 돌림근띠의 근력부족도 원인이 된다.
근육 · 근막성요통	대표적인 피로성요통이다. 예방과 치료에는 배 및 등근육의 근력강화, 몸통 및 다리의 유연성향상, 스트레치 · 마사지로 피로회복 등이 필요하다.
구획증후군 (compartment syndrome)	근육내압상승에 의한 상해

한편 순발적인 근력뿐만 아니라 지속적으로 일정근력을 발휘할 필요가 있는 종목은 근지구력을 향상시켜야 한다. 근경련의 원인은 다양하지만, 충분한 수분섭취, 워밍업, 근혈류량저해인자(흡연, 고지질혈증 등) 제거 등도 필요하다. 구획증후군은 경증인 경우에는 RICE 처치로 충분하다. 그러나 이러한 처치로 해결되지 않으면 근육내압을 측정하여 소염제·이뇨제를 투여(도핑금지약물이므로 투여 시 주의가 필요)한다.

◑ 뼈, 연골, 뼈막

뼈에 발생하는 전형적인 스포츠상해는 피로골절이다. 피로골절은 1회의 외력에 의한 골절이 아니라 반복된 운동동작이 뼈의 특정부위를 뒤틀리게 하여 뼈에 균열을 만든 것으로, 빈발부위와 스포츠종목은 표 2-5와 같다.

2-5 주요 피로골절발생부위와 관련 스포츠종목

뼈	발생부위	관련 스포츠종목
위팔뼈	뼈몸통	테니스, 야구, 배드민턴 등
자뼈	뼈몸통	배구, 소프트볼, 체조, 검도, 야구, 싱크로나이즈드스위밍, 역도, 테니스, 양궁 등
	팔꿈치	창던지기, 야구, 궁도, 테니스 등
노뼈	뼈몸통	배구, 사이클링, 역도 등
	먼쪽끝	체조 등
손배뼈		체조 등
갈고리뼈		테니스, 야구, 골프, 체조 등
콩알뼈		배구 등
손허리뼈		테니스, 배구, 복싱, 핸드볼, 역도 등
목뼈	가시돌기	골프, 야구, 테니스, 해머던지기, 검도 등
등뼈	가시돌기	골프 등
허리뼈	척추뼈고리	역도, 수영(다이빙), 육상경기, 유도, 배구, 복싱 등
갈비뼈	뼈몸통	골프, 검도, 야구, 테니스, 유도, 배구 등

어깨뼈	몸쪽	야구, 테니스, 배구 등
	부리돌기	클레이사격, 테니스 등
빗장뼈	뼈몸통	탁구, 검도 등
복장뼈	몸쪽	레슬링, 복싱 등
두덩뼈	아래가지	달리기, 농구, 배구, 소프트볼, 테니스, 야구, 하키, 럭비, 다이빙, 미식축구 등
넙다리뼈	목	농구, 중 · 장거리달리기, 야구, 체조 등
	뼈몸통	장거리달리기, 축구, 야구, 수영, 검도, 등산 등
정강뼈	뼈몸통 위쪽, 아래쪽	육상경기의 달리기 등
	뼈몸통 중앙	육상경기의 뛰기 등
	안쪽복사	럭비, 축구, 육상경기 등
종아리뼈	뼈몸통 위쪽	줄넘기, 뛰기 등
	뼈몸통 아래쪽	달리기 등
발꿈치뼈		축구, 럭비, 달리기, 배구, 농구 등
발배뼈		배구, 육상경기, 농구, 테니스 등

피로골절이 되면 먼저 골절부위에 통증이 있고, 종창(swelling, 부기)이 동반된다. 발증 당시에는 X선사진상 골절선이 명확하게 나타나지 않는 경우가 많다. 이 시기에는 뼈에 부담이 가지 않도록 연습내용을 바꾸고, 빨리 병원에 가야 한다. 피로골절을 방치한 채 연습을 계속하면 만성화되거나 완전골절이 되어 수술이 필요할 수도 있다.

신스플린트(shin splint)는 정강뼈과로성뼈막염이라고도 하며, 종아리에 있는 정강뼈 중하 1/3 뒤안쪽에 통증이 나타난다. 가자미근의 근육힘줄이음부에 통증이 있다. 발의 반복된 엎침동작으로 이 근육힘줄이음부에 생기는 견인력 때문에 뼈막염이 발생한다. 증상 개선을 위해서는 연습량 감소, 연습 전후의 스트레칭, 연습 직후의 얼음찜질, 연습장 코트표면의 경도 개선, 깔창 처방 등이 필요하다.

한편 스포츠종목별 특유의 운동동작에 의해 관절에 부하가 걸려 연골에 염증을 일으킬 수 있다(표 2-6). 성장기에는 긴뼈에 성장연골띠가 있고 근육힘줄이음부의 뼈끝은 연

2-6 연골에 발생하는 주요 스포츠상해

질환	빈발부위	빈발 연령	병태
박리뼈연골염 (osteochondritis dissecans, 야구팔꿈치)	발꿈치	성장기	야구의 투구동작과 같이 위팔뼈작은머리(capitulum)와 노뼈머리 사이에 압박력과 회전력이 가해지면 연골이 손상된다.
변형관절염 (arthritis deformans)	무릎, 팔꿈치, 허리뼈	청장년기	운동부하에 의한 연골손상은 나이가 많아지면서 연골을 마모시켜 뼈돌기를 만든다.

골조직으로 되어 있다. 이 때문에 이 부위에 견인·압박·뒤틀림 등의 운동부하가 걸리면 염증을 일으켜 성장기 특유의 스포츠상해를 일으킨다.

특히 성장기 어린이의 뼈끝에 발생하는 장애를 뼈끝염(epiphysitis, 골단염)이라고 한다. 무릎에 발생하는 오스굿-슐라터병(Osgood-Schlatter disease)이나 발꿈치에 발생하는 시버병(Sever's disease)은 성장통으로 유명하다. 뿐만 아니라 성장기 어린이들의 관절연골·성장연골상해는 장차 관절기능장애나 다리기능장애를 일으킬 수도 있으므로 지도자는 충분히 배려해야 한다. 연골상해의 하나인 무릎뼈연화증(patella malacia)은 무릎뼈와 넙다리뼈가 만드는 관절면의 연골이 압박받아 통증을 느끼는 증상인데, 운동량뿐만 아니라 얼라인먼트이상도 이 질환의 발증요인으로 꼽힌다(표 2-7).

뼈를 잇는 것이 관절이다. 관절을 구성하는 관절주머니나 인대가 외상에 의해 손상을 받아 부적절하게 고정되거나, 안정기간이 짧으면 관절의 이완성이 높아져 관절을 구성하는 뼈끼리의 안정성이 떨어질 수 있다. 이 경우에는 관절이 탈구 혹은 아탈구(subluxation)를 반복한다. 외상뿐만 아니라 관절의 선천적인 이완성이나 얼라인먼트이상도 탈구 또는 아탈구의 발생요인이 된다. 이완어깨(loose shoulder)는 스포츠선수에게 어깨관절의 불안정감·아탈구·통증 등으로 문제를 일으키기도 한다.

2-7 **얼라인먼트이상에 관련된 주요 스포츠상해**

질 환	병 태
요통(low back pain)	허리뼈의 심한 앞굽이나 옆굽이 가요통의 발생원인이 된다.
지연자뼈신경마비 (trady ulnar paralysis)	골절후유증 등으로 발꿈치가 심하게 가쪽번짐상태가 되면 신경의 탈구나 마비가 생긴다.
무릎뼈탈구 (dislocation of patella)	Q각의 증가, 엉덩관절이 앞쪽으로 많이 비틀어져 안쪽돌림상태로 걷기, 무릎뼈의 높이 때문에 생기는 무릎의 가쪽돌림 등으로 나타난다.
엉덩넙다리인대염 (iliofermoral demitis)	O다리에서 엉덩넙다리인대가 많이 긴장되면 넙다리뼈가쪽융기와 인대가 마찰되어 염증이 나타난다.
발꿈치통증증후군 (plantar fasciitis, 족저근막염)	凹발이나 엎침평발인 경우 근막이 긴장되어 나타난다.

※ Q각 : 정강뼈결절(tibial tubercle)에서부터 무릎뼈중앙(mid patella)까지의 선과, 앞위엉덩뼈가시(ASIS : anterior superior iliac spine, 전상장골극)와 무릎뼈 중앙을 잇는 선이 이루는 각을 Q각(Q-angle)이라 한다(그림 2-8 참조).

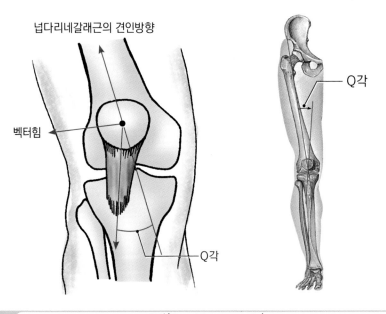

그림 2-8 Q각(Quadriceps angle)

Q각

Q각은 무릎넙다리관절의 얼라인먼트를 나타낸다. 이는 넙다리네갈래근(quadriceps femoris)의 견인방향과 무릎힘줄(patellar tendon)이 이루는 각도로, 임상적으로는 위앞엉덩뼈가시(anterior superior iliac spine)와 무릎뼈(patella)의 중심을 잇는 선과 정강뼈결절(거친면)의 중심과 무릎뼈의 중심을 잇는 선이 이루는 각도이다. 정상이면 약 15°이며, 15°가 넘으면 이상으로 판단한다. 반복성탈구·아탈구, 무릎연골연화(증)의 경우 외반무릎(genu valgum)과 정강뼈결절(tibial tubercle)의 가쪽편위(lateral deviation)로 인해 Q각이 커진 경우가 많다.

◑ 인대, 힘줄

인대는 관절이 제기능을 발휘할 수 있도록 하는 역할을 한다. 다시 말해서 관절에 외력이 가해지거나 관절을 움직이려고 할 때 인대는 긴장하여 관절이 안정된 상태에서 제기능을 발휘하도록 작용한다. 이 인대에 반복된 견인력이 가해져 염증이 발생하면 통증에 의해 운동을 하지 못하게 되거나, 통증에 의해 인대기능에 장애가 생겨 관절의 불안정감을 느끼게 된다. 예를 들면 자주 나타나는 무릎인대염(일명 jumper's knee)은 무릎 앞면의 인대를 따라 통증이 있다. 이 때문에 점프할 때에 통증을 느끼고, 착지 시에도 아파서 땅을 힘껏 밟지 못하여 넘어져버리기도 한다.

또, 무릎관절의 앞십자인대는 스톱이나 턴, 양다리 벌리고 힘껏 버티기 등의 동작에 관여하는데, 이 인대가 손상되어 기능부전이 일어나면 자세가 무너져버리거나 불안정해진다. 따라서 이 인대가 손상되면 후유증에 의해 장애로 이행되지 않도록 적절한 처치·치료·재활치료가 필요하다.

한편 힘줄은 근육에서부터 근육힘줄이음부를 거쳐 관절을 넘어 뼈에 붙는다. 이 때문에 뼈의 근육힘줄이음부는 염증을 일으키기 쉽다. 테니스팔꿈치나 골프팔꿈치는 아래팔근육이 위팔가쪽융기 혹은 앞쪽융기에 부착된 부위에 나타나는 염증이다. 힘줄은 근육에서 온 에너지를 뼈에 전달하고 관절을 움직이는 역할을 한다. 따라서 힘줄은 뼈의 고

랑(groove, 구)을 통과하거나 관절 속을 통과하기도 한다. 이때 힘줄이 통과하고 있는
뼈의 고랑과 부딪히거나, 관절을 구성하는 인대나 뼈의 돌기와 스쳐서 일으키는 염증을
충돌증후군이라고 한다(그림 2-9). 힘줄염이나 인대염이 생기면 연습 또는 시합 직후에
얼음찜질이 필수이다.

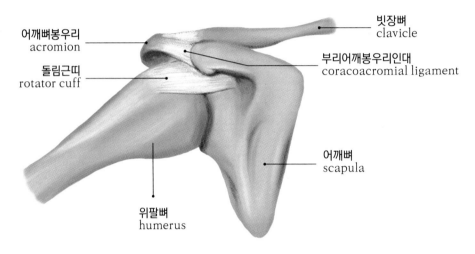

어깨뼈봉우리
acromion

돌림근띠
rotator cuff

빗장뼈
clavicle

부리어깨봉우리인대
coracoacromial ligament

어깨뼈
scapula

위팔뼈
humerus

돌림근띠가 부리어깨봉우리인대와 반복하여 부딪쳐 일어나는 염증

그림 2-9 어깨의 충돌증후군

호흡계통질환과 운동

제 **3** 장

만성호흡계통질환

➡▷ 만성호흡계통질환의 원인

만성호흡계통질환(chronic respiratory disease)에서는 오랜 기간의 기침·가래·호흡곤란·시아노겐(cyanogen) 등의 호흡계통질환 특유의 증상이 출현하거나, 체중감소·식욕저하 등의 전신적인 증상이 나타나는 경우도 있다. 표 3-1에 만성호흡계통질환에 속하는 병명을 예시하였다. 그중에서 언더라인을 그은 것은 발병빈도도 높고, 임상현장에서 주가 되며, 스포츠현장에서 나타나기도 한다.

 3-1 **만성호흡계통질환**

- ▸ 코병증(rhinopathy)·목구멍편도(palatine tonsil)비대·아데노이드(adenoid) 등
- ▸ 목구멍(throat)·후두(larynx)의 양성 및 악성종약, 반흔협착(cicatrical stricture)결핵
- ▸ 기관(trachea)·기관지(bronchus)의 양성 및 악성종양, 반흔협착, 외부의 압박(갑상샘종, 혈관기형, 림프절종, 식도암, 세로칸종양), 반흔형성
- ▸ 결핵(tuberculosis)
- ▸ 기관지연화증(bronchomalacia)
- ▸ 기관지천식(bronchial asthma)
- ▸ 만성기관지염(chronic bronchitis), 허파기종(emphysema)
- ▸ 광범위세기관지염(diffuse bronchiolitis)
- ▸ 과환기증후군(hyperventilation syndrome)

호흡계통질환의 발병원인을 이해하려면 허파의 구조, 호흡의 형태와 그에 관련된 가스교환 등을 알아야 한다. 여기에서는 코안(nasal cavity, 비강)으로부터 하기도(lower respiratory tract)에 이르기까지의 기도(respiratory tract, 숨길)의 여러 가지 자극에 대한 방어기구에 대해서 간략하게 설명한다.

◑ 호흡의 형태와 하기도에서의 가스교환

그림 3-1에는 들숨과 날숨 시의 가로막의 움직임을 나타냈다. 인체는 공기를 빨아들여 살아가는 데 없어서는 안 되는 중요한 산소를 체내로 받아들인다. 코나 입을 통하여 들어온 공기는 상기도(upper respiratory tract)라고 불리는 목구멍, 후두, 기관지를 통해 기관지말단에 있는 허파꽈리(pulmonary alveolus)로 보내진다.

공기가 출입하는 구동원이 되는 갈비뼈와 갈비사이근으로 이루어진 가슴우리와 허파의 바닥부분에는 강력한 근육군인 가로막이 있다. 이러한 근육군이 늘어나거나 수축하는 풀무운동에 의해 공기출입이 가능해진다.

공기 중의 산소는 허파꽈리에서 허파정맥을 통해 혈액으로 들어오는 한편, 허파동맥의 혈액으로부터 탄산가스가 허파꽈리로 들어온다. 이러한 작용을 가스교환이라고 한다.

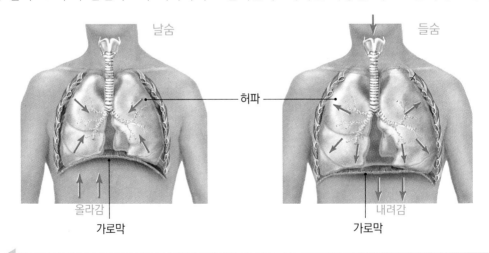

그림 3-1 호흡 시 가로막의 움직임

출처 : 정일규(2014). 휴먼 퍼포먼스와 운동생리학. p.291.

표 3-1의 질환 중에서 기관지천식은 운동과 관련이 깊다. 운동 시의 동작이 원인이 되어 기관지의 수축, 즉 천식발작이라고 하는 형태로 증상이 나타나는 운동유발천식(exereise-induced asthma)이 있다. 천식환자의 60% 정도에서 이 현상이 나타나기 때문에 천식에 걸린 스포츠선수에게는 중요한 문제가 된다.

◑ 기도에서의 방어기구

호흡계통은 항상 외부를 향해 개방되어 있기 때문에 대기 중에 부유하는 바이러스·세균 등의 미생물, 각종 분진, 해로운 냄새, 대기오염물질, 포름알데히드, 각종 알레르겐, 담배연기 등에 노출되어 있다. 그러나 이러한 물질 등에 노출되어 있으면서도 허파의 장애나 감염이 쉽게 이루어지지 않는 것은 기도(airway, 숨길)에 있는 방어기구 덕분이다.

호흡계통에 있는 방어기구는 표 3-2에 정리하였다. 표 3-2에서는 방어기구별로 개략하였는데, 특히 만성호흡기환자의 경우가 문제이다. 만성기관지염일 때에는 담배연기, 반복되는 바이러스나 세균감염 등에 의해 이 방어기구가 장애를 받아 더 심각한 악순환이 형성된다.

 3-2　호흡계통에 있는 방어기구

1. **물리학적 방어기구**
   ‣ 상기도에서 여과 및 가온·가습
   ‣ 기침반사(cough reflex), 재채기반사(sneeze reflex), 후두반사(laryngeal reflex)
2. **생물학적 방어기구**
   ‣ 상기도에 있는 상재균얼기(resident plexus)
3. **생화학적 방어기구**
   ‣ 라이소자임(lysozyme), 락토페린(lactoferrin)
4. **허파꽈리포식작용(cytophagocytosis)**
   ‣ 허파꽈리큰포식세포(alveolar macrophage), 중성구(neutrophil, 호중구)
5. **면역학적 방어기구**
   ‣ 림프조직
   ‣ 체액면역(면역글로불린 IgG, IgA, IgM, IgE, IgD, 분비형 IgA, 도움체)
   ‣ 세포면역(cellular immunity)

일반적으로는 고령자에게 많이 나타나는 폐기종은 오래 동안의 흡연습관에 의해 허파조직을 포함한 방어기구의 파탄에 의해 초래된 것이다. 따라서 젊었을 때부터 금연하는 것이 중요하다.

➡️ 만성호흡계통질환의 증상과 관찰 포인트

표 3-1에 예시한 만성호흡계통질환 중에서 이른바 폐쇄허파질환(obstructive pulmonary disease)이라고 불리는 기관지천식(bronchial asthma), 만성기관지염(chronic bronchitis), 만성허파기종(경증인 것) 등의 환자는 나이를 불문하고 운동의 영향을 받는다. 이러한 질환은 적절한 치료가 행해지지 않으면 안정 시에도 기침, 가래, 시아노겐(cyanogen), 천명(wheeze, 쌕쌕거림), 호흡곤란 등이 출현한다.

과도한 흡연습관을 가진 젊은 사람이 기침이나 가래(점조성이며 황색)가 월 단위로 지속되면 만성기관지염이 의심되므로 전문의의 진단을 받아야 한다. 만성기관지염의 전단계라고 하더라도 무심코 방심하여 스포츠 등을 계속하면 병태가 좀 더 진행되므로 주의를 요한다.

젊은 사람도 장기간 흡연을 하였다면 중노령층에게 많이 나타나는 만성허파기종의 발병위험이 높아진다. 흡연습관이 있는 스포츠선수가 기침, 체중감소, 스태미너 부족, 숨참 등으로 증가되는 운동부하를 따라가지 못하는 상태가 되면 전문의의 진단이 필요하다.

질환의 종류, 증상출현방식의 급·만성을 불문하고 호흡곤란은 주의하여 관찰해야 한다. 숨쉬기 곤란함을 호소하는 환자의 관찰 포인트는 호흡곤란의 출현 타이밍이다. 즉 호흡곤란이 시간 및 일 단위로 진행하고 있는 것인지 어떤지 체크할 필요가 있다.

다음에는 이것을 그림 3-2를 이용해서 설명한다. 호흡곤란이 갑자기 혹은 발작성으로 출현하여 환자가 가슴통증을 호소하면 공기가슴증(기흉), 심장근육경색, 허파색전 등의 질환으로 여겨진다.

그다음으로 출현까지의 시간적 경과가 짧고, 발작성으로 천명(쌕쌕거림)을 동반한다면 기관지천식의 발작을 고려해도 좋다. 한편 천명이 나타나지 않고 발작성인 것으로 과환기증후군이 있다. 이것은 기관 속에 이물질이 들어가는 영유아에게 발생빈도가 높지만 성인도 염두에 두어야 한다.

시간 및 일 단위로 진행하는 급성호흡곤란은 수반되는 증상도 다채롭다. 준급성(주, 월 단위)으로 출현하는 증상으로는 과민성허파창자염이 있다. 이것은 주택환경 중의 곰팡이(진균)를 빨아들인 결과 나타난다. 습기가 많고 석양이 비치는 주택, 방배치 등이 발생요건이기 때문에 이러한 생활환경은 발병위험이 높다.

만성으로 진행하는 증상(월, 연 단위)으로는 저산소혈증을 동반한 허파기종, 허파섬유증 등이 있다.

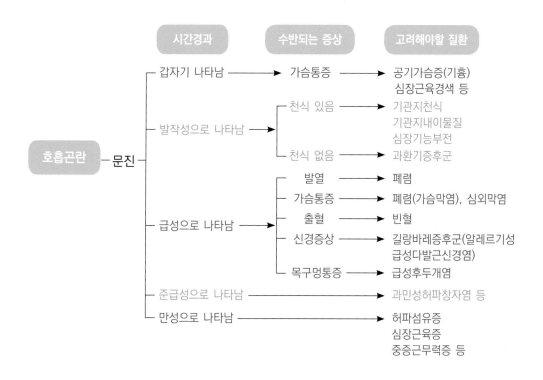

그림 3-2　호흡곤란 시의 진단흐름도

만성호흡계통질환의 치료법

만성호흡계통질환자에게 가장 중요한 것은 뭐니뭐니해도 금연이다. 기관지천식환자(사춘기의 환자도 포함하여)나 만성기관지염환자도 흡연습관이 있는 사람이 많다.

만성호흡계통질환의 예방이나 만성호흡계통질환의 진행을 막기 위해서라도 감기에 걸리지 않도록 주의해야 한다. 겨울이 되면 유행하는 인플루엔자에 걸리게 되면 빨리 병원에 가서 진찰을 받는 것이 좋다.

과다환기증후군

과다환기증후군의 원인

불안, 공포, 긴장, 정신적 불안정, 인적 환경의 부조화 등으로 스트레스를 받으면 돌발적으로 과다환기증후군(hyperventilation syndrome, 과다호흡증후군, 과환기증후군)이 될 수 있다. 심한 불온상태, 호흡곤란, 팔다리저림 등 다채로운 증상을 호소하는 질환이다. 이러한 증상은 과다호흡에 의해 체내에서 탄산가스가 과다하게 배출되어 체내의 탄산가스가 극도로 저하되기 때문에 생긴다.

체내의 탄산가스가 저하되면 뇌혈관을 수축시켜 뇌혈류량을 감소시키며, 인체를 알칼리쪽으로 기울게 하여 혈액 중의 전해질 등을 이상상태로 만든다.

과다환기증후군은 운동 중보다도 안정 시에 발증하는 경우가 많다. 원인이 정신적 긴장과 같은 운동경기에 관련되었더라도 운동 중보다도 오히려 경기종료 후에 많이 발증한다.

과다환기증후군은 과거에는 신경질적인 젊은 여성에게서 많이 발생하는 것으로 알려져 있었다. 그러나 최근의 보고에 의하면 발증률은 여성이 남성의 2배이며, 연령적으로는 10~20대가 많으나, 30대 이후의 남성에게도 비교적 많이 나타난다고 한다.

◆▷ 과다환기증후군의 증상

과다환기증후군은 갑자기 과다호흡(깊고 빠른 강제호흡)이 시작되고, 심한 불온상태가 된다. 호흡은 충분한데도 '호흡이 안 된다', '숨이 막히는 것 같다', '가슴에 압박이 느껴진다' 등 호흡곤란을 호소하기도 한다. 그밖에 빠른맥박, 두근거림(심계항진), 발한(땀남), 팔다리저림, 테타니(tetany)유사증상(팔다리말단부위가 굽힘자세에서 경축된 상태), 가슴통증, 복통(abdominal pain, 배앓이), 의식혼미 등을 호소하기도 한다(표 3-3).

이러한 다채로운 증상은 과다환기증후군의 한 가지 특징이다. 의식은 발작 중에도 비교적 정상으로 유지되고 있는 경우가 많은데, 머리가 멍한 느낌과 같은 의식장애는 환자의 약 반수에서 나타난다고 한다.

젊은 여자로 갑자기 과다호흡이 시작되어 위에서 언급한 것과 같은 다채로운 증상을 호소하면 전형적인 증상으로 판단할 수 있다. 그러나 가슴통증이나 호흡곤란을 강하게 호소하면 임상적으로 협심증 발작과 감별이 곤란할 수도 있다.

3-3 과다환기증후군의 증상

호흡계통증상	호흡곤란 내지 공기부족감(거의 발생함), 깊고 빠른 호흡
순환계통증상	두근거림(심계항진), 가슴부위가 조이는 듯한 압박감, 가슴통증
팔다리운동 및 지각이상	팔다리말단부위의 저린 느낌, 얼굴(특히 입술 주위)의 저린 느낌, 팔다리 경직상태, 테타니(tetany)와 비슷한 경련발작
중추신경계통증상	현기증, 머리가 멍한 느낌, 의식장애
소화계통증상	복통(배앓이), 구토, 욕지기(오심)
신경증상	불안감, 공포감

과다환기증후군의 응급처치

과다환기증후군이 발증하면 환자의 대부분은 패닉상태가 된다. 따라서 혼란에 빠지지 않도록 침착하게 대응해야 한다. 과다환기증후군으로 판단되면 다음과 같은 순서로 처치한다.

▶ 당황하지 말고 침착하게 불안 · 공포 · 긴장감을 제거할 수 있도록 강력하게 설득한다. 치료자가 동요하면 환자의 불안 · 긴장은 점점 커져 상황은 악화된다.

▶ 다음으로 천천히 호흡을 작게 하도록 지도한다.

▶ 큰 종이봉투(5~10ℓ 정도)를 부풀린 다음 그 종이봉투 속의 공기를 들이마시거나 내뱉게 한다. 이것은 뱉어낸 탄산가스를 다시 들여마심으로써 저하된 체내의 탄산가스를 상승시키려는 시도이다(재호흡법). 효과가 있으면 약 10분 정도 후에 증상이 개선된다.

이상의 처치로 효과가 없으면 다른 질환(뇌출혈, 심장허파질환, 저혈당 등)을 의심해 보고, 병원으로 이송하는 것이 좋다. 또, 한 번 증상이 좋아졌다고 하더라도 후일 병원에 가서 진찰을 받아본다.

운동선수는 시합 전 긴장이나 불안에 대응하도록 정신적 트레이닝을 평소부터 신경써서 받아두는 것도 예방을 위해 중요하다.

대사성질환과 운동 제**4**장

비만

◆▷ 비만이란

비만(obesity)이란 '지방조직이 피부밑이나 다른 조직에 과잉으로 축적되어 정상범위를 넘은 상태'로 정의된다. 의학적으로 치료를 필요로 하는 비만은 '비만증(adiposis, obesity)'이라고 진단하여 일반적인 비만과 구별하여 대응한다.

◆▷ 비만의 판정

비만측정방법은 신장과 체중을 이용하여 손쉽게 측정하는 방법과 수중체중측정방법이 있다. 최근에는 좀 더 정확한 생체전기저항법(BIA : bioelectrical impedance)이나 초음파법(ultrasound) 등으로 정확하고 객관적으로 측정할 수 있게 되었다.

신장과 체중을 기초로 하여 비만을 측정하는 방법은 다음과 같다.

▶ Broca법 : 학령기 이후에 적용되는 방법

- 신장 150cm 이하인 경우의 표준체중(kg)=신장(cm)−100
- 신장 150cm 이상인 경우의 표준체중(kg)=(신장(cm)−100)×0.9

$$비만도(\%) = \frac{실제체중(kg) - 표준체중(kg)}{표준체중(kg)} \times 100$$

▶ Kaup지수 : 출생 후 3개월~만 6세까지 적용되는 방법

$$Kaup지수 = \frac{체중(g)}{신장(cm)^2} \times 10$$

▶ Röhrer지수 : 학령기 이후부터 성인에 적용되는 방법

$$Röhrer지수 = \frac{체중(g)}{신장(cm)^3} \times 10^4$$

▶ 체질량지수(BMI : body mass index) : 성인기 이후에 적용되는 방법

$$BMI = \frac{체중(kg)}{신장(m)^2}$$

※ 체질량지수로 비만판정법

정상	19~25	가벼운 비만	26~30
중등도 비만	31~40	심한 비만	41 이상

 4-1 BMI, 표준체중 및 비만도 산출법

BMI=체중(kg)÷(신장m)^2
  여 : 신장 170cm이고 체중 65kg인 사람
    BMI=65÷(1.7)^2=22.50
    우리나라에서는 BMI>25를 비만으로 판정한다.

표준체중=신장(m)×신장(m)×22
  여 : 신장 170cm인 사람
    표준체중=1.7×1.7×22=63.58kg

비만도(%)=(실제체중-표중체중)÷표준체중×100
  여 : 신장 170cm이고 체중 80kg인 사람
    표준체중=1.7×1.7×22=63.58≒64kg
    비만도=(80-64)÷64×100=+25%

    한편 신장 170cm이고 체중 55kg인 사람
    비만도=(55-64)÷64×100=-14%

4-2 **비만판정의 국가별 기준**

BMI	WHO(1998)	일본비만학회(1999)	대한비만학회
<18.5	저체중(underweight)	저체중	
18.5≤~<25	정상(normal range)	보통체중	
25≤~<30	비만 전단계(preobese)	비만 1도	BMI>25
30≤~<35	비만 1도(obese class 1)	비만 2도	허리둘레로 본 복부비만기준
35≤~<40	비만 2도(obese class 2)	비만 3도	남자 90cm 이상
40≤	비만 3도(obese class 3)	비만 4도	여자 85cm 이상

비만증의 종류

비만의 원인에 의한 분류

비만증은 크게 단순성비만과 증후성비만(2차성비만)으로 나누는데, 시상하부 또는 내분비이상 등에 의한 비만은 약 5%에 불과하다.

비만의 종류는 다음과 같다.

▣ 단순성비만

원인질환없이 과식과 운동부족 때문에 살이 찐 비만이다.

▣ 증후성비만

비만을 유발시키는 질환에 의해 2차적으로 발생하는 비만으로, 그 종류는 다음과 같다.

▶ 내분비성비만 : 뇌하수체에서 분비되는 성장호르몬의 과다분비, 시상하부의 인슐린분비억제, 갑상샘기능저하로 인한 과다체중 등

▶ 약제성비만 : 약물과다복용, 스테로이드제복용

▶ 유전성비만 : Laurence Moon and Biedl증후군, Turner증후군

◑ 지방세포의 수 및 크기에 따른 분류

▣ 증식성비만

지방세포의 크기는 정상이지만 지방세포의 수가 많아지는 비만이다. 지방세포의 수 증가는 주로 생후 1년까지 왕성하므로, 증식성비만(hyperplastic obesity)은 유아기에 흔히 발생한다.

▣ 비후성비만

비후성비만(hypertrophic obesity)은 지방세포의 수는 거의 정상에 가까우나, 지방세포 하나하나가 커져서 생기는 비만으로, 성인기 이후에 주로 발생한다.

◑ 지방세포의 체내분포부위에 따른 분류

▣ 복부형 비만

복부나 허리에 지방이 축적된 형태로 영양소를 중성지방으로 분해하고 그 중성지방을 지방세포에 저장시키는 지질단백질지방분해효소가 배안의 지방에서 매우 활성화되어 있기 때문에 발생한다. 복부형 비만은 허혈심장질환, 당뇨병, 고지질혈증 등의 발병위험이 높다.

▣ 둔부형 비만

엉덩이나 허벅지 등 하체에 지방이 많이 침착된 비만으로, 여성비만자들에게 많이 나타나는 여성형 비만이다.

하반신비만(둔부형 비만)
여성이 많다

상반신비만(복부형 비만)
남성이 많다

허리둘레

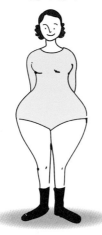

내장지방면적
(CT에 의한)

배꼽부위의 가로단면
(정상인의 모습 ; 그림의 위쪽이 배쪽이고,
아래쪽이 등쪽이다.)

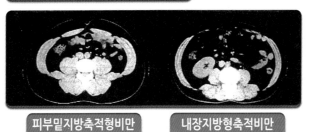

피부밑지방축적형비만   내장지방형축적비만

그림 4-1   비만의 분류

➥▷ 비만증의 원인

비만증은 인체가 필요로 하는 칼로리보다 많이 섭취하여 에너지로 소모하지 못하고
남는 것이 피부밑이나 근육 속에 침착되어 발생하는데, 그 원인은 다음과 같다.

◐ 외적 요인

비만인은 음식물을 다량으로 섭취하는 사람이 많다. 공복감이 음식물섭취를 조절하는 중요한 역할을 한다. 공복감은 위가 수축되기 때문에 생기며, 포만감은 시상하부에 의해 조절된다. 시상하부는 뇌중추로부터 심리적으로 결정된 메시지를 전달받기도 한다. 이러한 것들이 정상적인 포만감을 조절하거나 둔화시켜 필요 외로 과식을 하게 만든다. 이러한 결과 과다한 음식물섭취로 인하여 탄수화물, 지방, 단백질 등이 과잉섭취되어 근육이나 피부밑지방으로 축적된다.

한편 음식물과다섭취와 더불어 운동부족이 비만증의 커다란 원인이 되기도 한다. 왜냐하면 신체운동으로 체내의 영양 및 에너지를 소모시켜야 하는데, 운동이 부족하면 에너지 및 지방에 체내에 축적되기 때문이다. 또한 비만증환자는 신체적ㆍ정신적 여건상 운동하기 곤란하므로 그 사정은 더욱 악화되고 있다.

◐ 심리적 요인

불안ㆍ슬픔 등의 스트레스는 정상인은 식욕을 억제할 뿐이지만, 사람에 따라서는 욕구불만을 섭식행동에 전가함으로써 식욕을 항진시킨다는 연구가 있다. 많은 연구들을 보면 비만과 관련된 심리적인 문제는 비만의 원인으로 작용하는 것보다 비만으로 발생되는 결과인 경우가 많다.

◐ 에너지대사의 불균형

에너지균형은 에너지섭취와 에너지소비의 관계로 이루어지는데, 비만은 에너지섭취와 소비의 차이에서 발생하는 것보다 장기간에 걸친 이 둘의 활동적인 불균형에 의해 초래된다고 할 수 있다. 최근 비만이 고지방식과 운동량의 저하로 인해 발생하는 경우가 많은데, 운동을 하지 않으면 평상시 기초대사율이 낮아지게 되므로 식사량이 많지 않더라도 비만해질 위험이 높다.

◑ 유전적 요인

비만증발생률은 정상적인 부모 집안의 자녀에서는 약 8%이며, 한쪽 부모가 비만인 경우는 약 50%, 양쪽 부모 모두 비만일 때에는 80% 이상이다. 이와 같이 비만에는 유전인자가 높게 관계되어 있다.

➡▷ 비만과 내분비계통이상

비만증일 때 우선 선천적인가, 아니면 지방과다섭취인가를 살펴보고, 그렇지 않은 경우라면 체내의 대사이상을 의심할 수 있다. 최근에는 의학의 발달로 호르몬측정법이나 방사성 동위원소분석법에 의하여 어느 정도의 대사이상을 규명할 수 있게 되었다.

다음은 비만증이 대사 및 내분비계통이상에 미치는 영향이다.

▶ 지방세포 : 크기가 커진다. 세포의 수도 증가한다.

▶ 혈청지질 : 콜레스테롤 상승, 트리글리세라이드 상승, 유리지방산 상승

▶ 내당능력 : 저하

▶ 혈장인슐린 : 기초분비량 상승, 글루코스에 대한 반응 상승

▶ 혈장성장호르몬 : 기초분비량 저하, 포도당에 대한 반응 저하, 인슐린저혈당자극 저하

➡▷ 비만증과 합병증

비만증인 사람은 여러 가지 질병에 걸리기 쉽고 결과적으로 수명의 단축을 가져온다. 여기에서는 비만과 성인병의 관계를 알아보기로 한다.

◑ 비만증과 고혈압

비만증은 고혈압을 일으키는 중요한 인자의 하나로서 비만과 혈압 · 체중 등은 밀접한 관계가 있다. 특히 고혈압환자는 비만인이 정상인이나 약간 마른 사람보다 많다. 그

리고 고혈압이 있으면서 비만인에게는 고혈압이나 비만증 중 어느 한 가지만 있는 사람보다 심장동맥질환이 많다. 또, 고혈압증인 비만인에게는 심장근육경색증이 많다.

이와 같이 고혈압과 비만은 심장동맥질환의 요인이 된다. 따라서 체중을 줄이는 것만으로도 어느 정도 비만예방효과가 있다.

◑ 비만증과 심장병

지방조직이 증가되면 심장에 물리적인 부담이 커지고, 또 혈액순환용적도 커지므로 심박출량이 증가하여 심장은 부담을 받게 된다. 또, 운동할 때는 무거운 체중을 극복하면서 신체활동을 해야 하므로 심장의 부담은 더욱 가중된다. 이로 인하여 대부분 비만증 환자는 짧고 빠르게 숨을 쉬는 경향이 있다. 이와 같이 비만인은 심장의 역학기능이 장애를 받게 되는데, 이것이 악순환을 일으켜 더욱 비만하게 된다.

◑ 비만증과 호흡계통질환

심장근육에 지방이 침착되면 호흡운동기능이 약해지고 허파활량, 예비호기량, 기능적 환기량 및 전체허파기량이 줄고 잔기량이 많아진다. 이러한 저환기에 의한 CO_2 저류증상으로 졸음이 자주오고 근육경련이 일어나며 저산소혈증으로 다혈증이 생긴다. 저산소혈증은 허파고혈압을 만들어 오른심실 비대 내지 부전으로까지 진전될 수 있다.

비만일 때 허파꽈리(폐포)에서 환기가 잘되지 않는 기전은 확실치 않으나, 허파가슴우리(폐흉곽)의 환기량증가, CO_2에 대한 감수성저하 등이 생긴다. 또한 비만인은 저환기로 인하여 정상인보다 허파기종을 일으키기 쉽다.

◑ 비만증과 당뇨병

비만증과 당뇨병은 매우 밀접한 관계를 갖고 있다. 따라서 비만인은 당뇨병 발생빈도가 높다. 그 빈도는 대략 10%의 과체중자에서 1.5배, 20%에서는 3배, 25% 이상 과체중자에서는 8배 이상으로 나타났다. 또, 비만증인 사람의 당내성은 체중이 증가할수록 더욱 낮아지고 체중이 줄면 개선된다. 이 당내성의 저하는 비만의 정도보다도 비만의 지속기간에 관계된다.

◐ 비만증과 기타 질병

비만증으로 인한 합병증발생빈도가 많은 질병은 다음과 같다.

▣ 내과적 질병

▶ 순환계통질환 : 심장질환, 동맥경화, 콩팥(신장)질환 등

▶ 내분비 및 대사성질환 : 당뇨, 통풍 등

▶ 호흡계통질환 : 각종 허파질환

▶ 소화계통질환 : 지방간, 쓸개(담낭)질병, 이자(췌장)염 등

▶ 신경계통질환 : 각종 신경질환

▣ 산부인과 질병

▶ 난소기능부전 : 자궁발육부전, 월경이상, 불임증 등

▶ 질염, 외음습진 등

▣ 피부과 질병

▶ 피부염, 다한증, 습진

비만과 성인병발병률은 표 4-3과 같다.

4-3 비만과 성인병발병률

성인병 구 분	비 만	정 상	여 윔
당뇨병	16.5%	7.6%	4.7%
심장병	27.8%	13.3%	13.4%
고혈압	57%	35.1%	38.7%
동맥경화	27.3%	21.4%	7.9%

◆▷ 비만증의 치료법

◑ 식이요법

비만증을 예방하고 체중을 감소시키는 가장 기본적인 식이요법은 적게 먹고, 단백질을 중점적으로 섭취하고, 지방이나 당질을 적게 섭취하는 것이다.

체중을 줄이는 알맞은 방법을 결정하려면 먼저 신체검사를 실시한 다음 표준식단을 마련하여 칼로리섭취량을 결정해야 한다. 그러나 오래 동안 감식을 하면 체지방도 감소하지만 근육도 더불어 축소하게 된다. 따라서 신체적으로 빈약한 상태가 되어 체력이 저하되고, 때로는 빈혈 등의 영양상 문제가 일어나며, 기초대사도 저하되므로 주의하지 않으면 안 된다.

식이요법을 실시할 때 주의할 사항은 다음과 같다.

▶ 자신의 표준체중을 알고 유지하도록 노력할 것

▶ 매일 식사량을 일상생활 활동량에 맞추어 섭취할 것

▶ 1일 3식은 지키되 저녁식사는 가볍게 할 것

▶ 콩·두부·생채소류를 많이 섭취하여 만복감을 유지하고, 지방식·설탕·과자류·음료·술 등은 삼갈 것

▶ 취미생활에 몰두할 것

▶ 음식은 꼭꼭 씹어 섭취하고, 남은 음식이 아깝다고 과다섭취하지 말 것

▶ 단음식과 짠음식은 식욕을 일으켜 과식의 원인이 되므로 가능한 싱겁게 먹을 것

◑ 약물요법

체중을 감소하기 위한 약물요법은 매우 신중하게 실시해야 한다. 이 요법의 초기에는 신경계통에 작용하여 식욕을 감퇴시키는 암페타민(Amphetamine, 식욕감퇴제)이 처방되는 것이 보통이다. 그러나 이 약을 장기간 사용하면 습관성이 된다. 더욱이 그 효과도 얼마 후에는 감퇴되는 까닭에 대부분의 의사들은 이 약을 권하지 않고 있으며, 식사량을 줄이기 힘든 사람에게만 사용한다.

◑ 운동요법

비만증을 예방하고 체중을 감소시키는 방법으로서는 운동(신체활동)이 가장 효과적이라는 것은 이미 잘 알려진 사실이다. 그러나 운동요법만으로는 소기의 목적을 달성할 수 없으므로 식이요법을 병행하여야 한다. 즉 운동요법은 칼로리소모를 증가시켜 체지방을 감소시킬 수 있으나, 식욕이 자극되어 운동으로 인한 체중감소효과가 소실될 위험이 많다. 예를 들면 매분 20m의 속도로 달리기를 하면 분당에너지소비량의 약 10kcal가 된다. 따라서 500kcal에 상당하는 체지방을 감소시키기 위해서는 약 50분간 달리기(jogging)를 하여야 하는데, 이것을 거리로 환산하면 약 10km가 된다.

한편 심한 비만증인 사람은 운동능력이 제한되어 체중부하가 따르는 운동은 하기 어려우며, 심장부담도 많아 체온조절상의 문제점 등이 있으므로 이러한 운동은 불가능하다. 따라서 운동요법과 식이요법을 꾸준히 실시하는 것이 비만증과 체중감소를 위한 가장 바람직한 방법이다. 또 규칙적인 운동으로 체지방을 감소시키기 위해서는 적어도 1주일에 3회 이상, 주당 최소한 800kcal 이상의 에너지를 소비할 수 있는 운동을 하여야 하며, 이를 위해서는 대근육군을 이용하는 운동(신체활동)이 효과적이다.

체중을 감소시키기 위해 운동을 실시할 때 유의할 점은 다음과 같다.

▶ 운동은 에너지소비가 낮은 수준부터 높은 수준까지 점진적으로 실시하여야 한다.

▶ 관절에 지나친 부담을 주거나 그밖에 상해 우려가 있는 운동은 피한다.

▶ 운동은 땀의 배출이 많아져 체열발산이 증가하도록 계속적으로 해야 한다.

▶ 최소한 30분 이상 계속하여야 하며, 극도로 에너지가 소모되거나 근조직에 피로가 쉽게 오는 운동은 피한다.

▶ 체중감소를 위해서는 걷기, 조깅, 수영, 싸이클, 에어로빅, 등산 등이 효과적인 운동이다.

◑ 일시적이고 위험한 방법

수분상실(탈수)이 일시적으로 체중을 줄이는 하나의 방법은 되지만, 좋은 방법이라고는 할 수 없다. 수분상실방법은 다음과 같은 세 가지이다.

▶ 운동, 한증요법, 사우나 등에 의한 발한방법

▶ 음료수나 수분섭취제한

▶ 이뇨제복용이나 주사, 설사약복용

이러한 방법은 운동시합(체급경기)에 대비하는 경우처럼 특수한 경우에 사용되지만, 지속적으로 체중을 줄여야 하는 비만증인 사람에게는 비효과적이다. 오히려 탈수가 건강에 해를 줄 수도 있다. 체중감소용약제의 대부분은 가치가 없거나 위험하다는 사실도 알아야 한다.

당뇨병

➡▷ 당뇨병이란

우리가 섭취한 음식물은 체내에서 에너지원인 포도당으로 변환되어 혈관을 통하여 전신의 세포에 수송된다. 혈관 속의 포도당을 세포 안으로 집어넣을 때 필요로 하는 호르몬이 인슐린(insulin)이다. 인슐린은 이자(pancreatic, 췌장)의 랑게르한스섬(islands of Langerhans) 안에 있는 β 세포에서 분비된다.

인슐린의 분비부족 혹은 기능부전에 의해 포도당은 세포로 들어가지 못하고 혈관 속에 쌓여 혈당치를 높이는데, 이것이 당뇨병(diabetes)이다. 따라서 혈관 속은 고혈당이라도 세포는 영양실조상태가 된다. 혈관 속에 쌓인 포도당은 콩팥을 거쳐 소변으로 배설된다. 이때 다량의 수분을 필요로 하기 때문에 다음·다뇨를 초래한다. 이러한 상태가 지속되면 영양분이 다량으로 소변과 함께 배설되어 체중이 감소한다.

당뇨병의 진단

당뇨병의 진단은 다음과 같이 이루어진다(표 4-4).

 4-4 **당뇨병의 진단순서**

임상진단

1. 공복혈당치≥126mg/dl, 75g OGTT[주1] 2시간값≥200mg/dl, 수시혈당치≥200mg/dl 중 어느 하나에 해당되거나(정맥혈장값), 다른 날에 실시한 검사에서 2회 이상 확인되면 당뇨병으로 진단해도 좋다.[주2] 이 기준치를 초과하더라도 1회만 검사한 결과인 경우에는 유사당뇨병으로 본다.

2. 유사당뇨병이면서 다음 중 어느 것을 만족시키면 1회만 검사하였더라도 당뇨병이라고 진단할 수 있다.

   ‣ 당뇨병의 전형적인 증상(갈증, 다음, 다뇨, 체중감소)이 있다.
   ‣ HbAc(당화헤모글로빈)≥6.5%
   ‣ 당뇨병망막증이 확실하게 있다.

3. 과거에 위의 1 또는 2를 보인 경우가 있고, 그것을 병력 등으로 확인할 수 있으면 당뇨병이라고 의심을 가지고 대응해야 한다.

4. 이상의 조건에 의해서 판단하기 어려운 경우에는 환자를 추적해서 일정한 시일이 경과한 후에 다시 검사한다.

5. 당뇨병의 임상진단에서는 당뇨병의 유무만 보지 말고, 분류(원인과 대사이상의 정도)와 합병증 등도 파악하려고 노력해야 한다.

역학조사

당뇨병의 빈도를 추정할 때에는 1회의 검사만으로 유사당뇨병이라고 판정하는 대신에 당뇨병이라고 판정해도 된다. 이때 가급적이면 75g OGTT 2시간값≥200mg/dl를 기준으로 사용한다.

검진

당뇨병을 못 보고 지나치지 않는 것이 중요하다. 스크린할 때에는 혈당치만 보지 말고, 가족병력과 비만 등의 임상정보도 참고해야 한다.

주1) 글루코스경구부하시험(OGTT : oral glucose tolerance test) … 당뇨병의 진단에 널리 사용되고 있는 방법이다. 글루코스를 입으로 섭취하면 간이나 조직의 처리능력 이상으로 창자관에서 흡수되어 혈당은 30~60분이면 최고치가 된다. 그리고 조직에서 글루코스가 이용되어 간에서의 글루코스방출이 억제되며, 또 인슐린분비항진, 성장호르몬분비억제 등의 기구에 의해 혈당은 내려간다. 아침공복 시에 50g 또는 100g의 글루코스를 목 안에서 녹여 입으로 섭취하여 시간의 흐름별(일반적으로 0, 30, 60, 90, 120, 180분)로 채혈해서 혈당 또는 혈중인슐린을 측정한다.

주2) 스트레스가 없는 상태에서 고혈당인지를 확인해야 한다.
첫 번째와 두 번째 검사가 동일해야할 필요는 없다.
첫 번째 검사에서 수시혈당치≧200mg/dl이었다면 두 번째 검사는 다른 방법을 사용하는 것이 바람직하다.
첫 번째 검사에서 공복혈당치가 126~139mg/dl이었다면 두 번째 검사는 OGTT로 할 것을 권장한다.

공복혈당치 126mg/dl 이상, 75g OGTT(75g의 포도당을 섭취한 후 시간별로 혈당을 측정하는 시험)에서 2시간값 200mg/dl 이상, 수시혈당치(1일 중 적당한 시간에 혈당을 측정한 값) 200mg/dl 이상 중의 어느 하나가 다른 날 실시한 검사에서 2회 이상 확인되면 당뇨병으로 진단한다. 이때 1회의 검사결과뿐이라면 유사당뇨병으로 본다.

공복혈당치 110mg/dl 미만, 75g OGTT시험 2시간값 140mg/dl 미만은 정상으로 본다. 정상과 유사당뇨병 사이의 혈당치를 나타내는 것을 경계형이라고 한다(그림 4-2).

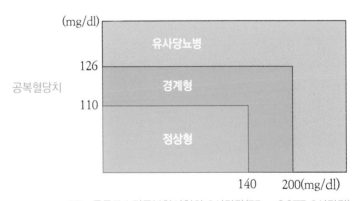

그림 4-2 당뇨병의 진단

당뇨병의 분류

당뇨병의 발병원인에 의한 분류에는 1형당뇨병(인슐린의존형당뇨병)과 2형당뇨병(인슐린비의존형당뇨병, 인슐린저항당뇨병)이 있다. 1형당뇨병은 이자의 β세포가 파괴되어 인슐린이 분비되지 않아 발병한다. 2형당뇨병에는 인슐린이 나오는 방식이 나빠지는 경우와 인슐린의 작용이 나빠지는 경우가 있다(표 4-5).

4-5 당뇨병의 발병원인에 의한 병형별 특징		
	Ⅰ형당뇨병	Ⅱ형당뇨병
발병기전	무엇인가의 속성(자기면역 등)에 의한 이자 β세포의 붕괴	인슐린분비량이 적을 뿐만 아니라 인슐린저항성마저 첨가되어 발병한다.
유전적 요인	HLA(human leucocyte antigen, 백혈구에 들어 있는 항원)에 특징이 있다. 다른 유전자의 관여도 추정된다. 당뇨병의 가족병력은 Ⅱ형보다 적지 않다.	가족 중에 당뇨병환자가 많다.
발병연령	25세 이하가 많다.	40세 이상이 많다.
비만도	비만인이 아닌 사람이 많다.	비만인 또는 과거에 비만했던 사람이 많다.
자기항체	발병초기의 70%가 이자세포에 들어 있는 항체(ICA : islet cell antibody : 랑게르한스섬세포항체. Ⅰ형당뇨병의 마커로 주목받고 있다), 글루타민산 탈탄산효소(GAD : glutamate acid decarboxylase)항체 등이 양성이다.	음성(양성이면 Ⅰ형당뇨병이다)

➡▷ 당뇨병이 해로운 이유

당뇨병이 인체에 주는 가장 나쁜 것은 합병증이다. 당뇨병은 대부분 자각증상이 없고, 아프지도 가렵지도 않다. 이 때문에 당뇨병이라고 진단을 받아도 치료하지 않고 방치하는 경우가 많아 합병증을 불러일으키는 원인이 된다.

당뇨병의 합병증은 급성합병증과 만성합병증의 2가지로 나뉜다. 급성합병증은 고혈당 그 자체가 원인이 되어 생기는 당뇨병혼수(diabetic coma)이다. 한편 만성합병증은 혈당컨트롤이 불량한 상태가 장기간 계속되어 나타나는 혈관의 병이다. 작은 혈관이 나빠지면 콩팥질환·신경장애 등을 초래하고, 큰 혈관이 나빠지면 동맥경화증을 일으켜 뇌졸중·심장근육경색·괴저(손발의 끝이 썩어 절단이 필요해지게 되는 것) 등을 초래한다.

➪ 당뇨병의 치료법

운동요법은 식이요법이나 약물요법과 마찬가지로 당뇨병치료의 기본이다.

◑ 운동요법

▣ 운동의 효과

운동이 당뇨병에 미치는 효과는 다음과 같다.

▶ 인슐린의 작용을 좋게 하여 당이용을 늘린다.

▶ 식이요법과 병행하면 근육손실을 줄이고 체지방(특히 내장지방)을 효과적으로 감소
   시킨다.

운동을 하면 이러한 과정을 거쳐 혈당을 낮추고, 지질대사이상을 개선하며, 나아가 동맥경화의 발생위험을 감소시킨다. 운동에 의해 소비에너지가 늘어나므로 체중감량효과도 기대할 수 있지만, 체중감소가 그만큼 없어도 일상의 운동에 의해 인슐린저항성이 경감하거나 내장지방이 특이적으로 감소하므로 대사이상이 개선된다.

▣ 운동요법의 방법

운동요법을 실시하려면 먼저 건강검진을 하여 당뇨병의 관리상태가 양호하다는 것을 확인한다. 다만 케톤증(ketosis), 증식망막증(proliferative retinopathy), 진행콩팥병, 고도의 자율신경장애 등이 합병된 경우에는 운동요법은 금지한다.

▣ 운동종목

당뇨병에 좋은 운동종목은 걷기, 조깅, 사이클링, 수영 등이다. 보행은 '언제든지, 어디서든지, 혼자서라도' 할 수 있는 최적의 운동이다.

▣ 운동강도

운동요법은 자신이 최대로 할 수 있는 강도를 100%라고 했을 때 그 강도의 40~60% 정도로 한다. 운동 시의 맥박수는 100~120/min 이내로 조절한다. 부정맥 등으로 맥박

수를 지표로 할 수 없을 때에는 환자 자신이 '편하다' 혹은 '약간 힘들다'라는 느낌을 기준으로 한다. 워밍업, 쿨링다운은 반드시 실시한다.

◉ 운동의 부하량 및 빈도

운동을 시작하고 15분 정도부터 지방이 연료로서 사용되기 시작하여 점점 그 비율이 커져간다. 따라서 운동시간은 1일 최저 15~60분이 적정하다. 운동에는 지속효과가 있기 때문에 당대사에 미치는 효과는 운동 후 1~2일은 유지된다. 또한 근육이나 호흡순환계통의 기능도 이틀에 한 번 꼴로 운동하면 충분히 효과를 얻을 수 있다.

◉ 운동의 실시시각

운동을 하는 가장 이상적인 시간대는 식후 2시간이다. 이 시간대에 혈당이 피크가 되기 때문에 이때 운동을 하면 식후의 혈당상승을 억제할 후 있다. 인슐린이나 혈당강하제를 복용하고 있는 사람도 이 시간대라면 저혈당을 일으킬 우려가 적다. 그러나 실제생활에서는 정해진 시간대에 운동하기가 어려우므로, 실천 가능한 시간이라면 언제든지 좋다.

◉ 운동의 종류와 소비에너지

운동으로 소비하는 에너지는 그렇게 많지 않다. 따라서 '운동으로 소비한 에너지량만큼 식사를 늘린다'는 것은 잘못된 생각이다. 운동이 당대사에 미치는 효과는 인슐린감수성 개선이다.

◉ 운동요법의 금지 혹은 제한이 필요한 경우

▶ 당뇨병의 컨트롤이 극단적으로 나쁜 경우(공복혈당 250mg/dl 이상 혹은 소변케톤체 중간강도 이상 양성)

▶ 증식망막증에 의한 눈바닥(안저)출혈이 있는 경우(안과의사와 상담)

▶ 콩팥장애(혈청크레아틴이 남성 2.5mg/dl 이상, 여성 2.0mg/dl 이상)

▶ 심장·허파기능장애(순환기전문의의 지시에 따를 것)

◑ 식이요법

▣ 식이요법의 포인트

당뇨병일 때의 식사량은 평소의 70% 정도를 기준으로 억제한다. 식품은 30종류 이상 섭취를 목표로 하되, 지방을 적게 하고 균형잡힌 식사를 섭취한다. 아침 · 점심 · 저녁식 사시간은 규칙적으로 한다.

▣ 1일식사량

당뇨병환자의 적정한 1일식사량은 연령, 성별, 신장, 체중, 일일생활활동량 등에 의해 각자 다르다. 1일필요에너지량은 표준체중을 구한 다음 여기에 신체활동에 필요한 체중 1kg에 필요한 에너지를 곱하여 계산할 수 있다(표 4-6).

4-6   1일필요에너지량의 계산

표준체중 = 신장(m) × 신장(m) × 22
1일필요에너지량=신체활동에 필요한 체중 1kg당 에너지×표준체중
신체활동량의 목표
‣ 가벼운 노동(사무직, 주부 등)   25~30kcal/kg
‣ 보통노동(서서 일하는 직업)   30~35kcal/kg
‣ 중노동(노동자)   35~   kcal/kg

◑ 약물요법

당뇨병의 약물요법에는 크게 나눠서 경구약물요법과 인슐린요법의 2가지가 있다. 당 뇨병치료에서 약물요법은 어디까지나 보조요법인데, 이는 식이요법 · 운동요법으로 혈당 컨트롤이 불충분한 경우에 시작한다.

▣ 경구약물요법

경구약물요법은 인슐린분비능력은 있지만 혈당을 충분히 컨트롤할 만큼 인슐린이 분 비되지 않는 인슐린분비부족인 사람과, 인슐린의 효과가 좋지 않은 인슐린저항성을 가

311 제4장 대사성질환과 운동

진 사람에게 적용한다. 경구약에는 인슐린분비촉진(SU)약, 인슐린저항성개선(BG)약, 식후과혈당개선약(α -glucosidase inhibitor), 인슐린저항성개선약 등이 있다.

▣ 인슐린요법

1형당뇨병에서는 절대적으로 인슐린이 필요하다. 그리고 2형당뇨병에서도 식이요법, 운동요법 혹은 당뇨병치료약의 경구복용에도 불구하고 혈당컨트롤이 나쁘면 인슐린요법이 필요하다.

▣ 인슐린요법의 절대적 적응

- ▶ 인슐린의존상태(1형당뇨병)
- ▶ 당뇨병혼수(케토증혼수, 고혈당혼수)
- ▶ 중증간기능장애, 콩팥장애
- ▶ 중증감염증의 합병, 중간강도 이상의 외과수술(전신마취 시 등)
- ▶ 당뇨병합병임신

▣ 인슐린요법의 상대적 적응

- ▶ 인슐린비의존형(인슐린저항)병이라고 하더라도 확실한 고혈당(예를 들어 공복혈당 250mg/dl 이상, 케톤체 양성, 수시혈당 350mg/dl 이상)을 나타내거나 케톤증 경향이 있는 경우
- ▶ 경구혈당강하약으로 혈당컨트롤이 양호하게 되지 않는 경우(SU약의 일차무효, 이차무효 등)

골다공증

골다공증이란

골다공증(osteoporosis)은 노화에 의한 전신의 대사성질환으로, 뼈질량(bone mass) 감소와 구조이상에 의해 뼈밀도(bone density)가 감소하여 골절위험성이 높아진 상태를 말한다. 골다공증은 정확한 증상으로 나타나지 않기 때문에 골절 후에야 문제가 되기도 한다.

고령자가 골다공증 때문에 골절을 일으켜 누워서 지내면 사회문제가 된다. 그렇기 때문에 골다공증의 발생요인, 관련인자, 예방 등에 관한 연구가 이루어져 운동이 뼈대사와 관계가 있다는 사실이 밝혀졌다. 그중에서도 뼈대사에 관한 연구대상은 고령자뿐만 아니라 스포츠선수에게까지 확대되었다. 특히 젊은 여성 스포츠선수 중에는 무월경상태가 오래 이어질 때 발생하는 피로골절이 뼈질량감소에 기인하는 사례도 나타났다. 이 때문에 골다공증이나 뼈대사가 스포츠의학의 연구대상 중 한 분야가 되고 있다.

골다공증의 진단과 분류

골다공증은 다른 질환에 의하지 않은 원발골다공증(primary osteoporosis)과 다른 질환에 의한 속발골다공증(secondary osteoporosis)으로 나뉜다. 보통 골다공증이라고 할 때는 원발골다공증을 말한다. 속발골다공증은 콩팥질환에 의한 투석환자, 위절제수술을 받은 환자, 만성관절류마티즘환자 등에게서 발생한다. 원발골다공증의 진단은 표 4-7과 같이 이루어진다. 원발골다공증 중 노화에 의한 퇴행골다골증은 여성에게 많은데, 여기에는 폐경 직후에 발증하는 폐경후골다공증과 60대 후반이나 70대부터 발생빈도가 높아지는 노년골다공증이 있다. 남성도 노년골다공증환자를 찾아볼 수 있다.

청소년골다공증 중에는 사춘기에 발증하여 몇 년 이내에 낫는 특발청소년골다공증(idiopathic juvenile osteoporosis)이나 다발골절(multiple fracture)을 일으키는 골다공증 등이 있다. 스포츠선수에게서 발견되는 낮은 뼈염(osteitis) 때문에 피로골절을 일으키고 있는 증상은 청소년골다공증과는 다르다.

4-7 원발골다공증의 진단기준

낮은 뼈질량에 의한 골다공증 이외의 질환 또는 속발골다공증을 제외하고, 뼈를 평가한 결과가 다음을 만족시키면 원발골다공증으로 본다.
▸ 쇠약골절[주1]이 있다.
▸ 쇠약골절은 아니지만 뼈밀도[주2]와 척추 X-선사진을 보면 골다공증화되어 있다.

정상	22~44세 평균치의 80% 이상	골다공증이 아님
뼈질량감소	22~44세 평균치의 70~80%	골다공증으로 의심한다.
골다공증	22~44세 평균치의 70% 이하	골다공증으로 본다.

주1) 쇠약골절(dyscrasic fracture)……뼈질량이 적은 것(뼈밀도가 22~44세 평균치의 80% 미만, 또는 척추 X선사진상 골다공증화가 있는 경우)이 원인이 되어 경미한 외력에 의해 발생되는 비외상성골절로, 골절 부위는 척추 · 넙다리뼈목 · 노뼈먼쪽끝 등이다.

주2) 뼈밀도(bone density)는 허리뼈밀도를 원칙으로 한다. 다만 고령자이어서 척추변형 때문에 허리뼈밀도를 측정할 수 없으면 넙다리뼈목의 뼈밀도로 한다. 이것도 측정하기 곤란하면 노뼈, 두번째손허리뼈, 발꿈치뼈 등의 뼈밀도를 사용한다.

뼈대사의 구조

뼈질량은 일생 동안 변화한다. 뼈의 성장에 따라 뼈의 무게도 증가한다. 뼈질량은 20대 후반부터 30대에 최대뼈질량(peak bone mass)에 도달한다. 여성은 여성호르몬의 분비가 적어지는 폐경기에 뼈질량이 급격히 감소한다. 한편 남성의 뼈질량은 서서히 감소한다. 일반적으로 뼈형성과 뼈흡수는 균형을 유지하고 있는데, 골다공증은 이 뼈형성과 흡수의 균형이 깨져서 생긴다. 즉 뼈흡수가 뼈형성보다 많으면 뼈질량이 감소한다.

뼈대사는 항진하는 경우와 저하하는 경우가 있는데, 전자를 고(高)뼈대사회전이라고 하고, 후자를 저(低)뼈대사회전이라고 한다. 골다공증도 고뼈대사회전형으로 발증하는 것과 저뼈대사회전형으로 발증하는 것이 있다. 골다공증의 발생은 여성호르몬(특히 에스트로겐)의 저하가 원인이다.

◆▷ 골다공증에 관여하는 요인과 운동

뼈질량을 결정하는 인자에는 연령, 성별, 호르몬(여성의 경우 여성호르몬)의 분비상태, 사이토카인, 영양, 기호품, 유전, 운동, 생활습관 등이 있다. 나이가 많아지면 뼈질량이 감소한다. 뼈의 중요한 성분은 칼슘이다. 나이를 먹으면 창자관의 칼슘흡수가 저하되고, 또 먹는 양이 줄어들기 때문에 섭취량이 감소하여 뼈에 저장된 칼슘을 혈액에 동원하여 혈중칼슘농도를 유지하려고 한다. 이 때문에 뼈속의 칼슘이 혈중으로 녹아버려 뼈질량이 감소한다.

한편 피부에서 흡수된 자외선의 영향으로 콩팥이나 간에서 활성화되어 창자관의 칼슘흡수를 돕는 활성화비타민 D도 연령에 따라 혈중농도가 저하시킨다. 이 칼슘과 비타민 D의 섭취량은 뼈질량에 크게 영향을 미친다.

고령이 되면 외출기회가 줄어들기 때문에 자외선을 쬘 기회가 적어져 혈중비타민 D농도를 저하시킨다. 또한 노령이 되면 신체활동이 저하되는데, 이것은 뼈에 주는 역학적 자극을 감소시켜 뼈질량 유지에 마이너스 영향을 준다. 뿐만 아니라 노령이 되면 시력저하, 평형기능저하, 근력·지구력저하, 연골마모 등에 의해 관절통증이 발생하고, 넘어질 위험성도 증가한다. 넘어지는 것은 골절의 직접적인 원인이 된다.

흡연습관이 뼈질량을 감소시킨다. 니코틴은 칼슘흡수를 저해하고, 칼슘이 소변에 섞여 배설되는 것을 촉진한다. 니코틴은 에스트로겐 생성저하를 촉진하기도 한다. 또, 알코올의 과도한 섭취는 간기능장애와 저영양을 가져와 활성화비타민 D의 생성을 저해한다. 카페인은 칼슘의 소변 중 배설을 촉진시키므로 녹차, 홍차, 커피 등의 과잉섭취도 문제가 있다.

운동은 뼈질량에 큰 영향을 미친다. 뼈강도의 증가에 관하여는 프로스트(Frost)의

mechanostat이론이 유명한데, 그것은 치밀뼈(compact bone)는 외부의 역학적 사극의 정도에 따라 다르게 반응한다는 것이다. 즉 뼈에 뒤틀린 힘이 가해지면 뼈는 강해져서 그 뒤틀림에 견딜 수 있는 강도가 된다.

이것은 결국 중력부하나 운동부하에 의해 뼈밀도가 증가하는 근거가 된다. 하중을 받는 다리의 뼈밀도는 중력을 반영하는 체중과 상관관계가 있으며, 팔뼈보다 밀도가 높다. 또, 운동양식에 따라 뼈밀도에는 차이가 있어서 유도 등 뼈에 중력이나 뒤틀린 힘이 많이 가해지는 스포츠종목을 전문으로 하는 선수는 뼈밀도가 높다. 다만 수중운동은 뼈에 중력부하가 걸리기 어려워 경영선수의 뼈질량은 다른 스포츠종목의 선수보다도 낮다는 보고도 있다.

고령자의 경우에도 운동습관이 있는 사람의 뼈밀도가 높다는 점에서 보면 운동은 뼈밀도의 유지·증가에 크게 관여하고 있다고 볼 수 있다. 그러나 생리적으로 뼈밀도가 감소해가는 중노령층은 뼈밀도를 높이는 것은 쉽지 않다. 따라서 운동을 하여 뼈질량 증가효과가 높은 사춘기나 뼈질량의 절정기에 뼈질량을 획득해두는 것이 좋다.

▶ 골다공증의 치료법

골다공증을 치료하려면 식이요법(필요량의 칼슘섭취 등), 약물요법(활성화비타민 D 등의 투여), 자외선욕, 금연 등으로 생활습관부터 개선해야 한다. 속발골다공증은 기초질환의 치료가 필수이다. 골절이 되었다면 골절치료가 필요하다.

골다공증에 대한 운동요법은 뼈에 뒤틀림이나 중력부하 주기, 통증완화, 소화흡수기능 높이기, 전신의 혈행개선, 운동에 의한 생활습관 개선, 넘어짐 방지 등의 요소를 조합시키는 것이 좋다. 그러나 중노년층은 생활습관병이나 운동기관질환을 가지고 있는 경우가 많으므로 사람에 따라 운동종목·시간·강도를 설정해두는 것이 바람직하다.

기타 질환과 운동

제**5**장

갱년기장애

▶ 갱년기장애란

갱년기(climacteric)란 여성이 나이가 많아지면 생식기(성성숙기)로부터 비생식기(노년기)로 이행하는 기간이라고 정의할 수 있다. 이 기간에 자율신경실조증(autonomic dysfunction, 자율신경기능부전)을 중심으로 한 갱년기부정수소증후군(climacteric indefinite complaint syadrome ; 증상의 강도나 종류가 매일 달라지는 것)을 갱년기장애(climacterium, menopausal disorder)라고 한다.

갱년기는 폐경 전후에 맞춰 통상 40대 중반부터 50대 중반까지의 약 10년이다. 그러나 폐경연령은 개인차가 있어서 갱년기가 시작되는 시기도 사람에 따라 다르다. 빠른 사람은 30대에 갱년기를 맞이하기도 한다.

▶ 갱년기장애의 원인

갱년기장애에는 다음의 세 가지 인자가 관여하고 있다.

▶ 난소에서 분비된 여성호르몬(에스트로겐)의 저하에 의한 노화

▶ 이 연령대의 여성은 남편과의 의사소통이 부족하기 쉬운 가운데, 자녀들의 독립, 부모의 간병 등 '가족의 주요인물'로서의 부담을 안게 되는 사회적 요인

▶ 책임감이 강하고 신경질적인 성격적 요인

이러한 것들은 한 가지씩 나타나지 않고, 서로 겹쳐 작용한다(그림 5-1).

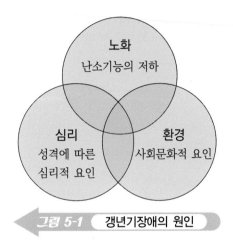

그림 5-1 갱년기장애의 원인

갱년기장애의 증상

폐경 전 약 5년간은 난소기능이 급격히 저하하지만, 이윽고 일정한 저하수준에 머물게 된다. 그사이 혈중에스트로겐은 감소하여 50세쯤이 되면 성숙기의 1/4~1/5로 감소한다. 이러한 에스트로겐의 급격한 저하에 의해 호르몬 밸런스가 무너지면 이른바 갱년기장애가 출현한다. 에스트로겐은 몸의 여러 기관에 작용하기 때문에, 그 부족으로부터 일어나는 증상은 다양하다(표 5-1).

그중에서도 대표적인 것은 자율신경계통의 실조(ataxia)인데, 이는 얼굴홍조(hot flash)라고도 하는 갑자기 얼굴이 확 달아오르는 증상이다. 그밖에 땀과 냉감, 숨참, 두근거림(심계항진), 어깨결림, 요통, 불면 등도 일어난다. 보통 한 사람의 여성이 복수의 증상을 동반하며, 증상의 강도나 종류는 매일 다르다.

이런 증상은 모두 한 번에 일어나는 것은 아니지만, 2개나 3개의 증상이 동시에 겹쳐 일어나는 경우도 있다. 이러한 갱년기장애의 증상은 호르몬분비의 난조로 인한 것이지만, 몸의 기능적인 변화뿐만 아니라 노년기를 맞이하는 정신적인 불안이나 두려움으로 증상이 일어나는 경우도 많다.

5-1 갱년기장애의 증상

혈관운동신경계통	얼굴홍조(hot flash), 땀, 두근거림, 빠른맥박, 느린맥박 등
정신신경계통	두통, 흥분, 불면, 초조(안달복달), 공포감, 불안, 피로감 등
피부분비계통	가려움증, 건조, 입안건조 등
지각신경계통	냉감, 마비감, 지각과민, 지각둔감, 스멀거림(formication, 의주감) 등
소화계통	구토, 식욕부진, 변비 등
운동기관	요통, 관절통, 어깨결림, 근육통 등
비뇨계통	빈뇨, 배설곤란, 잔뇨감 등
내분비계통	부정출혈, 질건조감 등
대사계	비만
기타	복통, 야윔 등

갱년기장애의 진단

갱년기장애를 진단할 때에는 먼저 기질병(organic disease)을 제외시켜야 한다. 이를 위해서는 혈액생화학검사 등을 실시하여 호르몬검사 이외는 정상범위인 것을 확인한다.

폐경기 전후에 얼굴홍조, 발한, 두근거림, 어깨결림, 불면 등을 호소하면 일반적으로는 갱년기장애를 고려한다.

얼굴홍조(hot flash)

여성에서 폐경기 또는 그 후에 간혹 나타나는 지속적인 열감, 난소, 시상하부, 뇌하수체 신경 호르몬 작용의 변화에 동반하는 혈관운동장애로 나타난다. 정확한 원인·기전은 알려져 있지 않다. 폐경기의 모든 여성에게 나타나는 것은 아니며, 그 기간과 횟수도 다양하다. 비록 신체적인 위해는 없어도, 이 증상은 때에 따라 극도의 불안감을 유발시키거나, 드물게는 무기력화를 초래하기도 한다. 정기적인 에스트로겐 투여로 증세가 경감된다.

비교적 젊은 사람은 혈중의 난포자극호르몬(FSH : follicle stimulating hormone)을 측정한다. 난소기능이 저하된 것을 확인하는 면역검사(RIA : radio immuno assay)에 서 40mIU/ml 이상을 나타내면 난소기능부전으로 보아도 좋다. 다만 단순히 부정적인 증상만 있고 난소기능은 정상인 경우에는 갱년기장애라고 하지 않는다.

표 5-2의 갱년기지수표를 이용하여 증상을 파악한다.

 5-2 **갱년기지수**

증상의 정도에 따라 스스로 점수를 매겨 합계점수를 체크한다(증상이 많으면 그중 증상이 심한 경우를 택한다).

■ **갱년기지수의 자기채점 평가법**
　0~25점 : 이상 없음
　26~50점 : 식사, 운동 시에 주의
　51~65점 : 산부인과 검진
　66~80점 : 장기에 걸친 계획적 치료
　81~100점 : 과별 정밀검사, 장기간 계획적으로 대응

증 상	강	중	약	없음	점수
① 얼굴이 달아오른다.	10	6	3	0	
② 땀을 흘린다.	10	6	3	0	
③ 허리나 손에 찬 느낌이 든다.	14	9	5	0	
④ 숨이 차고, 두근거림이 있다.	12	8	4	0	
⑤ 잠자리가 불편하고, 깊은 잠을 못잔다.	14	9	5	0	
⑥ 화를 자주내고, 안달복달한다.	12	8	5	0	
⑦ 쓸데없는 걱정으로 우울하다.	7	5	3	0	
⑧ 두통, 현기증, 헛구역질을 한다.	7	5	3	0	
⑨ 자주 피로하다.	7	4	2	0	
⑩ 어깨결림, 요통, 손발의 통증 등이 있다.	7	5	3	0	

출처 : 小山嵩夫(1996). 更年期外來ハンドブック. p. 27.

자신의 증상이 '강'부터 '없음' 중 어디에 해당하는지를 확인한 다음 점수를 합계하여 평가한다. ①~④는 에스트로겐이 감소하면 자주 일어나는 증상이고, ⑤~⑧은 사회적 · 성격적 요인도 반영하며, ⑨~⑩은 어느 연령대에서나 나타나는 증상이다. 치료를 필요로 하는 기준은 50점을 넘을 때이며, 65점을 넘으면 갱년기장애의 정도는 꽤 심각하여 우울증상태를 동반하기도 한다. 80점을 넘으면 심장병 · 당뇨병 등이 숨어 있을 수도 있다. 갱년기장애와 감별을 요하는 중요한 질환은 정신질환이므로 정신과 전문의의 진단이 필요하다.

▶ 갱년기장애와 운동

과거 갱년기장애치료의 기본은 심신의 안정유지였지만, 최근에는 갱년기장애에 대해 운동요법이 실시되고 있다. 갱년기에는 어려운 스포츠는 하기 힘들 뿐만 아니라 건강을 해칠 수도 있다. 운동은 신체단련을 목표로 하지 않고 얼마나 건강한 생활을 영위할 수 있을 것인가를 목표로 한다. 따라서 건강검진은 반드시 실시해야 한다.

적절한 운동을 하면 어깨결림 · 요통개선 · 저항력증가 · 컨디션조절 등을 가져오고, 정신적으로는 심신의 상쾌감 · 건강감 · 생활의욕증가 · 충실한 수면 등이 나타난다. 이러한 것들은 갱년기장애의 부정수소증후군의 치료효과와 비슷하다.

운동강도는 중노령기의 건강스포츠라는 점과 갱년기장애 이외의 신체적인 이상의 유무도 고려하여 자각적 운동강도는 '약간 편한 정도'나 '편한 정도'의 범위가 적당하며, 최대운동강도의 50~60% 정도가 좋다. 운동을 하면 갱년기 이후의 노년기에 나타나는 골다공증의 예방에도 도움이 된다.

⬤▷ 갱년기장애의 치료법

◐ 호르몬대체요법

호르몬대체요법(HRT : hormone replacement therapy)은 갱년기에 부족한 여성호르몬을 호르몬약으로 보충하여 갱년기장애를 원인부터 치료하는 방법이다. HRT를 실시해서는 안 되는 사람을 표 5-3과 같다.

 5-3 호르몬대체요법(HRT)을 실시해서는 안 되는 사람

절대적 금기	‣ 유방암, 자궁내막암환자 ‣ 혈전증, 색전증환자 ‣ 포르피린(porphyrin)혈증환자 ‣ 중증심장 · 간 · 콩팥질환자
상대적 금기	‣ 자궁근종, 자궁내막증환자 ‣ 지질대사이상환자 ‣ 고혈압환자 ‣ 원인불명의 자궁출혈환자 ‣ 당뇨병환자 ‣ 간질병환자

그중 가장 문제가 되며, 또한 환자의 관심이 높은 것은 암에 대한 위험성이다. 자궁내막암은 에스트로겐 단독으로는 발생률을 증가시키지만, 프로게스테론은 겸용하면 발생을 억제할 수 있다. 유방암은 에스트로겐 단독으로는 발생률을 약간 증가시키지만, 프로게스테론을 겸용하면 발생을 감소시킨다는 보고와 증가시킨다는 보고가 있다. 따라서 유방암경력이 있는 환자는 HRT를 실시해서는 안 되며, 그렇지 않은 경우라도 정기건강검진은 꼭 필요하다.

◐ 기타 요법

▶ 한방요법……한약으로 컨디션을 조절하고, 증상을 완화시킨다.

▶ 심리요법……카운셀링이나 약 등으로 신경계통의 증상을 개선한다.

▶ 증상에 맞는 약……어깨결림, 두통 등 갱년기에 나타나는 증상을 억제시킨다.

오버트레이닝증후군

오버트레이닝증후군이란

사람의 몸은 사용하지 않으면 기능이 저하되고, 너무 많이 사용하면 기능장애가 일어나므로 적당한 정도로 사용하여야 발달한다. 오버트레이닝증후군(OTS : over training syndrome)이란 1년 이상에 걸친 과잉트레이닝부하에 의해 운동능력이 저하되고 피로증상이 지속되어 쉽게 회복되지 않는 상태인데, 일종의 만성피로로 볼 수 있다.

오버트레이닝증후군의 증상

"왜 사람은 피로를 느낄까?" 피로를 민감하게 느끼는 사람이 있는가 하면, 쉬지 않고 활동을 계속한 결과 처음으로 피로를 느끼는 사람도 있다. 또한 피로의 메커니즘에 관해서도 불명확한 점도 많다.

피로는 휴식과 영양섭취상태에 따라 회복이 가능하다. 그러나 휴식이나 영양을 경시하고, 충분하게 회복되기 전에 피로가 누적되면 오버트레이닝상태가 되어 여러 가지 신체 및 정신증상이 나타난다. 표 5-4에 OTS의 징후와 증상을 요약했다.

오버트레이닝증후군의 발생원인

사람의 일상생활 및 스포츠활동은 '활동→휴식→활동→휴식'이 연속되는 사이클을 형성한다. 따라서 활동과 휴식의 밸런스가 잡혀 있어야 정상적인 생활이 유지된다.

그림 5-2는 트레이닝부하와 회복의 밸런스 관계이다. 그림 5-2의 I에서는 트레이닝효과(초회복)가 없어지고 나서 다음 트레이닝부하를 주고 있으므로 효과를 나타내는 진

유형	부교감신경성 OTS	교감신경성 OTS
별칭	애디슨(Addison)형 OTS 유산소적 OTS 근대적 OTS	바세도우(Basedow)형 OTS 무산소적 OTS 고전적 OTS
발생빈도	많다	드물다
스포츠종목	지구력경기, 마라톤, 장거리달리기, 스키장거리경기, 경영, 자전거도로경기, 트라애슬론 등	스프린트, 파워경기, 단거리달리기, 던지기, 역도, 레슬링 등
증상	▸ 운동능력 저하 ▸ 빨리 피로해짐 ▸ 근육의 압통 또는 경직 ▸ 정신적 억제 ▸ 식욕·체중 변화 없음 ▸ 두통 없음 ▸ 정상체온 ▸ 땀이 많이 나고, 떨림은 없음 ▸ 느린맥박 ▸ 운동부하 후 심박수회복 양호 ▸ 호흡곤란 없음 ▸ 활발하지 않은 정상기분 ▸ 기타	▸ 운동능력 저하 ▸ 빨리 피로해짐 ▸ 근육의 압통 또는 경직 ▸ 정신적 흥분 ▸ 식욕·체중 감소 ▸ 두통 있음 ▸ 체온 약간 상승 ▸ 땀이 많이 나고, 떨림 ▸ 안정시심박수 증가 ▸ 운동부하 후 심박수회복 지연 ▸ 운동부하 시 이상한 과다호흡 ▸ 찜찜한 이상기분 ▸ 기타

5-4 오버트레이닝증후군(OTS)의 유형

행방향의 화살표가 수평이 되어 점진적인 능력향상을 기대할 수 없다.

그림 5-2의 Ⅱ에서는 피로회복이 불완전한 상태에서 다음 트레이닝부하가 걸리므로 화살표가 오른쪽으로 내려가 있다. 따라서 피로가 많이 축적된 상태로 진행된다.

그림 5-2의 Ⅲ에서는 트레이닝부하와 회복의 밸런스가 잘 잡혀 효과의 화살표가 오른쪽으로 올라가게 되어 점진적인 능력향상이 나타나고 있다.

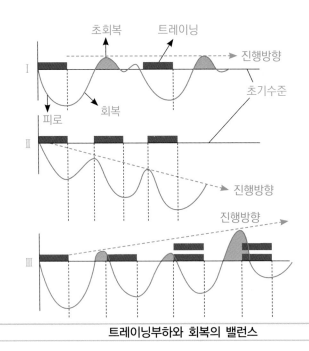

그림 5-2 **트레이닝부하와 회복의 밸런스**

▷ 오버트레이닝증후군의 예방과 대처법

트레이닝부하와 회복의 밸런스를 나타낸 그림 5-2의 Ⅱ는 피로가 회복되기 전에 트레이닝부하가 걸려서 피로가 축적된 상태이다. 이 화살표의 기울기에 따라 OTS의 증상을 경도, 중간강도, 중도, 그리고 최중도로 분류한다. 중간강도와 최중도가 이른바 전형적인 오버트레이닝증후군이다. 표 5-5에 OTS의 대처법을 정리했다.

5-5 **오버트레이닝증후군(OTS) 대처법**

경도	2~3일간 연습량을 줄이면 자연적으로 회복된다. 그러나 매일 점검해야 한다.
중간강도	1주간 연습을 줄이고, 2~3일간은 완전히 휴식한다. 컨디션이 좋지 않으면 의사의 진찰을 받는다.
중도	어떤 질환이 있을 수 있다. 병원에 가서 진찰을 받고, 카운셀링을 받는다.
최중도	입원 또는 정기 통원치료가 필요하다. 혼자 거주하지 말고, 월 단위의 근본적 치료를 장기긴 빈나.

참 고 문 헌

권경남 외(2003). 임상생리학실습. 고려의학.

김명일(2003). 스포츠상해 예방과 스트레칭. 대경북스.

김명일, 김영빈(2005). 운동처방에센스. 대경북스.

김완수 외 역(2003). 운동검사 · 운동처방지침. 현문사.

김용수 외(2020). 비주얼 아나토미. 대경북스.

김재호(2003). 안전교육과 응급처치. 대경북스.

김종만(2000). 신경해부생리학. 정담.

김창국 외(2014). 인체해부학 아카데미. 대경북스.

김창국 외(2020). 체력 및 퍼포먼스향상을 위한 트레이닝방법론. 대경북스.

대한스포츠과학운동의학회 역(2019). 근골격계 질환의 진단 및 재활의학. 한미의학.

대한스포츠의학회 역(2021). 스포츠의학 세트(5판). McGraw Hill Korea.

대한의사협회(2009). 영한 · 한영 의학용어집(제5판). 대한의사협회.

박경환 외 역(2004). 해부생리학 입문. 범문사.

서채문(2010). 건강교육학(전정판). 대경북스

석세일 외(1989). 정형외과학. 대한정형외과학회.

스포츠의학사전편집포럼(2003). 스포츠의과학대사전. 대경북스.

신문균 외(1998). 인체해부학. 현문사.

안도혁 외(2021). 메디파워 10초 테이핑. 증상과 질환편. 예방의학사.

안의수 외(2001). 운동과 건강관리. 현문사.

오재근 외(2004). 스포츠의학. 정담미디어.

윤지나 역(2019). 그 운동, 독이 됩니다. 지식너머.

이창현 외 역(2004). 베스트 여성건강의학. 대경북스.

재활체조연구회(2005). 피트니스 스트레칭과 재활체조요법. 대경북스.

정영태(1994). 인체생리학. 형설출판사.

정일규(2021). 휴먼퍼포먼스와 운동생리학(전정판). 대경북스

조병준(2004). 스포츠의학. 충남대학교 출판부.

조성연 외(2013). 운동재활치료(상, 하). 대경북스.

藤本繁宏(2014). スポーツ醫學. 嵯峨野書院.

小柳磨毅 外(2003). アスレティックリハビリテーション. 嵯峨野書院.

日本體力醫學會學術委員會監修(1998). スポーツ醫學. 朝倉書店.

中野昭一(2019). スポーツ醫科學. 杏林書院.

池上晴夫(2019). スポーツ醫學 Ⅰ. 朝倉書店.

天羽敬祐(2012). わかりやすいスポーツ醫科學. 總合醫學社.

Albright, A. L. et al.(1995). Diabetic nephropathy in an aerobically trainded rat model of diabetes. *Med. Sci. Sports Exerc. 27*: 1270-1277.

Andersson, G. B. J.(1987). *Back Schools*. The Lumbar Spine and Back Pain(edited by Jayson, M. I. V.), 315-320.

Anversa, P. et al.(1983). Morphometry of exercise-induced right ventricular hypertrophy in the rat. *Cir. Res., 52* : 57-64.

American College of Sports Medicine(2020). *ACSM's Guidelines for Exercise Testing and Prescription*. 10th ed. Philadelphia(PA):Lippincott Williams&Wikins.

Åstrand, P. O. & Rodahl, K.(2003). *Textbook of Work Physiology : Physiogical Bases of Exercise*. 4th ed. Vol. 4. Windsor, Canada: Human Kinetics.

Åstrand, P. O. & Rodahl, K.(2001). *The Textbook of Work Physiology*, Mcgraw-Hill Book Company : New York.

Bartlett, J. G.(1996), *Guide to Medical Care of Patients with HIV Infection*, 6th ed., Williams & Wilkins.

Bezucha, G. R. et al.(1982). Comparison of hemodynamic responses to static and dynamic exercise. *J. Appl. Physiol.*, 53 : 1589-1593.

Bjerkedal, T.(1986). Introduction to the symposium : exercise in the treatment of obesity. *Med. Sci. Sports Exerc.*, 18 : 1-2.

Blair, S. N. et al.(1989). a physical fitness and all-cause mortality : a prospective study of healthy men and women. *JAMA*, 262 : 2396-2401.

Broustet, J. P.(1980). *Sportkardiologie*. 2, Enke-Verlag.

Bruckner, P. et al.(2002). *Clinical Sports Medicine*, McGraw-Hill.

Casaburi, R., Strer, T. W. et al.(1987). Mediation of reduced ventilatory response to exercise after endurance training. *J. Appl. Physiol.*, 63 : 1533-1538.

Criqui, M. H, & Ringel, B. L.(1994). Does diet or alcohol explain the French Paradox?. *Lancet*, 344 : 1719-1723.

Cruikshanks, K. J. et al.(1992). Physical activity and proliferative retinopathy in people diagnosed with diabetes before Age 30 yr. *Diabetes Care*, 15 : 1267-1272.

Dela, F. et al.(1996). Training-induced enhancement of insulin action in human skeletal muscle : The influence of aging. *J. Gerontology*, 51A, B 247-B252.

Despopoulos, A., Silbernagl, S.(1986). *Color Atlas of Physiology*, Goerg Thieme Verlag Thieme Inc.

Ekelund, L. G. et al.(1988). Physical fitness as a predictor of cardiovascular mortality in asymptomatic North Americal men. *New Engl. J. Med.*, 319 : 1379-1384.

Eric, P. W., Hershel, R. & Kevin, T. S.(2003). *Vander, Sherman, Luciano's Human Physiology The Mechanisms of Body Function*, McGrawHill.

Ettinger, W. H. et al(1997). A randomized trial comparing aerobic exercise and resistance exercise with a health education program in older adults with knee osteoarthritis. *JAMA*, 277(1) : 25-31.

Fagard, R. H., Bekaert, I. E.(1986). *Sports Cardiology*, Martinus Nijhoff Publishers.

Flucky, J. D. et al.(1994). Effects of resistance exercise on glucose tolerance in normal and glucose-intolerant subjects. *J. Appl. Physiol.*, 77 : 1087-1092.

Fortney, S. M., et al.(1985). Exercise, performance and temperature control : temperature regulation during exercise and implications for sport performance and training. *Sprots Med.*, 2, 8-20.

Fox E. L.(1983). *Lifetime Fitness*, Saunders College Publishing, 79-99.

Franklink, B. A., Gordon, S.(1989). *Timmis, Exercise Modern Medicine*, Williams & Wilkins.

Frisch, R. E. et al.(1986). Lower prevalence of diabetes in female former college athletes compared with nonathletes. *Diabetes*, 35 : 1101-1105.

Goldman, R. F.(1980). Protection against cold injury. *Contemp. Orthop.*, 2 : 263.

Hargreves, M.(1995). *Exercise Metabolism*, Human Kinetics.

Hollmann, W. et al.(2001). The cardiovascular system. *The Olympic Book of Sports Medicine*(eds. Dirix, A. et al.) 40-48. Blackwell Scientific Publications.

Horan, M. J. et al.(1990). Blood pressure and physical fitness in children. *Hypertension*, 9 : 188-191.

Hunter, G.R., Bamman, M.M., Larson-Meyer, D.E., et al. (2005). Inverse relationship between exercise economy and oxidative capacity in muscle. *Eur. J. Appl. Physiol*, 94(5-6).

Karlsson, J.(2000). *Antioxidants and Exercise*, Human Kinetics.

Kriska, A. M. et al.(1991). The association of physical activity and diabetic complications in individuals with insulin-dependent diabetes mellitus : The epidemiology of diabetes complications study-VII. *J. Clin. Epidemiology*, 44, 1207-1214.

Lacasse, Y., Wong, E. et al.(1996). Meta-analysis of respiratory rehabilitation in chronic obsturctive pulmonary disease. *Lancet*, 348, 1115-1119.

Lamb, D. R.(1984). Potentially harmful effects of exercise. *in Physiology of Exercise*. 384-393, MacMillan.

LeBlanc, J. et al.(1979). Effects of physical training and adiposity on glucose metabolism and I-insulin binding. *J. Appl. Physiol.*, 46 : 235-239.

Lebrun, C. M. D.(2004). *The Encyclopedia of Sports Medicine* . Facts on File .

Linda, S. C.(2002). Physiology(Second Edition), Saunders.

McCrory, P., Meeuwisse, W., Johnston, K., et al. (2009). Consensus statement on concussion in sport: the 3rd International Conference on Concussion in Sport, held in Zuridh. *Clin. J. Sports Med.* 19(3):185-200

Mckenzie, R.(1990). *Treat Your Own Back*(ed. 4), 37-48. Spinal Publications.

McLaughlin, J.E., Howley, E.T., Bassett, D.R. Jr, Thompon, D.L., Fitzhugh, E.C. (2010). Test of the classic model for predicting endurance running performance. *Med. Sci. Sports Exerc.* 42(5):991-7.

Paffenbarger, R. S. Jr., et al.(1984). A natural history of athleticism and cardiovascular health. *JAMA.*, 252(4), 491-495.

Paffenbarger, R. S. Jr., et al.(1986). Physical activity, all-cause mortality and longevity of college alumni. *New Engl. J. Med.*, 314 : 605-613.

Patel, D.R., Shivdasani, V., Baker, R.J.(2005). Management of sport-related concussion in young athletes. *Sports Med.* 35(8):671-84.

Randolph, C.(2011). Baseline neuropsychological testing in managing sports related concussion: does it modify risk? *Curr. Sport Med. Rep.* 10(1):21-6.

Rouzier, P. et al.(2004). *The Sports Medicine Patient Advisor*. Sports Med. Press.

Safran, M. et al.(2003). *Instructions for Sports Medicine*. Saunders.

Schatz, P. (2010). Long-term test-retest reliability of baseline cognitive assessments using ImPACT. *Am. J. Sports Med.*, 38:(1):47-53.

Schiaffino, S.(2010) Fibre types in skeletal muscle:a personal account. *Acta. Physiol*(Oxf). 199(4).

Seeley, R. R., Stephens, T. D., & Tate, P.(1996). *Essential of anatomy and Physiology*. Mosby-year Book, Inc. Sed. Edition.

Skinner, J. S.(1993). *General principles of exercise prescription. Exercise Testing and Prescription for Special Cases*(Skinner, J. S.), 29-40, Lea & Febiger, 1993.

Starkey, C.(2005). *Athletic Training and Sports Medicine*. Jones and Bartlett Publishers

Stunkaed, A. J.(1980). *Obesity*, W. B. Saunders Company, 48-71.

Sugenoya, J., et al.(1985). Chracteristics of central sudomotor mechanism estimated by frequency of sweat propulsion. *Jpn. J. Physiol.*, 35, 783-794.

The Trials of Hypertension Prevention Collaborative Research Group(1992). The Effects of Nonpharmacologic Interventions on Blood Pressure of Persons with High Normal Levels. Results of the Trials of Hypertension Prevention, Phase 1. *JAMA*, 267 : 1213-1220.

Tipton, C. M.(1991). *Exercise, training and hypertension : an update. Exercise and Sports Sciences Reviews*. American College of Sports Medicine Series, Vol. 19(ed. Holloszy, J. O.) 447-505. Williams & Wilkins.

Van Kampen, D.A., Lovell, M.A., Pardini J.E., Collins, M.W., Fu, F.H.(2006). The "value added" of neurocognitive testing after sports-related concussion. *Am. J. Sports Med.* 34(10):1630-5.

Verrill, D., Shoup, E., McElveen, G. et al.(1992). Resistive exercise training in cardiac patients. *Sports Medicine*, 13 : 171-193.

Vitug, A. et al.(1988). Exercise and type Ⅰ diabetes mellitus. *Exercise and Sport Sciences Review*(ed. Pandolf, K. B.) 16 : 284-304, Am. Publ. Co.

Walter, B. & Emile, L. B.(2002). *Medical Physiology*, Saunders.

Wasserman, K. et al.(1987). *Physiology of Exercise. Principles of Exercise Testing and Interpretation*, Lea & Febiger, Philadelphia.

Webb, P.(1986). Direct calorimetry and the energetics of exercise and weight loss. Med. *Sci. Sports Exerc.*, 18 : 3-5.

Wilborn, C.D., Taylor, L.W., Greenwood, M., Kreider R.B., Willoughby, D.S.(2009). Effects of resistance exercise on regulators of myogenesis. *J Strength Cond Res*. 23(8):2179-87.

William, F. G.(2003). *Review of Medical Physiology*(21st Edition), McGraw Hill.

Williams, P. C.(1982). *Low Back and Neck Pain. Cause and Conservative Treatment*, 35-43. Charles, C. Thomas.

Wilmore, J. H., Costill, D. L.(1994). *Physiology of Sport and Exercise*, Human Kinetics : Champaign.

Zeman, F. J.(1991). *Clinical Nutrition and Dietetics*. Macmillan Publ. Co.

Zwart, A., et al.(1984). Human whole-blood oxygen affinity : effort of carbon monoxide. *J. Appl. Physiol*, 57 : 14-20.

ㅅ

ㅇ

ㅈ

ㅋ